Amor e Psique

Dados Internacionais de Catalogação na Publicação (CIP)
(Câmara Brasileira do Livro, SP, Brasil)

Bolen, Jean Shinoda.
As deusas e a mulher : nova psicologia das mulheres / Jean Shinoda Bolen ; [tradução Maria Lydia Remédio ; revisão Ivo Storniolo]. — São Paulo : Paulus, 1990. — (Coleção amor e psique)

Bibliografia
ISBN 85-349-0709-9

1. Arquétipo - Psicologia 2. Mitologia grega - Aspectos psicológicos 3. Mulheres-Mitologia 4. Mulheres-Psicologia. Título. II. Série: Amor e psique.

90-0579 CDD-305.4
-150.1954
-155.633
-292.08

Índices para catálogo sistemático:
1. Arquétipo : Psicologia 150.1954
2. Mitologia grega : 292.08
3. Mulheres : Condições sociais : Sociologia 305.4
4. Mulheres : Mitologia grega 292.08
5. Mulheres : Psicologia 155.633

Coleção **AMOR E PSIQUE**

- *Uma busca interior em psicologia e religião*, J. Hillman
- *A sombra e o mal nos contos de fada*, Marie-Louise von Franz
- *A individuação nos contos de fada*, Marie-Louise von Franz
- *A psique como sacramento — C. G. Jung e P. Tillich*, J. P. Dourley
- *Do inconsciente a Deus*, Erna van de Winckel
- *Contos de fada vividos*, H. Dieckmann
- *Caminho para a iniciação feminina*, S. B. Perera
- *Os mistérios da mulher antiga e contemporânea*, M. E. Harding
- *Os parceiros invisíveis*, J. A. Sanford
- *Menopausa, tempo de renascimento*, A. Mankowitz
- *A doença que somos nós*, J. P. Dourley
- *Mal, o lado sombrio da realidade*, J. A. Sanford
- *Meditações sobre os 22 arcanos maiores do Tarô*, Anônimo
- *Os sonhos e a cura da alma*, J. A. Sanford
- *Bíblia e psique — Simbolismo da individuação no AT*, E. F. Edinger
- *A prostituta sagrada*, N. Q.-Corbett
- *A interpretação dos contos de fada*, Marie-Louise von Franz
- *As deusas e a mulher — Nova psicologia das mulheres*, J. S. Bolen
- *Psicologia profunda e nova ética*, E. Neumann
- *Meia-idade e vida*, A. Brennan e J. Brewi
- *Puer Aeternus — A luta do adulto contra o paraíso da infância*, Marie-Louise von Franz
- *O que conta o conto?*, Jette Bonaventure
- *Falo, a sagrada imagem do masculino*, E. Monick
- *Castração e fúria masculina*, E. Monick
- *Eros e pathos — amor e sofrimento*, A. Carotenuto
- *Sonhos de um paciente com Aids*, Robert Bosnak
- *A busca fálica — Príapo e a inflação masculina*, J. Wyly
- *A tradição secreta da jardinagem — Padrões de relacionamentos masculinos*, G. Jackson
- *Conhecendo a si mesmo — O avesso do relacionamento*, D. Sharp
- *Breve curso sobre sonhos*, Robert Bosnak
- *Sonhos e gravidez*, Marion R. Gallbach
- *A passsagem do meio*, James Hollis
- *Os mistérios da sala de estar*, G. Jackson
- *O velho sábio — Cura através de imagens internas*, P. Middelkoop
- *A solidão*, A. Storr
- *Deus, sonhos e revelação*, Morton T. Kelsey
- *A velha sábia — Estudo sobre a imaginação ativa*, Rix Weaver
- *Sob a sombra de Saturno*, J. Hollis
- *Amar trair — Quase uma apologia da traição*, A. Carotenuto

Jean Shinoda Bolen

AS DEUSAS E A MULHER

nova psicologia das mulheres

3ª edição

PAULUS

Título original
Goddesses in Everywoman

Tradução
Maria Lydia Remédio

Revisão
Ivo Storniolo

Coleção **AMOR E PSIQUE**
dirigida por
Dr. Léon Bonaventure
Pe. Ivo Storniolo
Profa. Maria Elci S. Barbosa

Rua Francisco Cruz, 229
04117-091 São Paulo (Brasil)
Fax (011) 570-3627
Tel. (011) 575-7362

ISBN 85-349-0709-9
ISBN 0-06-250082-1 (ed. original)

INTRODUÇÃO À COLEÇÃO AMOR E PSIQUE

Na busca de sua alma e do sentido de sua vida, o homem descobriu novos caminhos que o levam para a sua interioridade: o seu próprio espaço interior torna-se um lugar novo de experiência. Os viajantes desses caminhos nos revelam que somente o amor é capaz de gerar a alma, mas também o amor precisa da alma. Assim, em lugar de buscar causas, explicações psicopatológicas às nossas feridas e aos nossos sofrimentos, precisamos, em primeiro lugar, amar a nossa alma, assim como ela é. Deste modo é que poderemos reconhecer que estas feridas e estes sofrimentos nasceram de uma falta de amor. Por outro lado, revelam-nos que a alma se orienta para um centro pessoal e transpessoal, para a nossa unidade e a realização de nossa totalidade. Assim, a nossa própria vida carregará em si um sentido, o de restaurar a nossa unidade primeira.

Finalmente, não é o espiritual que aparece primeiro, mas o psíquico, e depois o espiritual. É a partir do olhar do imo espiritual interior que a alma toma seu sentido, o que significa que a psicologia pode de novo estender a mão à teologia.

Esta perspectiva psicológica nova é fruto do esforço para libertar a alma da dominação da psicopatologia, do espírito analítico e do psicologismo, para que volte a si mesma, à sua própria originalidade. Ela nasceu de reflexões durante a prática psicoterápica, e está começando a renovar o modelo e a finalidade da psicoterapia. É uma nova visão do homem na sua existência cotidiana, do seu tempo, e dentro de seu contexto cultural, abrindo dimensões diferentes de nossa existência para podermos reencontrar à nossa alma. Ela poderá alimentar todos aqueles que são sensíveis à necessidade de colocar mais alma em todas as atividades humanas.

A finalidade da presente coleção é precisamente restituir a alma a si mesma e "ver aparecer uma geração de sacerdotes capazes de entender novamente a linguagem da alma", como C. G. Jung o desejava.

Léon Bonaventure

À minha mãe, Megumi Yamaguchi Shinoda, formada em Medicina. Apesar de não ter tido a mesma oportunidade, ela se empenhou em ajudar-me a me tornar adulta, sentindo que eu era afortunada por ser uma menina, e que poderia fazer o que quer que eu aspirasse como mulher.

PRÓLOGO À EDIÇÃO BRASILEIRA

Todos nós necessitamos do encontro com o outro para o encontro consigo mesmo. Esta é a faísca geradora do conhecimento e da transformação que é parte potencial em nós. Essa necessidade natural de encontrar-se e descobrir-se aparece desde sempre: "Abrirei minha boca em parábolas, revelarei coisas escondidas desde a criação do mundo" (Mt 13,35).

As parábolas foram usadas para os primeiros contatos e revelações na relação Deus-ser humano. Os mitos, assim como as parábolas, nos aproximam da comunicação dos deuses com o homem, possibilitando uma religação com a dimensão cósmica e sagrada, a busca da própria verdade, o encontro com a alma.

É em busca da origem da mulher, da sua história, do seu mito, que a autora descreve os caminhos da mulher, baseada em imagens simbólicas trazidas pelas deusas gregas que estiveram e estão vivas na imaginação.

A grandeza das deusas mitológicas, assim como das imagens arquetípicas descritas por C.G. Jung, está na eternidade de sua essência e em sua permanência na mente humana. As imagens simbólicas dos arquétipos enriquecem e ampliam nossa consciência; elas refletem diferentes aspectos do si-mesmo, e o seu conhecimento permite à mulher compreender e desvendar seus próprios sentimentos e recuperar seu Eu. Despertar para a mitologia significa estar desperto para a realidade da vida. Atender ao chamado de cada deusa (de nós mesmos) e dos diferentes relacionamentos que ecoam em nós, descobrir-lhes o sentido e o significado em nosso cotidiano, é o caminho para resgatar nossa alma.

A reflexão e assimilação do conhecimento das "deusas e a mulher" propiciam para o ser humano, homem e mulher, um guia para a sua alma, em busca de sua integridade.

A rotina a ser vencida, cheia de obstáculos sociais; a assimilação da cultura e do conhecimento; o compromisso socioprofissional; o compromisso de ser mãe, muitas vezes em choque com as outras possibilidades; tudo isso se faz presente como Eris (deusa da discórdia) e nos força a repensar e a nos reposicionar perante a vida. A discórdia é um fator primordial presente nos questionamentos, dúvidas e também nas alianças, integrando aspectos do inconsciente, a sombra, abrindo espaço para a necessidade de libertação e desenvolvimento da consciência. A quantidade de opções que somos obrigados a fazer ao longo da vida só nos alimenta e ilumina quando vem ao encontro de nossa inteireza.

Essa é a proposta de Jean Shinoda Bolen.

As sete deusas que a autora descreve — Ártemis, Atenas, Héstia, Hera, Deméter, Perséfone e Afrodite são ainda hoje sete possibilidades excludentes de ser mulher. A autora nos mostra através do mito do julgamento de Páris, exemplo de princípio patriarcal, como se estabeleceu a exclusão das possibilidades femininas. Houve uma primeira seleção com a escolha de três deusas — Hera, Atenas, Afrodite, e a vitória de Afrodite, que recebeu a maçã de ouro, em detrimento das demais.

Assim, "compreensão, conflitos, alianças ocorrem na psique da mulher, como uma vez ocorreu no Olimpo".

Eleger Afrodite, deusa alquímica do amor, sem destronar as outras, como fez Páris, é a nossa missão, nosso desafio de hoje.

Se a mulher não estiver em harmonia com suas deusas, com sua própria alma, será usada como fantoche, criticada, culpada, e não conseguirá se firmar, ser verdadeira quanto aos seus próprios valores e sentimentos, ficando mutilada nos vazios das deusas, esquecida. É imprescindível para a mulher a vivência dos predicados da deusa Afrodite e, com a abertura que ela propicia, que venham Hera, Atenas e as demais deusas. Assim se concretiza a possibilidade da individuação: "... é o tornar-se um consigo mesmo e ao mesmo tempo com a humanidade toda, em que também nos incluímos". (C. G. Jung).

A autora fornece alguns instrumentos de sua experiência, enquanto analista junguiana e participante de movimentos feministas, para que os desejos e as necessidades da mulher sejam vividos através do encontro com suas deusas interiores. Que a mulher não permaneça dominada pelo arquétipo de uma única deusa, nem seja obrigada a vivenciar todas, mas descubra seu próprio mito, construa sua própria história e privilegie sua escolha interior. Que a característica básica da mulher — participar muito de perto da criação, do nascimento — não sirva mais para lhe tirar o direito mais sagrado: nascer enquanto mulher, ser dona do seu desejo e vivenciar os diferentes aspectos das deusas em sua vida.

Lêda M. D. Quinete Maas

PREFÁCIO

Gostaria de chamar sua atenção para este livro, especialmente se você for um daqueles leitores que devem ser, como eu, resistentes ao tema. Afinal de contas, como podem as deusas mitológicas de um passado patriarcal nos ajudar a analisar nossas realidades em curso ou alcançar um futuro igualitário?

Assim como é mais provável que compremos livros recomendados por amigos em quem confiamos, minha inspiração para ler esse manuscrito veio do fato de conhecer sua autora.

Encontrei a doutora Jean Shinoda Bolen quando ela estava organizando um grupo de psiquiatras para a ERA. Tratava-se de um grupo de mulheres e homens dentro da Associação Psiquiátrica Americana cuja experiência profissional os tinha levado a acreditar que tratamento igual sob a lei era crucial para a saúde mental das mulheres. Contudo, aprovaram a passagem da Emenda dos Direitos de Igualdade (ERA = Equal Rights Amendment).

Todos os grupos são o resultado de muitos esforços, mas Jean foi claramente uma organizadora eficiente e inspirada do citado grupo. Não apenas supervisionou tal grupo e inflamou a imaginação de suas colegas; prosseguiu também no pormenor de formar uma coesa organização nacional de pessoas ocupadas e desencontradas. Nesse processo ela tomou cuidado para ligar as diferenças de gerações, raciais e profissionais, para indagar informação relevante e exata, e tratar com dignidade e alguma nova compreensão até o mais resistente adversário.

Observar Jean em ação não deixou nenhuma dúvida de que ela era uma organizadora prática, versada no aqui e no agora, uma revolucionária tolerante cuja calma benéfica e espírito compreensivo eram testemunhas para o mundo melhor que uma revolução feminista poderia trazer. Ajudou a criar um centro de modificação dentro de uma das mais prestigiadas e influentes organizações profissionais do país: tudo isso como mulher, e mulher da minoria, dentro de uma profissão 89% masculina, ainda mais esmagadoramente branca, e muitas vezes ainda limitada pelas teorias masculinas dominantes de Freud. Quando a história da Associação Americana de Psiquiatria for escrita, e talvez a história da responsabilidade social entre os psiquiatras em geral, suspeito que a ação dessa mulher pequena e de fala suave será uma força importante.

Enquanto lia os primeiros capítulos de *As deusas e a mulher,* pude ouvir a voz fidedigna de Jean em cada sentença de sua prosa clara e despretensiosa. Contudo, havia ainda indicações de uma predestinação romântica ou inibidora em meus pensamentos quanto à deusa a surgir. Uma vez que Jung e outros que reconheceram tais arquétipos no inconsciente coletivo terminavam com as polaridades ou/ou, masculino/feminino — inibindo portanto os homens e as mulheres da sua integridade, e deixando as mulheres no inevitavelmente menos compensado fim do espectro — preocupei-me quanto ao modo como esses arquétipos podiam ser usados pelos outros ou o modo como as próprias mulheres podiam ser encorajadas a imitar e, assim, aceitar suas limitações.

Foi a explicação das deusas individuais que não apenas afastou minhas preocupações, mas abriu novos caminhos para a compreensão.

Em primeiro lugar, há sete arquétipos complexos para examinar e combinar de várias formas, e cada um traz consigo uma infinidade de variações. Eles nos levam além da dicotomia simplória da virgem-prostituta e mãe-amante, que aflige as mulheres no patriarcado. Sim, há deusas que se identificam inteiramente por seu relacionamento com um homem poderoso — afinal de contas, elas viviam sob o patriarcado, como nós — mas mostram também seu poder, com subterfúgio ou abertamente. E há também modelos de autonomia que assumem várias formas, da sexual e intelectual à política e espiritual. Mais estranho ainda, há exemplos de mulheres resgatando e ligando-se uma com outra.

Em segundo lugar, esses arquétipos complexos podem ser combinados e invocados, de acordo com as necessidades da situação de uma mulher ou do aspecto subdesenvolvido de si mesma. Se uma olhadela nos meios de comunicação de um padrão pode ter tal importante impacto na vida das mulheres, quão mais profundas deveriam ser a ativação e suscitação de um arquétipo dentro dela?

Finalmente, não há nenhuma instrução para estereotiparmo-nos ou limitarmo-nos a uma deusa ou ainda a diversas. Juntas, elas compõem o círculo total das qualidades humanas. Na verdade, cada uma delas surgiu da fragmentação de uma deusa, a Grande Deusa, o ser humano feminino total que certa vez viveu em tempos pré-patriarcais — ao menos na religião e na imaginação. Talvez então, como agora, imaginar a integridade foi o primeiro passo para realizá-la.

No mínimo, essas deusas arquetípicas são um modo sucinto e útil para descrever e analisar muitos padrões de comportamento e traços de personalidade. No máximo, são modos de visualizar e dessa forma evocar forças necessárias e qualidades dentro de nós mesmas. Como Alice Walker, poetisa e novelista, diz de modo tão comovente em *The Color Purple,* imaginamos deus e colocamos nela ou nele as qualidades de que necessitamos para sobrevivermos e crescermos.

O valor mais alto deste livro consiste nos momentos de reconhecimento que ele proporciona. A autora os rotula como momentos de "Aha!": aquele segundo pleno de *insight,* quando compreendemos e internalizamos; quando reconhecemos que nós mesmos experimentamos e sentimos confiança por causa daquela verdade, e aí somos levados a um passo a mais, até uma compreensão do "sim, é isso mesmo!"

Cada leitor aprenderá alguma coisa diferente, e aquele "Aha!" deve ser o nosso próprio. Para mim, o primeiro veio da leitura de Ártemis, que se ligava com outras mulheres e que salvou sua mãe, embora não desejando ser como ela. Senti reconhecimento e orgulho ao ser citada como exemplo desse arquétipo, que é raro numa sociedade patriarcal. Mas sabia também que não tinha desenvolvido o destemor do conflito ou a verdadeira autonomia de Ártemis. Perséfone espelha os sentimentos que muitas de nós experimentamos enquanto adolescentes. Sua força ou fraqueza foi outro "Aha!": aquela habilidade familiar de esperar pela imagem de alguém mais e pelas expectativas a serem projetadas em nós, se a de um homem determinado ou a da sociedade, aquele "experimentar" de muitas identidades. Assim foi a leitura constante e o hábito de viver intelectualmente, que são típicos de Atenas; a consciência difusa e receptiva de Hera, Deméter e Perséfone; e a importância da intensidade e espontaneidade sobre a permanência nos relacionamentos e no trabalho criativo.

As outras deusas são instrutivas pelas qualidades que faltam em nós mesmas e que precisamos desenvolver, ou qualidades que vemos nas pessoas ao nosso redor e não compreendemos. Por exemplo, aprendi de Héstia seu modo contemplativo de fazer suas tarefas diárias, as quais podem ser uma disposição e classificação de prioridades quando consideradas de modo mais simbólico e espiritual. Invejei Atenas e Ártemis por suas consciências enfocadas, e senti mais compreensão para com os homens que têm aprendido a não "observar" ou iluminar muitas coisas na periferia da visão. Por exemplo, daquelas duas deusas independentes aprendi que conflito e hostilidade devem ser necessários e até mesmo positivos, e não deveriam ser tomados pessoalmente.

A análise sensível que a autora faz dos arquétipos tira as deusas do seu contexto patriarcal de simples proezas e as devolve a nós como mulheres autênticas, exageradas, mas acreditáveis.

De agora em diante, por exemplo, quando estou com saudades daquelas conversas mágicas e espontâneas, nas quais o todo torna-se mais do que a soma de suas partes, improvisando com cada pessoa como na música, deveria pensar nas qualidades de Afrodite. Quando necessito retirar-me para o lar e também de contemplação, Héstia pode me conduzir ao caminho. Quando me falta coragem para encarar o conflito para o bem meu ou de outras mulheres, Ártemis é uma boa mulher a ser lembrada.

Não importa o que vem primeiro, se a realidade ou a imaginação da realidade. Como escreve Jean Houston em *The Possible Human:* "tenho sempre pensado num mito como alguma coisa que nunca existiu, mas que está sempre acontecendo".

Conforme nos conduzimos para fora das sociedades de desigualdade, os deuses e as deusas podem se tornar uma única realidade. Entretanto, este livro nos oferece, novos caminhos, novos modos de ver e de vir a ser.

Você pode encontrar um mito que evocará em você a realidade.

Gloria Steinem

AGRADECIMENTOS

Cada capítulo deste livro tem muitos colaboradores anônimos — pacientes, amigas e colegas — que exemplificaram aspectos de cada arquétipo de deusa, ou proporcionaram *insights.* Muitas descrições são, por esse motivo, composição de muitas mulheres, por mim conhecidas em muitas circunstâncias, especialmente através de vinte anos de prática psiquiátrica. É um privilégio ter a confiança de pessoas que revelam suas intimidades a mim, possibilitando-me compreender melhor sua psicologia e, através delas, a psicologia dos outros, incluindo a minha própria. Meus pacientes são meus melhores professores. A todos eles, obrigada.

Tenho sido abençoada e remunerada por muitos editores, cada um dos quais contribuiu para o desenvolvimento deste livro e para o meu crescimento como escritora durante os três anos em que trabalhei no manuscrito: direção editorial e crítica vinham de Kirsten Grimstad, Kim Chernin, Marilyn Landau, Jeremy Tarcher, Stephanie Bernstein e Linda Purrington, a quem recorri para editar o texto. E com as diferentes perspectivas deles, aprendi também a confiar em minha própria voz e visão, que foi uma lição em si mesma e levou a uma troca de editores. Nesse sentido, o encorajamento de Kim Chernin foi especialmente valioso.

Meus agradecimentos também a Nancy Berry, que trabalhou habilidosamente e rapidamente com a máquina de escrever e o computador; para John Brockman e Katinka Matson, que acrescentaram sua perspectiva conhecedora a um difícil processo de "surgimento do livro" e para meu editor, Clayton Carlson da Harper & Row, que através de sua intuição e consideração pessoal pelo meu primeiro livro, *The Tao of Psychology,* acreditou em mim e em *As deusas e a mulher.*

Meus familiares foram resolutos patrocinadores enquanto eu trabalhava neste livro no meio deles. Há muito tempo decidi que, se fosse escrever, eu o faria sem afastar-me deles ou fechando uma porta entre nós. Estaria disponível e presente, ao mesmo tempo que precisaria de sua consideração. Meu marido Jim e meus filhos Melody e Andy estiveram comigo em todo o caminho nesse projeto. Em adição ao apoio emocional, Jim emprestava de tempo em tempo seu olho profissional como editor para meus escritos, encorajando-me a confiar em meus próprios instintos para deixar em testamento exemplos e imagens que evocam sentimentos.

E meu sincero agradecimento a muitas pessoas cujo apoio para terminar *As deusas e a mulher* veio em tempos sincronísticos — todas as vezes que me sentia desencorajada e precisava ser lembrada de que este livro poderia ser útil aos outros. Minha tarefa era perseverar até que o livro estivesse acabado. Uma vez publicado, sabia que ele teria vida própria e alcançaria quem quer que se supõe que ele possa alcançar.

Da semente germina uma raiz, depois um broto; do broto, as folhas embrionadas; das folhas, o caule; ao redor do caule, os ramos; no topo, a flor... Não podemos dizer que a semente ou o solo causam o crescimento. Podemos dizer que as potencialidades para o crescimento encontram-se no interior da semente, no misterioso princípio vital que, quando convenientemente alimentado, assume determinadas formas.

M. C. Richards, *Centering in Pottery, Poetry and the Person*

Introdução

HÁ DEUSAS EM CADA MULHER

Toda mulher representa o papel principal na solução do que diz respeito à sua própria história existencial. Como psiquiatra, tenho ouvido centenas de histórias pessoais, e compreendo que há dimensões míticas em cada uma delas. Algumas mulheres procuram um psiquiatra quando estão desmoralizadas ou quando não estão atuando conforme se espera; outras o procuram quando sabiamente se dão conta de que foram surpreendidas numa situação que precisam julgar e modificar. Num e noutro caso, parece-me que elas procuram a ajuda de um terapeuta para aprenderem a ser melhores protagonistas ou heroínas nas histórias de suas próprias vidas. Para isso as mulheres precisam fazer escolhas conscientes, que irão dar rumo às suas vidas. Exatamente porque elas costumam não ter consciência dos poderosos efeitos que os estereótipos culturais exercem sobre elas, as mulheres podem também não ter consciência de poderosas forças que atuam no seu íntimo. Essas forças influenciam o que elas fazem e o modo como elas sentem. Neste livro estou apresentando essas forças na forma das deusas gregas.

Esses poderosos padrões internos — ou arquétipos — são responsáveis pelas principais diferenças entre as mulheres. Por exemplo, algumas precisam da monogamia, do casamento, ou dos filhos para se sentirem realizadas.

Elas se afligem e se encolerizam quando não conseguem seus objetivos. Para elas os papéis tradicionais são significativos. Tais mulheres diferem notadamente de outro tipo, aquele que dá mais valor à sua independência, enquanto enfoca alcançar objetivos que são importantes para elas; ou diferem ainda de outro tipo, aquele que procura intensidade emocional e novas experiências e, conseqüentemente, passa de um relacionamento para outro, ou de uma conquista para outra. Ainda outro tipo de mulher procura a solidão, e descobre que a sua espiritualidade significa o máximo para ela. O que é realização para um tipo de mulher pode não ter sentido para um outro tipo, dependendo de qual "deusa" esteja atuando na pessoa.

Além disso, há muitas deusas numa determinada mulher, e quanto mais complicada ela for, tanto mais provável é que muitas deusas estejam atuando nela. O que é realização para uma parte dela pode não ter sentido para uma outra parte. O conhecimento das deusas proporciona às mulheres um meio de conhecerem a si próprias, conhecerem seus relacionamentos com homens e mulheres, com seus pais, namorados e filhos. Esses padrões de deusa oferecem também *insight* para aquilo que é motivador e até mesmo compulsivo, frustrante ou satisfatório para algumas mulheres e não para outras.

O conhecimento das "deusas" proporciona informações úteis também para os homens. Aqueles que quiserem compreender melhor as mulheres podem usar os padrões de deusa para aprenderem que há diferentes tipos de mulher, e aprenderem também o que esperar delas. Os padrões também ajudam os homens na compreensão das mulheres que são complexas ou que dão a impressão de serem contraditórias.

O conhecimento das deusas também proporciona ao terapeuta que trabalha com mulheres *insights* clínicos úteis sobre os conflitos interpessoais e intrapsíquicos de suas pacientes. Os padrões ajudam a esclarecer as diferenças individuais. Eles fornecem informações sobre o potencial para dificuldades psicológicas e sintomas psiquiátricos. Esses modelos indicam também os caminhos que a mulher que está num determinado padrão de deusa pode usar para crescer.

Este livro descreve uma nova perspectiva psicológica da mulher, baseada em imagens de mulheres fornecidas pelas deusas gregas que permaneceram vivas na imaginação humana por mais de três mil anos. Esta psicologia difere de todas as teorias que definem a mulher "normal" como uma pessoa que está de acordo com um modelo "correto", um padrão de personalidade ou estrutura psicológica. É uma estrutura baseada na observação da *diversidade* das variações normais entre as mulheres.

Muito do que tenho aprendido sobre as mulheres foi conquistado no contexto profissional, como psiquiatra e analista da corrente junguiana, através de treinamentos e ensino supervisionados, como professora de psiquiatria clínica da Universidade da Califórnia e como analista supervisora do Institutito C. G. Jung, em São Francisco. Mas a psicologia feminina que eu desenvolvo nessas páginas reflete muito mais que a experiência profissional. Muito do que sei é conseqüência de ser mulher envolvida em papéis de mulheres — o de filha, esposa e mãe de um casal de filhos. Meu conhecimento também aumentou através de conversas com amigas e em grupo de mulheres. Ambas são situações nas quais as mulheres refletem umas às outras aspectos delas mesmas — nós nos vemos refletidos na experiência de uma outra mulher, e nos tornamos conscientes de algum aspecto de nós mesmas, do qual não fomos informadas antes, ou que nós, enquanto mulheres, temos em comum.

Meu conhecimento de psicologia feminina também aumentou com a experiência de ser mulher nesta época da história. Em 1963 comecei minha residência em psiquiatria. Dois acontecimentos daquele ano conduziram ao movimento feminista dos anos 70. A princípio Betty Friedan publicou seu *The Feminine Mystique,* articulando o vazio e o descontentamento de uma geração de mulheres que tinham vivido por outras ou através de outras. Friedan descreveu a origem dessa infelicidade como um problema de identidade, cujo núcleo era um impedimento ou uma evasão do crescimento. Ela sustentou que esse problema é favorecido pela nossa cultura. Esta não permite às mulheres aceitar ou satisfazer suas necessidades básicas, a fim de crescer e satisfazer seu potencial como ser humano. Dando um basta aos estereótipos culturais, à doutrina freudiana e à manipulação da mulher pelos meios de comunicação, seu livro apresentou idéias cuja hora havia chegado — idéias que conduziram a uma expansão do ódio reprimido, ao nascimento do movimento da liberação das mulheres e, mais tarde, à formação do *NOW,* a Organização Nacional das Mulheres (NOW = National Organization for Women).[1]

No mesmo ano de 1963 a comissão do presidente John F. Kennedy publicou seu relatório sobre a posição social das mulheres. Essa publicação documenta as desigualdades do sistema econômico dos Estados Unidos. As mulheres não estavam sendo pagas na mesma proporção que os homens para fazerem o mesmo trabalho, e oportunidades de emprego e progresso estavam sendo negadas a elas. Essa berrante parcialidade era outra evidência de como os papéis desempenhados pelas mulheres eram desvalorizados e limitados.

Portanto, entrei para o campo da psiquiatria num momento em que os Estados Unidos estavam no limiar do movimento da libertação das mulheres, e tive minha

1. Betty Friedan, *The Feminine Mystique.* Dell, New York, 1963, p. 69.

consciência despertada nos anos 70. Fui informada das desigualdades e discriminação contra as mulheres. Aprendi que os padrões culturais, determinados pelos homens, recompensavam ou puniam as mulheres por aceitarem ou rejeitarem os papéis convencionais. Como resultado, reuni uma porção de colegas feministas na sociedade psiquiátrica de Carolina do Norte e na Associação Americana de Psiquiatria (APA).

Visão binocular da psicologia das mulheres

Durante o mesmo período em que estava adquirindo uma perspectiva feminista, eu simultaneamente estava me tornando uma analista da corrente junguiana. Em 1966, depois de completar minha residência em psiquiatria, entrei para o Instituto C. G. Jung de São Francisco, como candidata ao programa de treinamento. Recebi o certificado de analista em 1976. Minha perspectiva em relação à psicologia feminina cresceu firmemente nesse período, incorporando *insights* feministas com a psicologia arquetípica junguiana.

Era como se eu estivesse construindo uma ponte ligando dois mundos ao me aventurar de um lado para outro entre os analistas junguianos e as psiquiatras feministas. Minhas colegas junguianas não se incomodavam muito com o que estava se passando no mundo político e social. Muitas pareciam apenas vagamente informadas da relevância do movimento feminista. Minhas amigas psiquiatras feministas, se é que me achavam uma analista absolutamente junguiana, pareciam considerar este aspecto como um de meus interesses secretos, místicos, ou uma subespecialização, tendo eu pouco a contribuir para a questão das mulheres. Entretanto, movimentando-me de um lado para outro, descobri que um novo nível de compreensão resulta quando duas perspectivas são consideradas juntas: a perspectiva junguiana e a perspectiva feminista. As duas proporcionam uma visão binocular da psicologia das mulheres.

A psicologia junguiana tornou-me consciente de que as mulheres são influenciadas por poderosas forças interiores, os *arquétipos*, que podem ser personificados pelas deusas gregas. E a perspectiva feminista me deu a compreensão de como as forças exteriores, ou *estereótipos* — papéis com os quais a sociedade espera que as mulheres se conformem — reforçam alguns padrões de deusa e refreiam outros. Como resultado eu vejo cada mulher entre dois campos de influência: intimamente por *arquétipos* divinos, e exteriormente por *estereótipos* culturais.

Uma vez que a mulher se torne consciente das forças que a influenciam, ela obtém o poder que o conhecimento proporciona. As "deusas" são forças poderosas e invisíveis que modelam o comportamento e influenciam as emoções. O conhecimento delas no interior das mulheres é um ramo novo de conhecimento sobre as mulheres, ramo este que vem crescendo. Quando a mulher sabe quais "deusas" são as forças dominantes no seu íntimo, ela adquire autoconhecimento a respeito: a) da força de certos instintos, b) das prioridades e habilidades e c) das possibilidades de encontrar significado pessoal através de escolhas que nem todos poderiam encorajar.

Os padrões de deusa também afetam o relacionamento com os homens. Eles ajudam a explicar algumas das dificuldades e afinidades que certas mulheres têm com certos homens. Elas escolhem homens que têm poder e que são bem sucedidos no mundo? Acomodados e criativos? Infantis? Qual deusa é o ímpeto invisível que impulsiona a mulher a um determinado homem? Tais padrões influenciam as escolhas e a estabilidade dos relacionamentos.

Os padrões de relacionamento também trazem a marca de determinadas deusas. Pai-filha, irmão-irmã, mãe-filho, namorado-namorada, ou mãe-filha. Cada par representa uma configuração que é natural para uma determinada deusa.

Toda mulher tem dons "concedidos por deusas", que ela deve aprender e aceitar com gratidão. Toda mulher também tem deficiências "concedidas por deusas", deficiências que ela deve reconhecer e superar para que haja modificação. A mulher não pode opor-se a viver um padrão determinado por um arquétipo subjacente de deusa até que ela esteja consciente de que tal padrão existe e procura realizar-se através dela.

Mitos como instrumentos de *insight*

O primeiro traço-de-união importante que vi entre os padrões mitológicos e a psicologia das mulheres foi fornecido por Erich Neumann. Ele é analista junguiano. Em seu livro *Amor and Psyche,* Neumann usava a mitologia como meio de descrever a psicologia feminina. Percebi que a combinação de Neumann entre mito e comentário psicológico era um poderoso instrumento de *insight.*

No mito grego de Amor e Psiquê, por exemplo, a primeira tarefa de Psiquê era a de separar um enorme e desordenado monte de sementes, colocando cada espécie de grão num montículo separado. Sua reação inicial a esta tarefa, bem como às três tarefas seguintes, foi de desespero. Percebi que o mito se encaixava a certo número de minhas pacientes mulheres que estavam se esforçando com várias tarefas importantes. Uma era estudante graduada que sentiu-se incapacitada diante de uma dissertação, não sabendo como poderia organizar o amontoado de matéria. Uma outra era uma jovem mãe oprimida. Ela tinha que calcular o que fizera de seu tempo, selecionar prioridades e encontrar um modo para continuar a pintar. Cada mulher era chamada a fazer mais do que era capaz, como Psiquê, porém num setor que ela mesma escolhera. Ambas reagiram ao mito que espelhou a situação delas, proporcionou-lhes *insight* para o modo como elas reagiam a novas exigências, e deu um sentido amplo a seus esforços.

Quando a mulher sente que há uma dimensão mítica para alguma coisa que ela esteja empreendendo, o conhecimento toca e inspira profundos centros criativos nela. Os mitos evocam sentimento e imaginação e tocam temas que são parte da herança coletiva humana. Os mitos gregos — e todos os outros contos de fada e mitos que ainda são contados há milhares de anos — permanecem correntes e pessoalmente relevantes, porque há uma ressonância de verdade neles sobre experiências humanas compartilhadas.

Quando um mito é interpretado, intelectual ou intuitivamente, isso pode resultar em alcance novo de compreensão. Um mito é como um sonho do qual nos lembramos, até mesmo quando não é compreendido, porque ele é simbolicamente importante. De acordo com o mitologista Joseph Campbell, "sonho é mito personalizado; mito é sonho despersonalizado".[2] Não é de admirar que os mitos invariavelmente pareçam algo vagamente familiar.

Quando um sonho é corretamente interpretado, a pessoa que sonha tem um lampejo de *insight* — expresso por um "Aha!" — pois a situação à qual o sonho se refere torna-se clara. A pessoa que sonha intuitivamente agarra e conserva o conhecimento.

Quando, ao interpretar um mito, alguém deixa escapar um "Aha!", o mito determinado está simbolicamente chamando a atenção para alguma coisa que é

2. Joseph Campbell, *The Hero with a Thousand Faces,* Bollingen Series 17. Princeton University Press, Princeton, N.J., 1968, p. 19.

importante para ele ou ela. A pessoa agora compreende alguma coisa e vê através da verdade. Este nível mais profundo de compreensão tem ocorrido em auditórios para os quais eu tenho falado. Isso acontece quando conto os mitos e depois interpreto seus significados. É um modo de aprender que lembra algo no qual a teoria sobre a psicologia feminina torna-se autoconhecimento ou conhecimento sobre mulheres expressivas com quem os homens e as mulheres da platéia estão relacionados.

Comecei a usar a mitologia em seminários sobre a psicologia das mulheres quase no fim dos anos 60 e começo dos anos 70. Usei-a primeiramente no centro médico da Universidade da Califórnia, no Instituto Psiquiátrico Langley Porter; depois em Santa Cruz, na Universidade da Califórnia e no Instituto C. G. Jung, em São Francisco. Na década e meia seguinte, a palestra deu-me mais oportunidade para desenvolver meus pensamentos e obter respostas dos auditórios nos seguintes lugares: Seattle, Minneapolis, Denver, Kansas City, Houston, Portland, Fort Wayne, Washington D.C., Toronto, New York e a área da baía de São Francisco, onde moro. Onde quer que eu palestrasse, a resposta era a mesma: quando eu usava mitos em combinação com material clínico, experiências pessoais e *insights* do movimento feminista, o resultado era uma nova e mais profunda compreensão.

Eu tinha iniciado com o mito de Psiquê, um mito que falava para mulheres que enfatizavam em primeiro lugar os relacionamentos. Depois falei de um segundo mito, cujo significado eu tinha desenvolvido. Esse mito descrevia as mulheres que se sentiam desafiadas em vez de desarmadas quando existiam obstáculos a serem superados ou tarefas a serem dominadas, e que, conseqüentemente, poderiam se desempenhar melhor na escola e fora, no mundo. A heroína mitológica era Atalanta, mensageira e caçadora que foi bem sucedida em ambos os papéis, vencendo os homens que tentavam vencê-la. Ela era uma bela mulher que fora comparada com Ártemis, deusa grega da caça e da lua.

Esse modo de ensinar naturalmente incitava perguntas sobre outras deusas, e eu comecei a ler e a querer saber sobre o que elas representavam. Comecei a experimentar meus próprios "Aha!" como reação. Por exemplo, certa mulher ciumenta e vingativa entrou em meu consultório, e reconheci nela a raivosa e humilhada Hera, deusa do casamento e esposa de Zeus. O flerte de seu cônjuge provocou a deusa, levando-a a repetidos esforços de busca e destruição "da outra".

Esta paciente era uma mulher que tinha acabado de descobrir que seu marido estava tendo um "caso". Tornou-se então obcecada com a outra mulher. Tinha fantasias vingativas, investigava os atos e caminhos da outra. Tanto tentou pegá-los em flagrante que sentiu-se enlouquecer. Como típico de Hera, sua raiva não se voltava para o marido, que mentira para ela ou lhe fora infiel. Foi muito útil para minha paciente ver que a infidelidade de seu marido tinha uma resposta ao modo de Hera. Agora compreendia por que se sentia tão tomada pela raiva e como isso era destrutivo para ela. Pôde ver que precisava confrontar seu marido e o comportamento dele. Precisava encarar os problemas conjugais deles, mais do que tomar atitudes vingativas características de Hera.

Então uma colega, sem que se esperasse, manifestou-se livremente contra a Emenda de Igualdade de Direitos, que eu estava defendendo. Por entre a raiva e a dor que senti, repentinamente deixei escapar um "Aha!" pela situação. Era, em nossas mentes, uma discordância de tipos baseados nas deusas. No momento, quanto a esse assunto, eu estava agindo e sentindo como Ártemis, arquétipo da Grande Irmã, protetora das mulheres. Minha antagonista, ao contrário, era como Atenas, a filha que nascera saltando das meninges de Zeus. Ela foi a deusa protetora dos heróis, defensora dos patriarcas, muitíssimo "filha do pai". Numa outra ocasião eu lia sobre o seqüestro de Patty Hearst. Compreendi que o mito de Perséfone, a donzela raptada, violentada e prisioneira de Hades, soberano do inferno, estava sendo completamente esgotado, desta vez nas manchetes dos jornais. Na época Hearst era estudante da Universidade da Califórnia. Era uma filha protegida de dois modernos e muito ricos deuses olímpicos. Ela foi raptada e levada ao inferno pelo chefe do "Symbionese Liberation Army" e, fechada num cubículo escuro, foi repetidamente violentada.

Bem cedo eu estava percebendo que existem deusas em cada mulher. Descobri que o fato de conhecer qual deusa se fazia presente aprofundava minha compreensão dos acontecimentos mais dramáticos. Por exemplo: qual deusa estaria mostrando sua influência quando a mulher prepara refeições e faz o serviço doméstico?

Concluí que era um simples teste: quando um esposo se ausenta por uma semana, como é que a sua mulher prepara uma refeição para si própria, e o que acontece no que diz respeito à arrumação da casa? Quando a mulher influenciada por Hera ou por Afrodite janta sem companhia, isso pode ser comparado a uma triste e sombria ocorrência. Um pouco de mortadela talvez lhe baste. Qualquer coisa que esteja na geladeira ou no armário é suficientemente bom para ela quando está só, em marcante contraste com as bem cuidadas ou boas refeições que ela prepara quando seu marido está no lar. Ela prepara as refeições para ele. Faz o que ele gosta, é claro, mais do que aquilo que ela prefere. Isso porque ela é uma boa mulher que proporciona boas refeições (Hera), é motivada por sua natureza maternal a tomar conta dele (Deméter), faz o que agrada a ele (Perséfone), ou procura ser atraente para ele (Afrodite). Mas se a deusa que a influencia é Héstia, a mulher arrumará a mesa e proporcionará a si própria uma verdadeira refeição quando estiver só. E a casa permanecerá na costumeira boa ordem. Se as outras deusas tomarem para si o encargo dos assuntos domésticos é mais provável que eles sejam negligenciados até pouco antes da volta do marido. A mulher tipo Héstia trará flores para si própria, flores que nunca serão vistas pelo homem ausente. Ela deixará seu apartamento bem arrumado por causa dela mesma, e não por causa de alguém mais. E esse lugar, seu apartamento ou casa, será sempre considerado lar.

A seguir veio a pergunta: "Os outros considerariam o caminho de se conhecer a psicologia das mulheres através de mitos um caminho útil e proveitoso?" A resposta veio quando eu palestrava sobre *As deusas e a mulher*. As ouvintes despertaram, intrigadas, e houve cochichos excitados pelo fato de se usar a mitologia como ferramenta de *insigth*. Este era um modo de se conhecer as mulheres, um caminho que estava persuadindo emocionalmente. Enquanto eu contava esses mitos, as pessoas viam, ouviam e sentiam; e conforme eu os interpretava, as pessoas reagiam com um "aha!" Ambos, homens e mulheres, compreenderam o significado dos mitos como verdade pessoal, verificando alguma coisa que eles já sabiam e da qual eles estavam agora se tornando conscientes.

Também falei em encontros de organizações profissionais e discuti minhas idéias com psiquiatras e psicólogos. Partes deste livro foram primeiramente desenvolvidas como apresentação para as seguintes instituições: Associação Internacional de Psicologia Analítica, Academia Americana de Psicanálise, Associação Americana de Psiquiatria, Instituto Feminino de Associação Americana de Ortopsiquiatria e Associação de Psicologia Transpessoal. Minhas colegas acharam essa abordagem proveitosa e apreciaram o *insight* do padrão de individualidade e sintomas psiquiátricos que um conhecimento das "deusas" pode proporcionar. Para a maior parte de minhas colegas esta era a primeira exposição que tinham ouvido de uma analista junguiana sobre psicologia das mulheres.

Somente minhas colegas junguianas estavam cientes de que eu estava e estou progredindo em minhas idéias sobre psicologia feminina, que diferem de alguns conceitos de Jung, tanto quanto estavam cientes de que estou integrando as perspectivas feministas com a psicologia arquetípica. Embora este livro tenha sido escrito para um público comum, o leitor junguiano especialista deverá notar o seguinte: a psicologia das mulheres, baseada nos arquétipos femininos, desafia a aplicabilidade geral da teoria junguiana de *anima-animus* (ver capítulo 3, "As deusas virgens"). Muitos escritores junguianos têm escrito sobre deuses e deusas gregos como figuras arquetípicas. Fico-lhes agradecida por contribuírem com seu conhecimento e *insights,* e cito o trabalho deles. Contudo, ao selecionar sete deusas gregas e categorizá-las em três grupos específicos, de acordo com o modo como elas funcionam psicologicamente, criei uma nova tipologia, e também um meio de compreender os conflitos intrapsíquicos. Dentro desta tipologia, acrescentei o conceito de consciência de Afrodite como terceiro método para a consciência enfocada e a percepção difusa, que já foram descritas na teoria junguiana (ver capítulo 11, "A deusa alquímica").

Dois novos conceitos psicológicos adicionais são introduzidos, mas não aperfeiçoados, uma vez que desenvolvê-los nos teria desviado do tema deste livro.

Em primeiro lugar, as deusas proporcionam uma explicação para as incompatibilidades entre o comportamento das mulheres e a teoria dos tipos psicológicos de Jung. De acordo com esses tipos supõe-se que uma pessoa seja extrovertida ou introvertida na atitude; use sentimento ou razão como modo de avaliação; e perceba através da intuição ou sensação (através dos cinco sentidos). Além do mais, supõe-se que uma dessas quatro funções (pensamento, sentimento, intuição, sensação) seja mais conscientemente desenvolvida e confiável; seja qual ela for, supõe-se que a outra metade do par seja a menos segura ou menos consciente. As exceções do modelo de Jung "ou/ou, e mais desenvolvido/menos consciente", têm sido descritas pelas psicólogas junguianas June Singer e Mary Loomis. Acredito que os arquétipos referentes às deusas proporcionam uma explicação para as exceções quanto às mulheres.

Por exemplo, conforme a mulher "muda de conduta" e vai de uma faceta a outra de si própria, ela pode mudar de um padrão para outro de deusa: em um ambiente, por exemplo, ela é uma Atenas que presta atenção aos detalhes; em outra situação ela é uma Héstia introvertida, protetora da lareira, para quem "as águas silenciosas são profundas". Essa mudança explica a dificuldade de se determinar o tipo dela segundo Jung, pois a mulher tem muitas facetas. Ela pode estar muito conscientizada dos detalhes estéticos (com influências de Afrodite) e não notar, por exemplo, que o fogão ainda está aceso, ou que o indicador do nível de gasolina registra quase vazio (detalhes que Atenas não perderia). A deusa predominante explica como uma função (neste caso a sensação) pode ser de modo paradoxal ao mesmo tempo altamente desenvolvida e inconsciente (ver capítulo 14: "Qual deusa conquista a maçã de ouro?")

Em segundo lugar, a partir da observação clínica concluí que o poder de um arquétipo representado por uma deusa (dominando o "ego" de uma mulher e causando sintomas psiquiátricos) compara-se com o poder atribuído a essa deusa historicamente — diminuindo a influência da Grande Deusa da velha Europa, através de estágios, para as deusas gregas, que eram deusas filhas ou jovens (ver capítulo 1: "As deusas como imagens interiores").

Embora este livro desenvolva a teoria e proporcione informações úteis ao terapeuta, ele é escrito para qualquer pessoa que queira entender melhor as mulheres — principalmente aquelas mais íntimas, mais queridas, ou mais mistificadas para eles — e para as mulheres que queiram descobrir as deusas existentes no interior de si mesmas.

Bibliografia

LERNER, Harriet E., "Early Origins of Envy Devaluation of Women: Implications for Sex Role Stereotypes". *Bulletin of the Menninger Clinic* 38, nº 6 (1974), pp. 538-553.

LOOMIS, Mary e SINGER, June, "Testing the Biopolarity Assumption in Jung's Typology". *Journal of Analytic Psychology* 24, nº 4 (1980).

MILLER, Jean Baker, *Toward a New Psychology of Women*. Beacon Press, Boston, 1976.

NEUMANN, Erich, *Amor and Psyche: The Psychic Development of the Feminine*. Bollingen Series 54. Pantheon Books, New York, 1956.

1
As deusas como imagens interiores

Um bebê fraquinho foi colocado nos braços de minha amiga Ann. Era uma criança cianótica, que tinha uma deficiência congênita no coração. Ann ficou emocionalmente enternecida enquanto segurava a criancinha e olhava para o seu rosto. Ela sentiu uma profunda dor no peito, por baixo do osso esterno. Em poucos momentos, ela e a criança formaram um elo. Depois disso, Ann visitou regularmente a criança, mantendo o máximo contato possível. A criança não sobreviveu à cirurgia do coração. Viveu apenas uns poucos meses, deixando contudo profunda impressão em Ann. No primeiro encontro ela tocou uma imagem interior impregnada de emoção, que ficou profundamente gravada na psique de Ann.

Em 1966, Anthony Stevens, psiquiatra e autor, estudou os elos de afeto na infância, no centro "Metera Babies", perto de Atenas, na Grécia. O que ele observou entre as enfermeiras e essas crianças órfãs compara-se à experiência de Ann. Percebeu que uma ligação especial formava-se entre um bebê e uma determinada enfermeira, através de um deleite e atração mútua, processo comparável ao enamorar-se.

As observações de Stevens desmentem a teoria do amor interesseiro, que postula que gradualmente se formam elos entre a mãe e a criança através de cuidados e alimentação. Ele verificou que não menos que um terço de criancinhas tornavam-se ligadas às enfermeiras que por elas tinham tido pouco ou nenhum cuidado rotineiro antes de se ter formado o laço afetivo. Posteriormente a enfermeira fazia muito mais pela criança, em geral porque ela chegara à reciprocidade no amor, mas também porque a criança freqüentemente recusaria ser cuidada por qualquer outra enfermeira quando "sua" enfermeira estivesse por perto.[1]

Algumas mães modernas experimentam um afeto imediato para com seus recém-nascidos; um amor impetuosamente protetor e uma profunda ternura para com essa criancinha brotam delas enquanto seguram o precioso e indefeso bebê a quem acabam de dar à vida. Nós dizemos que o bebê evoca o arquétipo da mãe em tais mulheres. Para outras mães modernas, contudo, o amor materno aumenta com o passar dos meses, tornando-se óbvio quando o bebê chega aos oito ou nove meses de idade.

Quando o nascimento de um bebê não ativa "a mãe" numa mulher, esta usualmente sabe que não está sentindo alguma coisa que as outras mães sentem; ou não está sentindo alguma coisa que ela própria sentiu por uma outra criança. A criança perde uma conexão vital quando o arquétipo da mãe não é ativado, e fica desejando vivamente que isso aconteça. (Embora, como aconteceu com as enfermeiras no orfanato grego, o arquétipo padrão mãe-criança possa ser preenchido através de uma mulher que não é a mãe biológica). E o desejo vivo por aquele amor perdido pode continuar na idade adulta. Certa mulher de quarenta e nove anos que estava comigo num grupo de mulheres chorou enquanto falava da morte de sua mãe, porque agora que ela estava morta a ligação almejada não poderia jamais se desenvolver.

1. Anthony Stevens, *Archetypes: A Natural History of the Self.* Morrow, New York, 1982, pp. 1-5.

Assim como "a mãe" é um modo de ser profundamente sentido, um modo de ser que uma criança pode ativar na mulher, assim também cada criança é "programada" para buscar "a mãe". Na mãe e na criança (e em todos os seres humanos) a imagem da mãe é associada com o comportamento materno e a emoção. Essa imagem interior em ação na psique — uma imagem que determina comportamento e respostas emocionais inconscientemente — é um arquétipo.

"A mãe" é somente um dos muitos arquétipos que pode tornar-se ativado na mulher. Quando reconhecemos os diferentes arquétipos, podemos ver claramente o que está atuando em nós e nos outros. Neste livro estarei introduzindo arquétipos que estão atuando na mente das mulheres e que são personificados como deusas gregas. Por exemplo, Deméter, a deusa maternal, é uma personificação do arquétipo da mãe. As outras são Perséfone (a filha), Hera (a esposa), Afrodite (a amante), Ártemis (a irmã e competidora), Atenas (a estrategista), e Héstia (a protetora da lareira). Somente quando as imagens se adaptam aos sentimentos da mulher é que as deusas são úteis, porque os arquétipos realmente não têm nome.

C. G. Jung introduziu o conceito de arquétipo na psicologia. Ele viu os arquétipos como padrões de comportamento instintivo que estavam contidos no inconsciente coletivo. O inconsciente coletivo é a parte do inconsciente que não é individual, mas universal, com conteúdos e maneiras de comportamento que são mais ou menos os mesmos em toda parte e em todos os indivíduos.[2]

Os mitos e os contos de fada são expressões de arquétipos, como também muitas imagens e temas dos sonhos. A presença de padrões arquetípicos comuns em

2. C. G. Jung, "The Concept of the Collective Unconscious", CW, 9, primeira parte, 1968, p. 44, e "Archetypes of the Collective Unconscious". CW, 9, primeira parte, 1968, pp. 3-4.

todos os povos constata as semelhanças nas mitologias de muitas culturas diferentes. Como padrões preexistentes, eles influenciam o modo como nós nos comportamos e como reagimos aos outros.

As deusas como arquétipos

A muitos de nós foi ensinado sobre os deuses e deusas do Olimpo, em alguma época na escola, e vimos estátuas e pinturas deles. Os romanos adoravam as mesmas divindades, referindo-se a elas pelos seus nomes latinos. Os deuses olímpicos tinham muitos atributos humanos: o comportamento deles, as reações emocionais, a aparência e a mitologia nos proporcionam padrões que se igualam ao comportamento e às atitudes humanos. Eles nos são familiares porque são arquetípicos, isto é, representam modelos de ser e de se comportar que nós reconhecemos a partir do inconsciente coletivo, do qual todos nós compartilhamos.

Os deuses mais famosos eram os doze olímpicos. Seis deuses: Zeus, Posídon, Hades, Apolo, Ares, Hefesto; e seis deusas: Héstia, Deméter, Hera, Ártemis, Atenas e Afrodite. Uma das doze, Héstia, deusa da lareira, foi substituída por Dioniso, deus do vinho, mudando portanto o equilíbrio masculino/feminino para sete deuses e cinco deusas. Os arquétipos que estou descrevendo neste livro são as seis deusas olímpicas — Héstia, Deméter, Ártemis, Atenas e Afrodite — mais Perséfone, cuja mitologia é inseparável da de Deméter.

Dividi essas sete deusas em três categorias: as deusas virgens, as deusas vulneráveis e as deusas alquímicas ou transformativas. As outras duas categorias são designações minhas. Modos de consciência, papéis preferidos e fatores motivadores são características distintas de cada grupo. Atitudes em relação aos outros, necessidade de afeto e importância dada aos relacionamentos também são diferentes em cada categoria. As deusas, representando três categorias diferentes, necessitam de expressão em algum lugar na vida da mulher, para que ela possa amar profundamente, trabalhar significativamente, e também ser sensual e criativa.

O primeiro grupo que você encontrará nessas páginas é o das deusas virgens: Ártemis, Atenas e Héstia. Ártemis, a quem os romanos chamavam de Diana, era a arqueira de infalível pontaria e protetora da prole de todas as coisas vivas. Atenas, conhecida como Minerva entre os romanos, era a deusa da sabedoria e das habilidades manuais, patrona de sua cidade homônima, Atenas, e protetora de numerosos heróis. Era usualmente retratada usando armadura e conhecida como a melhor estrategista na batalha. Héstia, deusa da lareira, a Vesta dos romanos, era a menos conhecida dos deuses olímpicos. Ela se fazia presente em casas e templos como a chama no centro da lareira.

As deusas virgens representam a qualidade de independência e auto-suficiência das mulheres. Ao contrário das outras deusas olímpicas, essas três não eram suscetíveis de se enamorarem. Os afetos emocionais não as desviavam daquilo que consideravam importante. Não eram atormentadas e não sofriam. Como arquétipos, elas expressam a necessidade de autonomia e capacidade que as mulheres têm de enfocar sua percepção naquilo que é pessoalmente significativo. Ártemis e Atenas representam meta direcionada e pensamento lógico, o que as torna arquétipos de realização orientada. Héstia é o arquétipo que enfoca a atenção interior para o centro espiritual da personalidade de uma mulher. Essas três deusas são arquétipos femininos que procuram ativamente seus próprios objetivos. Elas ampliam nossa noção de atributos femininos, para incluir competência e auto-suficiência.

O segundo grupo — Hera, Deméter e Perséfone — é o das deusas vulneráveis. Hera, conhecida como Juno pelos romanos, é considerada a deusa do casamento. Era esposa de Zeus, deus principal dos Olimpo. Deméter, a deusa romana Ceres, era a deusa dos cereais. No seu mito mais importante, seu papel de mãe foi enfatizado. Perséfone, em latim Prosérpina, era filha de Deméter. Os gregos a chamavam de Coré, "a jovem".

As três deusas vulneráveis representam os papéis tradicionais de esposa, mãe e filha. São deusas-arquétipos orientadas para o relacionamento, e suas identidades e bem-estar dependem de um relacionamento significativo. Expressam as necessidades que as mulheres têm de adoção e vínculo. São sintonizadas aos outros e sensíveis. Essas três deusas foram violadas, raptadas, dominadas ou humilhadas pelos deuses. Cada uma sofria a seu modo quando um afeto era rompido ou desonrado e apresentavam sintomas que se assemelhavam a doenças psicológicas. Cada um dos arquétipos também se expandiu e pode proporcionar às mulheres: a) *insight* quanto à natureza e padrão de suas próprias reações a perdas, e b) potencial para o crescimento através do sofrimento que é inerente a cada um desses três arquétipos de deusas.

Afrodite, a deusa do amor e da beleza, mais conhecida pelo nome romano Vênus, está na terceira categoria, a das deusas alquímicas. Era a mais bela e irresistível das deusas. Teve muitos romances e muita descendência, devido às suas numerosas ligações. Produziu amor e beleza, atração erótica, sensualidade, sexualidade e vida nova. Viveu relacionamentos de sua própria escolha e nunca foi ludibriada. Assim, manteve sua autonomia como deusa virgem, mas nos relacionamentos era uma deusa vulnerável. Sua consciência era enfocada e receptiva, permitindo dupla alternância através da qual ambos, ela e o outro, eram afetados. O arquétipo de Afrodite motiva as mulheres a procurarem intensidade nos relacionamentos, em vez da permanência neles; motiva-as a valorizarem o processo criativo e a serem receptivas às mudanças.

A árvore genealógica

Para melhor avaliar quem são as deusas e quais relacionamentos elas têm com outras divindades, vamos antes de tudo colocá-las no contexto mitológico. Aqui ficamos agradecidos a Hesíodo (cerca de 700 a.C.), o primeiro que tentou organizar as numerosas tradições sobre os deuses num sistema organizado. Seu principal trabalho, *Teogonia,* é uma avaliação da origem e descendência dos deuses.[3]

No começo, de acordo com Hesíodo, havia o Caos — o ponto inicial. Depois veio Géia (Terra), o escuro Tártaro (as ínfimas profundezas da Terra), e Eros (o amor).

Géia deu à luz um filho, Urano, que também era conhecido como Céu. Depois ela uniu-se a Urano para criar, entre outros, os doze Titãs. Na genealogia dos deuses de Hesíodo os Titãs eram uma antiga dinastia predominante, os pais e avós dos deuses olímpicos.

Urano, o primeiro patriarca ou figura de pai na mitologia grega, ficou depois ressentido com os filhos que teve com Géia. Então ele os entregou de volta ao seio materno logo que eles nasceram. Isso causou grande dor e ansiedade em Géia. Ela apelou a seus filhos Titãs para que a ajudassem. Todos tiveram medo de interferir, exceto o mais jovem, Crono, chamado Saturno pelos romanos. Ele correspondeu a seu pedido de ajuda. Armado com a foicinha que ela lhe dera e um plano que ele tramou, ficou à espera do pai.

Quando Urano veio para unir-se com Géia, deitando-se sobre ela, Crono pegou a foicinha, cortou os órgãos

3. Hesiod, *Theogony,* in *Hesiod,* The University of Michigan Press, Ann Arbor, Michigan, 1959.

genitais de seu pai e os atirou ao mar. Então Crono tornou-se o deus mais poderoso do sexo masculino. Ele e os Titãs reinaram sobre o universo e criaram novas divindades. Muitos representam elementos presentes na natureza, tais como rios, ventos e o arco-íris. Outros eram monstros, personificando o mal e os perigos.

Crono uniu-se a Réia, sua irmã Titânida. Dessa união nasceu a primeira geração de olímpicos: Héstia, Deméter, Hera, Hades, Posídon e Zeus.

Mais uma vez o progenitor patriarcal — nesse tempo Crono — tentou eliminar seus filhos. Avisado antecipadamente que ele estava destinado a ser suplantado pelo seu próprio filho, determinou não deixar isso acontecer. Engoliu cada criança imediatamente após o nascimento — sem ao menos olhar se o recém-nascido era filho ou filha. Ao todo devorou três filhas e dois filhos.

Abalada com o destino de seus filhos e novamente grávida, Réia apelou a Géia e a Urano para ajudá-la a salvar o último e punir Crono por ter castrado Urano e engolido seus cinco filhos. Seus pais pediram-lhe que fosse para a ilha de Creta quando chegasse a hora do nascimento e, para enganar Crono, embrulhasse uma pedra em fraldas. Na pressa, Crono engoliu a pedra, pensando que fosse a criança.

Esta última criança poupada era Zeus, que mais tarde na verdade derrotou seu pai e veio a governar todos os mortais e deuses. Mais tarde, em segredo, ele enganou seu pai, o qual vomitou os filhos que havia engolido. Com a ajuda deles, Zeus participou de uma prolongada luta pela supremacia, que terminou numa derrota de Crono e dos Titãs e em sua prisão no calabouço do Tártaro.

Após a vitória deles, os três irmãos deuses — Zeus, Posídon e Hades — tiraram a sorte para dividir o universo entre si. Zeus ganhou o céu, Posídon o mar, e Hades o inferno. Embora fosse suposto que a terra e o Olimpo eram território a ser compartilhado, Zeus chegou a expandir seu governo sobre todas essas áreas. As três irmãs — Héstia, Deméter e Hera — não tinham direito de propriedade, conforme a natureza patriarcal da religião.

Através das ligações sexuais de Zeus temos as seguintes gerações de divindades: Ártemis e Apolo, deus do Sol, eram os filhos de Zeus e Leto. Atenas era a filha de Zeus e Métis, e Perséfone, filha de Deméter e Zeus. Hermes, o deus mensageiro, era o filho de Zeus e Maia, enquanto Ares, deus da guerra, e Hefesto, deus da forja, eram os filhos da cônjuge real Hera. Há duas estórias sobre a origem de Afrodite. Numa ela é filha de Zeus e Dione; na outra ela antecedeu Zeus. Zeus gerou Dioniso num romance com uma mulher mortal, Sêmele.

No final do livro aparece uma distribuição das personagens: descrição biográfica de deuses e deusas, em listagem alfabética para referência, com o intuito de dar pistas de quem é quem na mitologia grega.

História e mitologia

A mitologia que deu ascensão a esses deuses e deusas gregos surgiu de acontecimentos históricos. É uma mitologia patriarcal que exalta Zeus e os heróis, refletindo o conflito e a subjugação de povos que tinham religiões centradas na figura materna, por invasores que tinham deuses guerreiros e teologias centradas na figura paterna.

Marija Gimbutas, professora de arqueologia européia na Universidade de Califórnia, em Los Angeles, descreve a "velha Europa", a primeira civilização da Europa.[4] Datando de pelo menos 5000 anos atrás (talvez até 25000 anos) antes do aparecimento das religiões

4. Marija Gimbutas, "Women and Culture in Goddess-Oriented Old Europe", in *The Politics of Women's Spirituality: Essays on the Rise of Spiritual Power Within the Women's Movement* (org.), Charlene Spretnak. Doubleday, New York,. 1982, pp. 22-31.

centradas na figura masculina, a velha Europa foi uma cultura "matrifocal", sedentária, pacata, amante da arte, uma cultura ligada à terra e ao mar que venerava a Grande Deusa. A evidência aos poucos encontrada nos cemitérios mostra que a velha Europa foi uma sociedade não estratificada, partidária de igualdade de condições para todos, que foi destruída por uma infiltração de povos seminômades, cavaleiros indo-europeus do distante Norte e Leste. Estes invasores tinham cultura "patrifocal" e eram inconstantes, guerreiros, ideologicamente orientados pelo céu e indiferentes à arte.

Os invasores julgavam-se povo superior, por causa de sua habilidade de conquistar os primitivos colonizadores, mais desenvolvidos culturalmente, que veneravam a Grande Mãe. Conhecida por seus nomes — Astarte, Istar, Inana, Nut, Ísis, Ashtoreth, Au Set, Hathor, Nina, Namu e Ningal, entre outras — a Grande Deusa era venerada como a força da vida feminina, profundamente relacionada com a natureza e a fertilidade, responsável pela criação da vida e pela destruição da mesma. A cobra, a pomba, a árvore e a lua eram símbolos sagrados. De acordo com o mitólogo e historiador Robert Graves, antes das religiões patriarcais a Grande Deusa era tida como imortal, constante e onipotente. Tinha amantes por prazer e não para que seus filhos tivessem um pai. A paternidade não havia sido introduzida no pensamento religioso, e não havia deuses do sexo masculino.[5]

Sucessivas ondas de invasões dos indo-europeus iniciaram o destronamento da Grande Deusa. As datas que marcam o início desses acontecimentos, segundo várias autoridades, são fixadas entre 4500 e 2400 antes de Cristo. As deusas não foram completamente suprimidas, mas incorporadas nas religiões dos invasores.

5. Robert Graves, *The Greek Myths,* vol. 1. Penguin, New York, 1982, p. 13.

Os invasores impuseram sua cultura patriarcal e sua religião bélica aos povos conquistados. A Grande Deusa tornou-se a consorte serviçal dos deuses dos invasores. Os atributos e poder que originalmente pertenciam à divindade feminina foram desapropriados e dados a uma divindade masculina. A violação apareceu nos mitos pela primeira vez, e surgiram mitos nos quais os heróis do sexo masculino matavam serpentes, símbolos da Grande Deusa. E, como se reflete na mitologia grega, os atributos, símbolos e poder que um dia foram investidos numa Grande Deusa, foram divididos entre muitas deusas. A mitóloga Jane Harrison observa que a deusa Grande Mãe tornou-se fragmentada em muitas deusas menores, recebendo cada uma delas atributos que outrora tinham pertencido a ela: Hera obteve o ritual do matrimônio sagrado, Deméter os mistérios dela, Atenas suas cobras, Afrodite suas pombas e Ártemis sua função como "senhora das coisas selvagens" (vida selvagem).[6]

De acordo com Merlin Stone, autor de *When God was a Woman,* o destronamento da Grande Deusa, iniciado pelos invasores indo-europeus, foi finalmente concluído pelas religiões hebraica, cristã e maometana, que surgiram mais tarde. A divindade masculina tomou o lugar principal. As deusas recuaram gradualmente, e as mulheres se ajustaram à sociedade. Stone observa: "Nós podemos nos encontrar querendo saber até que ponto a supressão dos ritos das mulheres atualmente significa a supressão dos direitos das mulheres".[7]

Deusas históricas e arquétipos

A Grande Deusa era venerada como criadora e

6. Jane Ellen Harrison, *Mythology.* Harcourt Brace Jovanovich, New York, 1963 (originalmente publicado em 1924), p. 49.

7. Merlin Stone, *When God Was a Woman.* Harvest/Harcourt Brace Jovanovich, em acordo com Dial Press, New York, 1978, p. 228.

destruidora da vida, responsável pela fertilidade e destrutibilidade da natureza. E ela ainda existe como um arquétipo no inconsciente coletivo. Muitas vezes tenho sentido sua presença em minhas pacientes. Uma delas, no seu pós-parto identificou-se com a Grande Deusa no seu terrível aspecto. Gwen era uma jovem mãe que tinha se tornado psicótica após o nascimento do bebê. Convencida de que ela havia destruído o mundo, estava alucinada e deprimida. Ela vivia andando na sala de estar do hospital, infeliz por sua culpa e tristeza. Quando me encontrava com ela para fazer-lhe companhia ela dizia que tinha "tragado e destruído o mundo". Durante sua gravidez tinha se identificado com a Grande Deusa em seu aspecto positivo, como criadora da vida. Agora, após o parto, ela se sentia a Grande Deusa que tinha o poder de destruir o que havia criado. Sua convicção emocional era tão intensa que ignorava a evidência de que o mundo ainda existia.

O arquétipo também ainda vive em seu aspecto positivo. Por exemplo, a Grande Deusa como sustentadora da vida é a imagem tida por uma pessoa que está convencida de que a vida dele ou dela depende de se manter um elo com uma determinada mulher. A mulher é "enganada" pela Grande Deusa. Esta é uma ilusão absolutamente comum. Quando a perda deste relacionamento é tão devastadora que leva a pessoa a cometer suicídio, então a vida literalmente depende dele.

Comparando o poder detido pela Grande Deusa quando ela era venerada, o arquétipo da Grande Deusa tem um efeito mais poderoso do que o de qualquer outro arquétipo; ela é capaz de despertar medos irracionais e de distorcer a realidade. As deusas gregas eram menos poderosas do que a Grande Deusa, e mais especializadas. Cada uma tinha seu próprio domínio e poder, que eram limitados àquele império. Na psique das mulheres as deusas gregas também são forças menos poderosas que as da Grande Deusa; seu poder de serem emocionalmente esmagadoras e falsearem a realidade é menor.

Das sete deusas gregas que representam os principais padrões comuns arquetípicos nas mulheres, Afrodite, Deméter e Hera têm o máximo poder de ditar o comportamento. Essas três são mais intimamente relacionadas à Grande Deusa do que as outras quatro. Afrodite é uma variante menor da Grande Deusa em sua função de deusa da fertilidade. Deméter também é uma variante menor da Grande Deusa em sua função de deusa mãe, assim como Hera é uma variante menor da Grande Deusa como rainha do céu. Contudo, embora cada uma seja "menor" do que a Grande Deusa, elas representam forças instintivas na psique que podem se tornar constrangedoras quando "reclamam seus direitos", como veremos nos últimos capítulos.

As mulheres que são direcionadas por uma dessas três deusas devem aprender a resistir, porque fazer cegamente o que lhes dizem Afrodite, Deméter ou Hera pode afetar adversamente a vida de uma mulher. Esses arquétipos, como as deusas equivalentes da velha Grécia, não estão alertas aos melhores interesses das mortais, ou aos seus relacionamentos com os outros. Os arquétipos existem além do tempo, indiferentes às realidades da vida de uma determinada mulher ou de suas necessidades.

Três dos quatro restantes arquétipos — Ártemis, Atenas e Perséfone — eram deusas "jovens" que pertenciam à geração das filhas. Essas três eram uma geração mais afastada da Grande Deusa. Como arquétipos elas são correspondentemente menos esmagadoras, e influenciam principalmente os padrões de caráter.

Héstia, a mais velha, mais sábia e mais honrada de todas elas, evitava completamente o poder. Ela representa o componente espiritual que uma mulher faz bem em honrar.

As deusas gregas e as mulheres contemporâneas

As deusas gregas são imagens de mulheres que viveram na imaginação humana por mais de três mil anos. As deusas são modelos ou representações daquilo com que as mulheres se assemelham (com mais poder e diversidade de comportamento do que as mulheres se têm historicamente consentido exercitar. Elas são bonitas e fortes. São motivadas por aquilo que lhes interessa) e, como eu defendo nesse livro, elas representam padrões inerentes ou arquétipos que podem modelar o curso da vida da mulher.

As deusas diferem uma da outra. Cada uma delas tem igualmente traços positivos e outros potencialmente negativos. Seus mitos mostram o que é importante para elas e expressam por metáfora o que uma mulher que se assemelha a elas deve fazer.

Também cheguei a pensar nas deusas gregas do monte Olimpo, cada uma delas como única e algumas antagônicas em relação às outras, como metáfora para a diversidade e conflito nas mulheres que são complexas e de muitas facetas. Todas as deusas estão potencialmente presentes em cada mulher. Quando diversas deusas disputam o domínio sobre a psique de uma mulher, esta precisa decidir que aspecto de si própria expressar, e quando expressá-lo. Ela, aliás, será arrastada primeiro numa direção e depois noutra.

As deusas também viviam numa sociedade patriarcal. Os deuses governavam a terra, o céu, o oceano e o inferno. Cada deusa independentemente se ajustava a essa realidade a seu modo, separando-se dos homens, unindo-se a eles como um deles, ou retraindo-se no íntimo. Cada deusa que dava valor a um determinado relacionamento era vulnerável e relativamente fraca em comparação aos deuses, que podiam negar-lhe o que ela queria e dominá-la. As deusas, portanto, representam modelos que refletem a vida numa cultura patriarcal.

Bibliografia

JUNG, C. G., "Archetypes of the Collective Unconscious". CW, 9, primeira parte, Princeton University Press, Princeton, N. J., 1968, pp. 3-41.

JUNG, C. G., "The Concept of the Collective Unconscious", CW, 9, idem, primeira parte, pp. 42-53.

MAROHN, Stephanie, "The Goddess Resurrected". *Womenews* (publicado por Friends of the San Francisco Commission on the Status of Women) 8, nº 1, junho de 1983.

MAYERSON, Philip, *Classical Mythology in Literature, Art, and Music*. Wiley, New York, 1971.

SPRETNAK, Charlene (org.), *The Politics of Women's Spirituality: Essays on the Rise of Spiritual Power Within the Feminist Movement*. Doubleday, New York, 1982.

STONE, Merlin, *When God Was a Woman*, Harvest/Harcourt Brace Jovanovich, em acordo com Dial Press, New York, 1978.

2
Ativando as deusas

Na Grécia antiga as mulheres sabiam que sua vocação ou profissão as colocava sob o domínio de uma determinada deusa a quem elas veneravam: as tecelãs precisavam da proteção de Atenas, as jovens estavam sob a proteção de Ártemis, e as mulheres casadas honravam Hera. As mulheres veneravam e faziam ofertas nos altares das deusas de cujo auxílio necessitavam. As mulheres em estado de parto oravam para Ártemis livrá-las da dor; convidavam Héstia para residir em seus lares, transformando a casa num lar. As deusas eram poderosas divindades, a quem se prestava homenagem com rituais, adoração, oferendas e sacrifícios. As mulheres também lhes pagavam tributos porque temiam a raiva divina e a retribuição, caso não o fizessem.

No íntimo das mulheres contemporâneas as deusas existem como arquétipos e podem, como na Grécia antiga, cobrar seus direitos e reivindicar domínio sobre suas súditas. Mesmo sem saber a que deusa está submissa, a mulher pode ainda assim "dar" sua submissão a um arquétipo determinado, por uma época de sua vida ou por toda uma existência.

Por exemplo, enquanto adolescente, uma determinada mulher pode ter ficado maluca por um rapaz e totalmente enamorada. Pode ter se envolvido precocemente na sexualidade e corrido o risco de uma gravidez indesejada, sem saber que estava sob a influência de Afrodite, deusa do amor, cujo impulso em direção à união e procriação pode ter apanhado uma garota desprevenida. Ou ela pode ter estado sob a proteção de Ártemis, que valorizava o celibato e amava a selva, e ter sido uma adolescente maluca por cavalos ou uma escoteira com mochila. Ou pode ter sido uma jovem Atenas, com o nariz enterrado no livro, motivada pela deusa da sabedoria para obter reconhecimento e boas notas. Ou, quando ela brincava com bonecas, deve ter sido uma criança-Deméter, fantasiando sobre a época em que pudesse ter seu próprio bebê. Ou a jovem Perséfone, colhendo flores nos prados, uma jovem senhora sem objetivo, esperando que alguma coisa ou alguém a arrebatasse.

Todas as deusas são padrões potenciais na psique das mulheres. Contudo, em cada mulher particular alguns desses padrões são ativados, energizados ou desenvolvidos, e outros não. A formação de cristais foi uma analogia que Jung usou para ajudar a explicar a diferença entre os padrões arquetípicos (que são universais) e os arquétipos ativados (que estão agindo em nós): um arquétipo é como um padrão invisível que determina qual a forma e a estrutura que um cristal tomará enquanto se molda.[1] Uma vez que o cristal se forma, o padrão agora reconhecível é análogo a um arquétipo ativado.

Os arquétipos podem ser comparados à condição genética da semente. O crescimento das sementes depende do solo e das condições climáticas, da presença ou ausência de certos nutrientes, do cuidado ou da negligência por parte dos jardineiros, do tamanho e da profundidade do recipiente, e da solidez da própria variedade.

1. C. G. Jung, "Psychological Aspects of the Mother Archetype". CW, 9. primeira parte, 1968, p. 79.

Da mesma forma, quais deuses ou deusas (muitos podem estar presentes ao mesmo tempo) estejam ativados num determinado tempo é um fato que depende do efeito combinado de uma variedade de elementos em interação, como a predisposição da mulher, a família e a cultura, os hormônios, outras pessoas, circunstâncias não escolhidas, atividades escolhidas e fases da vida.

Predisposição inerente

Os bebês nascem com traços de personalidade (ativos, teimosos, calmos, curiosos, capazes de passar o tempo sozinhos, sociáveis) que acompanham alguns arquétipos de deusa mais do que outros. Quando uma criança está com dois ou três anos de idade, ela já mostrou qualidades típicas de determinadas deusas. A submissa garotinha que está totalmente contente, fazendo o que sua mãe quer que ela faça, é muito diferente da garotinha que está pronta para safar-se da mãe para explorar a vizinhança. São tão diferentes quanto Perséfone e Ártemis.

O ambiente familiar e as deusas

As expectativas da família da criança mantêm algumas deusas e suprimem outras. Se os pais esperam que as filhas sejam "amor e graça e tudo de bonito" ou "o braço direito da mãe", então elas estão recompensando e reforçando as qualidades de Perséfone e Deméter. Uma filha que sabe o que quer e espera ter os mesmos privilégios e oportunidades que seus irmãos poderia ser chamada de "teimosa", mas ela está sendo apenas a persistente Ártemis ou poderia ser convidada a "agir como uma menina", embora ela esteja apenas mostrando o lado masculino de Atenas. Além do mais, em alguns dias uma criança pode se encontrar no padrão aprovação-desaprovação. Ela pode se sentir desencorajada a ficar em casa e representar a "mamãe" ou "brincar de casinha", o que ela poderia querer fazer. Ao contrário, ela é contratada para o futebol e encaminhada muito cedo para o estudo, no qual seus pais podem querer que ela prospere.

O padrão de deusa inerente na criança influencia as expectativas da família. A família pode desaprovar a deusa específica, mas a garota não pára de sentir o que sentia, embora possa aprender a não agir naturalmente, e sua auto-estima irá sofrer. Se a "sua deusa" obtém o favor da família, poderá haver também outros obstáculos. Por exemplo, uma garota que tenta seguir a conduta das outras, porque é mais como Perséfone, ela poderá ter dificuldades em saber o que quer. Isso depois de ter sido premiada durante anos por agradar aos outros. E a Atenas que começa a "desabrochar" para a vida, que pula anos letivos, tem suas habilidades reforçadas à custa de privar-se de amizades com seus iguais. Quando um padrão inerente e a família "conspiram" para fazer a mulher adaptar-se a uma deusa o desenvolvimento dela torna-se unilateral.

Se a família recompensa e encoraja uma garota a desenvolver o que lhe vem naturalmente, a garota se sente bem consigo mesma, pois vai fazer o que lhe interessa. O oposto acontece com as garotas cujo padrão de deusa encontra desaprovação na família. A oposição não muda o padrão inerente. Apenas faz a garota não se sentir bem consigo mesma por ter os traços e os interesses que tem. E faz com que ela se sinta inautêntica se pretender ser outra e não ela mesma.

O efeito da cultura sobre as deusas

Quais "deusas" a cultura mantém através dos papéis que ela permite que as mulheres tenham? Os estereótipos de mulheres são imagens positivas ou negativas de arquétipos de deusas. Nas sociedades patriarcais os papéis aceitáveis são os da jovem (Perséfone), da esposa (Hera) e da mãe (Deméter). Afrodite é considerada "a prostituta" ou "a sedutora", o que é uma distorção e desvalorização da sensualidade e sexualidade desse arquétipo. Uma Hera positiva ou raivosa torna-se mulher "briguenta". E algumas culturas, passadas e presentes, negam fortemente a expressão de independência, inteligência ou sexualidade nas mulheres — tanto que quaisquer sinais de Ártemis, Atenas e Afrodite devem ser abrandados.

Na velha China, por exemplo, o costume de enfaixar os pés das mulheres significava que elas eram fisicamente mutiladas, tanto quanto psicologicamente limitadas por papéis que não permitiam independência. Sob tais condições certas deusas podiam viver apenas nos mitos. Em seu romance *The Woman Warrior,*[2] Maxine Hong Kingston escreveu sobre a desvalorização e o rebaixamento das mulheres chinesas, que persistem até o presente. Para contrastar,ela narra um mito sobre uma guerreira heroína chinesa. O mito mostrou que mesmo que um padrão de deusa não possa sobreviver na vida real de uma mulher, tal deusa ainda pode encontrar expressão em contos de fada, mitos e sonhos das mulheres.

As vidas das mulheres são modeladas por papéis permitidos e imagens idealizadas da época. Esses estereótipos favorecem alguns padrões de deusa. Nos Estados Unidos tem havido mudanças principalmente nas expectativas de "o que seria uma mulher" nas décadas passadas. Por exemplo, a propaganda posterior à Segunda Guerra Mundial enfatizava o casamento e a maternidade. Era um tempo de realização para mulheres que tinham a necessidade de Hera de serem uma companheira, e para

2. Maxine Hong Kingston, *The Woman Warrior*. Vintage Books/Randon House, New York, 1977.

mulheres com o instinto maternal de Deméter. Era uma época difícil para mulheres tipo Atenas ou Ártemis, que eram intelectualmente curiosas e competitivas, mulheres que queriam expressar superioridade ou realização em qualquer tarefa que não a de constituir família. Elas iam para a faculdade para obterem o bacharelado e, uma vez casadas, freqüentemente desapareciam da escola. O "estar juntos", característico dos subúrbios, era o ideal. As mulheres americanas não paravam no segundo filho, mas estavam tendo três, quatro, cinco ou seis. Em 1950 o coeficiente de natalidade se igualava ao da Índia, pela primeira e única vez.

Vinte anos mais tarde, nos anos 70, temos a década do movimento feminista — anos de colheita para Ártemis e Atenas. As mulheres que eram motivadas à conquista eram agora favorecidas pelo tempo. As feministas e as mulheres de carreira estavam no centro do palco. Mais mulheres do que em qualquer época anterior agora estavam na escola, em busca de diplomas na área de comércio, medicina e advocacia. Os votos matrimoniais "até que a morte nos separe" foram quebrados de modo crescente e o coeficiente de natalidade decaiu. Entretanto, as mulheres motivadas por Hera precisavam ser uma companheira e as mulheres motivadas por Deméter necessitavam ter filhos, e isso estava funcionando num clima crescentemente insuportável.

Quando padrões arquetípicos específicos encontram proteção na cultura, tais mulheres podem fazer o que é interiormente significativo para elas e receber aprovação exterior. A assistência institucional importa muito. Por exemplo, as mulheres com a mente de natureza lógica de Atenas precisam de acesso a instrução mais elevada para se desenvolverem intelectualmente. As mulheres com o enfoque espiritual de Héstia têm sucesso nas comunidades religiosas.

O efeito dos hormônios nas deusas

Quando há alteração dramática dos hormônios — na puberdade, durante a gravidez e na menopausa — alguns arquétipos ficam acentuados à custa de outros. Os hormônios que causam o desenvolvimento da mama e o desenvolvimento genital na puberdade podem estimular a sensualidade e a sexualidade, características de Afrodite. Algumas moças tornam-se jovens mulheres tipo Afrodite quando se desenvolvem fisicamente; outras desenvolvem as mamas e inicia-se a menstruação, mas elas não dirigem seus interesses para os rapazes. O comportamento não é determinado apenas pelos hormônios, mas pela interação entre os hormônios e os arquétipos das deusas.

A gravidez incita um sólido aumento do hormônio progesterona, que a mantém fisiologicamente. Por outro lado, as diferentes mulheres reagem de modo diferente a esse aumento. Algumas se tornam emocionalmente realizadas à medida que seus corpos ganham tamanho por causa da criança, e elas se sentem como a personificação de Deméter, a deusa mãe. Outras praticamente se esquecem da gravidez, dificilmente perdendo um dia de serviço.

A menopausa (o cessar da menstruação é concretizado por uma queda dos hormônios estrogênio e progesterona) é uma fase de mudança hormonal. O modo como a mulher reage depende novamente de qual deusa esteja ativada. Pode-se registrar a angústia da mulher-Deméter, a depressão advinda de um "ninho vazio", isto é, de uma época pós-maternal ou, como afirmou a antropóloga Margaret Mead, outras mulheres apresentam um aumento repentino de prazer após a menopausa. Essa excitação pode acontecer quando uma deusa recentemente energizada pode agora ter sua tão esperada vez.

Até mesmo durante os períodos de menstruação algumas mulheres experimentam "uma mudança de deusa", conforme os hormônios e os arquétipos influenciem e causem impacto em suas psiques. As mulheres que são sensíveis a essas mudanças observam que durante a primeira metade do ciclo elas parecem mais sintonizadas com as deusas independentes, especialmente com Ártemis e Atenas, com seus enfoques extrovertidos, em comunicação com o mundo. Depois, na segunda metade do ciclo, conforme o hormônio da fecundação progesterona aumenta, elas observam que suas tendências "de se aninharem" parecem mais fortes e seus sentimentos de dependência tornam-se mais pronunciados. Então Deméter, Hera, Perséfone ou Héstia tornam-se a influência mais forte.[3]

Esses hormônios e mudanças podem causar conflito e confusão, pois primeiro uma deusa ganha ascendência e depois outra. Um exemplo clássico é o da independente mulher tipo Ártemis que vive com um homem resistente ao casamento ou com um homem que ela percebe que não serve para marido. Viverem juntos é um acordo que se ajusta bem a ela — até que ocorra a mudança hormonal. Em algum ponto, na segunda metade do ciclo, a necessidade típica de Hera de ser companheira recebe suporte hormonal. Então o fato de não ser casada incita sentimentos de ressentimento ou rejeição, e isso a conduz a uma briga mensal ou a uma depressão que, exatamente como prognosticado, passa após ela ter tido suas regras.

Pessoas e acontecimentos ativam as deusas

Uma deusa pode tornar-se ativada e nascer para a

3. A mudança dos arquétipos de deusas durante os ciclos menstruais baseia-se nas observações clínicas de minha prática psiquiátrica. Para documentar uma mudança de atitudes independentes e ativas (ou agressivas) para atitudes dependentes e passivas relacionadas com os ciclos menstruais, veja Therese Benedek, "The Correlations Between Ovarian Activity and Psychodynamic Processes", in Therese Benedek (org.), *Psychoanalytic Investigation.* Quadrangle/New York Times Book, Co., New York, 1973, pp. 129-223.

vida quando um arquétipo é trazido à tona por uma pessoa ou por um acontecimento. Por exemplo, uma mulher acha que o sentimento de abandono de outra pessoa é um estímulo irresistível para ela renunciar ao que está fazendo e ser uma cuidadosa Deméter. Essa mudança pode ter um efeito prejudicial em seu trabalho, uma vez que é a isso que ela mais freqüentemente renuncia. Ela emprega muito de seu tempo em telefonemas pessoais, ouvindo as preocupações dos outros. Ela também sai precipitadamente numa missão de misericórdia, e está à beira de ser demitida do emprego. Outra deve achar que reunião feminista a transforma em amadurecida mulher tipo Ártemis que porá fim às intromissões no território das mulheres, conforme ela sinta um impulso de irmandade e força. E as questões financeiras podem transformar ainda outra mulher de pessoa bem orientada numa Atenas intragável e insistente, numa defensora pedante de acordos que dizem respeito ao que lhe é devido.

Quando a mulher se apaixona, a mudança põe em perigo as prioridades anteriores. Interiormente, ao nível arquetípico, os padrões antigos podem não permanecer. Quando Afrodite torna-se ativada, a influência de Atenas deve enfraquecer, fazendo do progresso na profissão algo menos importante do que o seu novo amor. Ou os valores de Hera em favor do matrimônio podem ser superados, se houver infidelidade.

Os sintomas psiquiátricos se desenvolvem se o aspecto negativo de uma deusa torna-se ativado pelas circunstâncias. A perda de uma criança ou de um relacionamento cheio de conseqüências podem fazer da mulher uma angustiada mãe-Deméter, que pára de atuar e se acomoda, profundamente deprimida e inatingível. Ou a proximidade de um marido com uma mulher atraente — uma colega, empregada ou vizinha — podem trazer à tona a ciumenta Hera, levando a mulher a tornar-se desconfiada e paranóica, vendo logro e infidelidade onde não há nada disso.

O "experienciar" ativa as deusas

O lema "experienciar é transformar-se" expressa um modo pelo qual as deusas podem ser evocadas ou desenvolvidas por um curso escolhido de ação. Por exemplo, praticar a meditação pode gradualmente ativar ou reforçar a influência de Héstia, a deusa introvertida, enfocada interiormente. Desde que os efeitos da meditação, como a própria meditação, são subjetivos, usualmente a única pessoa que nota a diferença é a própria mulher. Ela pode meditar uma ou duas vezes por dia, e depois empreender sua rotina diária sentindo-se mais "centrada", apreciando as épocas de calmo bem-estar que são características de Héstia. Algumas vezes os outros também sentem a diferença, como aconteceu com o pessoal da repartição de uma assistente de supervisão social, que notou que a meditação a tornava mais calma, menos atormentada e mais compassiva.

Em contraste com os efeitos graduais da meditação, uma mulher que toma drogas pode precipitadamente alterar sua percepção. Embora o efeito seja usualmente transitório, isso pode ocasionar mudanças a longo prazo na personalidade. Por exemplo, se uma mulher que é dominada por Atenas (a deusa inclinada à lógica, pragmática) toma uma droga, ela pode deleitar-se com seus sentidos, por uma mudança. O que ela vê é mais intenso e bonito, fica completamente absorvida pela música, sente-se sensual, achando que é mais do que a sua mente. Então ela pode se tornar familiarizada com Afrodite, desfrutando experiências intensas no presente imediato. Ou pode olhar para as estrelas e, desta vez, tornar-se Ártemis, deusa da lua, a caçadora cujo império era a selva.

Ou a experiência da droga pode levá-la ao inferno onde ela experimenta os conteúdos inatingíveis e irracionais. Ela pode tornar-se deprimida, ter alucinações, ou ficar amedrontada se a sua experiência for semelhante ao rapto de Perséfone, levando-a para o interior do inferno.

A mulher que decide continuar seus estudos além da escola secundária favorece o desenvolvimento adicional das qualidades de Atenas. Estudar, organizar informações, fazer provas e escrever teses, tudo requer a inclinação à lógica, própria de Atenas. A mulher que escolhe ter um bebê convida a maternal Deméter a ser uma presença mais forte. E registrar uma viagem pela selva, com mochila às costas, oferece mais expressão a Ártemis.

Invocando as deusas

Muitos hinos de Homero são invocações às divindades gregas. Por exemplo, um hino homérico pode criar uma imagem de uma deusa na mente da ouvinte pela descrição de sua aparência, atributos e proezas. Então ela é convidada a estar presente, entrar em uma casa, ou proporcionar uma bênção. Os antigos gregos conheciam alguma coisa do que nós queremos aprender: as deusas podem ser imaginadas e depois invocadas.

Nos capítulos que dizem respeito a cada deusa, as leitoras poderão descobrir que não estão bem familiarizadas com uma determinada deusa. Podem achar que um arquétipo que poderiam considerar extremamente valioso é pouco desenvolvido ou "faltoso" nelas. É possível "invocar" essa deusa, ao se fazer conscientemente um esforço para ver, sentir ou compreender sua presença — trazê-la à mente através da imaginação — e depois solicitar sua força particular. As seguintes invocações são exemplos:

- Atenas, ajude-me a refletir claramente sobre esta situação.

• Perséfone, ajude-me a permanecer disponível e receptiva.

• Hera, ajude-me a desempenhar um compromisso e a ter confiança.

• Deméter, ensine-me a ser paciente e generosa; ajude-me a ser uma boa mãe.

• Ártemis, conserve-me centrada naquele objetivo distante.

• Afrodite, ajude-me a amar e apreciar meu corpo.

• Héstia, honre-me com sua presença, traga-me paz e serenidade.

As deusas e os estágios da vida

A mulher particular pode passar por muitas fases na vida. Cada fase pode ter sua própria deusa ou deusas influentes. Ou ela pode viver um padrão de deusa que a conduz através de sucessivos estágios. Quando as mulheres fazem uma retrospectiva de suas vidas, elas freqüentemente podem reconhecer quando uma ou diversas deusas foram mais importantes ou mais influentes que outras.

Enquanto jovem adolescente, ela pode ter convergido para a sua educação. Enquanto eu estava de passagem pela escola de medicina, o arquétipo de Ártemis conservou-me centrada no objetivo. Entretanto, apelei para as habilidades de Atenas para aprender procedimentos e fatos, os quais me conduziriam a fazer diagnose baseada em descobertas clínicas e laboratoriais. Em contraste, minhas colegas de faculdade que se casaram e que tiveram filhos logo após terem se graduado, estavam apelando para Hera e Deméter.

A meia-idade é uma época de transição, e freqüentemente conduz a uma troca de deusas. Aproximadamente na idade entre trinta e cinco e quarenta e cinco anos, o arquétipo prevalente mais forte dos anos antecedentes enfraquece a sua intensidade, permitindo que apareçam outras deusas. Os resultados do esforço introduzido no que quer que ocupe os primeiros anos da vida adulta de uma mulher — casamento e filhos, carreira, esforço criativo, um homem, ou uma associação — são evidentes. Mais energia torna-se disponível para alguma coisa mais, e isso é convite para que outra deusa manifeste sua influência. Atenas a influenciaria a ir para uma escola graduada? Ou prevaleceria o desejo de Deméter de ter um filho — num tempo em que se dizia: "ou agora ou nunca"?

A seguir vem outra transição mais tardia na vida, quando a deusa ainda pode novamente mudar. O período pós-menopausa pode anunciar uma mudança como acontece com a viuvez, a aposentadoria, ou o sentir-se como pessoa idosa. A mulher viúva que pela primeira vez deve lidar com o dinheiro descobriria uma Atenas oculta e verificaria que ela é capaz de entender de investimentos? O isolamento não desejado tornou-se uma solidão confortável porque Héstia é agora conhecida? Ou a vida tornou-se agora sem significado e vazia, porque Deméter não tem ninguém para criar? Como em cada outro estágio da vida, o resultado para a pessoa depende das deusas ativadas em sua psique, das realidades de sua situação e das escolhas que ela faz.

3
As deusas virgens: Ártemis, Atenas e Héstia

As três deusas virgens da mitologia grega são Ártemis, deusa da caça e da lua; Atenas, deusa da sabedoria e das artes, e Héstia, deusa da lareira e do templo. Essas três deusas personificam os aspectos independentes e ativos da psicologia das mulheres. Ártemis e Atenas são arquétipos orientados para o exterior e a realização, enquanto Héstia é enfocada interiormente. Todas as três representam, nas mulheres, impulsos interiores para desenvolverem talentos, perseguirem interesses, resolverem problemas, competirem com outras, expressarem-se articuladamente com palavras ou formas artísticas, colocarem seus ambientes em ordem, ou levarem vidas contemplativas. Cada mulher que já desejou "um espaço todo seu", ou se sente em casa quando em contato com a natureza, ou se encanta em imaginar como alguma coisa funciona, ou que aprecia a solidão tem um parentesco com uma dessas deusas.

O aspecto da deusa virgem é o da mulher que não pertence ou é "impenetrável" ao homem — que não é afetada pela necessidade de um homem ou pela necessidade de ser aprovada por ele, que existe completamente separada dele, em seu próprio direito. Quando a mulher está vivendo um arquétipo de virgem, isso significa que um aspecto significativo seu é psicologicamente virginal, e não que ela seja fisicamente ou literalmente virgem.

O termo *virgem* significa não maculado, puro, não pervertido, não usado, não cultivado, intocável e não manejado "pelo homem", como no solo *virgem,* na floresta *virgem;* ou não previamente submetido a um processo químico, como acontece com a lã *virgem.* O óleo *virgem* é o óleo feito da primeira prensagem das azeitonas ou nozes, extraído sem aquecimento (metaforicamente não tocado pelo aquecimento da emoção ou da paixão). Metal *virgem* é o que se acha na forma natural, genuíno e puro, como acontece com o ouro *virgem.* Dentro de um sistema religioso e um período histórico dominados por deuses masculinos, Ártemis, Atenas e Héstia salientam-se como exceções. Elas nunca se casaram, nunca foram dominadas, seduzidas, violadas ou humilhadas pelas divindades masculinas ou pelos mortais. Permaneceram intactas, invioladas. Somente essas três, de todos os deuses, deusas e mortais ficaram indiferentes ao irresistível poder de Afrodite, a deusa do amor, que inflama paixão, incita desejos eróticos e sentimentos românticos. Elas não foram induzidas ao amor, à sexualidade ou à louca paixão.

O arquétipo da deusa virgem

Quando uma deusa virgem — Ártemis, Atenas ou Héstia — é um arquétipo dominante, a mulher é, conforme a analista junguiana Esther Harding escreveu em seu livro *Os mistérios da mulher,* uma-em-si-mesma. Um aspecto importante de sua psique "não pertence a nenhum homem". Conseqüentemente, como descreveu Harding: "a mulher que é virgem, uma-em-si-mesma, age como age não por causa de qualquer desejo de agradar, nem para ser desejada ou aprovada, até mesmo por si própria, nem por qualquer desejo de sobrepujar-se a uma outra pessoa, atrair seu interesse ou seu amor, mas porque o que ela faz é verdadeiro. Seus atos podem, de fato, não ser convencionais. Pode ter que dizer não, quando seria mais fácil e mais adaptado, convencionalmente falando, dizer sim. Mas, como virgem, ela não é influenciada pelas considerações que fazem com que a mulher não virgem, quer seja casada ou não, se conforme e se adapte à conveniência".[1]

Se a mulher é uma-em-si-mesma, ela será motivada pela necessidade de seguir valores, fazer o que tem sentido ou satisfazer-se, independentemente daquilo que as pessoas pensam.

Psicologicamente, a deusa virgem é aquele aspecto da mulher que não foi afetado pelas expectativas coletivas sociais e culturais, determinadas pelo sexo masculino, daquilo que uma mulher deveria ser, ou por um julgamento individual que alguém do sexo masculino faz dela. O aspecto da deusa virgem é uma pura essência de quem é mulher e daquilo que ela valoriza. Ele permanece imaculado e não contaminado porque ela não o revela, porque o mantém sagrado e inviolado, ou porque o expressa sem modificação para refutar os padrões masculinos.

O arquétipo da virgem poderia manifestar-se como aquele aspecto de uma mulher que é secreta ou publicamente feminista. Pode ser expresso por uma ambição que as mulheres são desencorajadas de perseguir — tal como o desejo da aviadora Amélia Earhart de voar para onde nenhum piloto antes voara. Ou pode ser a criatividade da mulher como poeta, pintora, musicista, fazendo trabalhos que se desenvolvem fora de sua experiência como mulher, tais como a poesia de Adrienne Rich, as telas de Judy Chicago, ou as baladas que Holly Near escreve e canta. Ou pode ser expresso como uma prática meditativa, ou como o trabalho da parteira.

1. M. Esther Harding, "A deusa virgem", in *Os mistérios da mulher,* Edições Paulinas, São Paulo, 1985, pp. 164ss.

Muitas mulheres se unem para criar formas que são "de mulheres". Os grupos de elevação consciente das mulheres, a veneração da deusa no cume das montanhas, as clínicas médicas de auto-ajuda às mulheres e os mutirões de artesanato são expressões do arquétipo da deusa virgem manifestando-se através de grupos de mulheres.

Qualidade da percepção: como luz nitidamente focalizada

Cada uma das três categorias de deusa (virgem, vulnerável e alquímica) tem uma qualidade característica de percepção. A percepção enfocada exemplifica as deusas virgens.[2] As mulheres que são como Ártemis, Atenas e Héstia têm a habilidade de concentrar sua atenção naquilo que lhes importa. Elas têm a capacidade de se absorverem naquilo que estão fazendo. No processo de serem enfocadas, elas podem excluir facilmente tudo o que for alheio à tarefa presente ou ao objetivo de longo alcance.

Penso na percepção enfocada como uma luz nitidamente focalizada, intencionalmente dirigida, intenso raio de luz que ilumina apenas o que é focalizado, deixando tudo o que está fora de seu raio no escuro ou nas sombras. Na sua forma mais concentrada, a percepção enfocada pode ser ainda semelhante a um raio laser, tão penetrante ou cortante em sua habilidade de analisar, que pode ser incrivelmente preciso ou destrutivo, dependendo da intensidade e no que ele é focalizado.

2. "Consciência enfocada", como descreve Irene Claremont de Castillejo, é considerado um atributo do *animus* ou dos homens: "O poder de focalizar é o maior dom do homem, mas não é uma prerrogativa do homem; o *animus* desenvolve o mesmo papel na mulher". "É somente quando ela necessita de um tipo enfocado de consciência que o auxílio do *animus* é requerido". Cf. Claremont de Castillejo, *Knowing Woman,* cap. 5, "The Animus — Friend or Foe", Putnam's, New York, para a C. G. Jung Foundation for Analytic Psychology, 1973, pp. 77-78. Estou usando sua terminologia, mas não concordo com a sua afirmação, baseada no modelo da psicologia das mulheres feita por Jung, de que a consciência enfocada é sempre um atributo masculino.

Quando a mulher sabe dar enfoque à solução de um problema ou ao alcance de um objetivo, quando não é interrompida pela carência daqueles que a cercam, não prestando atenção até mesmo às suas necessidades de alimentar-se ou de dormir, ela tem capacidade de enfoque consciente que a conduz a realizações. Trata de tudo o que está fazendo com sua atenção total. Tem mentalidade unidirecionada, a qual permite que ela faça aquilo que decide fazer. Quando se concentra em objetivos exteriores ou qualquer que seja a tarefa à mão — como é característico de Ártemis e Atenas — o enfoque é de realização-orientada. Danielle Steel escreveu dezessete romances dos quais foram vendidos mais de 45 milhões de exemplares. Ela exemplificou esse tipo de percepção enfocada. Descreve-se como "uma super empreendedora" e diz: "É muito intenso. Usualmente trabalho vinte e quatro horas por dia, dormindo de duas a quatro horas. Isso perdura sete dias por semana, durante seis semanas"[3] (até que o romance esteja acabado).

Quando o enfoque se volta para o interior, em direção a um centro espiritual — o foco direcional de Héstia — a mulher na qual esse arquétipo é forte pode meditar por longos períodos, sem se perturbar com o mundo que a cerca ou com os desconfortos advindos de ter que se manter numa determinada posição.

Padrões de vida e de comportamento

Qualidades da deusa virgem são exemplificadas por mulheres que seguem suas próprias inclinações para se tornarem nadadoras competitivas, feministas ativas, cientistas, peritas em estatística, executivas, donas de casa, amazonas; são também exemplificadas pelas mu-

3. Marty Olmstead, "The Midas Touch of Danielle Steel", *United* (United Airlines Flight Publication), março de 1982, p. 89.

lheres que vão para os conventos ou locais de retiro religioso. Para desenvolverem seus talentos e enfocarem a busca do que tem valor pessoal as mulheres-protótipo da deusa virgem freqüentemente evitam o desempenho dos papéis tradicionais das mulheres. Como fazer isso, isto é, como ser coerentes consigo mesmas e se adaptar a viver no "mundo dos homens", é o desafio.

Na mitologia, cada uma das deusas virgens encarou um desafio semelhante, e desenvolveu uma solução diferente.

Ártemis, a deusa da caça, abandonou a cidade, evitou o contato com os homens e passou sua vida na selva com seu grupo de ninfas. Sua maneira de se adaptar era *separar-se* dos homens e de sua influência. Essa maneira é análoga à das mulheres contemporâneas. Elas se unem a grupos de conscientização e tornam-se feministas aplicadas em definir a si próprias e suas prioridades; ou trabalham em grupos dirigidos por mulheres e em firmas que estão a serviço das necessidades das mulheres. As mulheres tipo Ártemis também são representadas por "individualistas rígidas", que se movem sozinhas e fazem o que lhes interessa, sem amparo pessoal ou aprovação dos homens, como também das mulheres.

Em contraste, Atenas, deusa da sabedoria, unia-se aos homens como seus iguais ou como uma supervisora do que eles faziam. Era a pessoa mais calma na batalha e a melhor estrategista. Sua maneira de se adaptar era a *identificação* com os homens — ela se tornava como um deles. A atitude de Atenas tem sido seguida por muitas mulheres que se unem ao mundo das corporações ou que têm sucesso em ocupações exercidas tradicionalmente pelos homens.

Finalmente, Héstia, deusa da lareira, seguiu um modo introvertido de adaptação, marcado pelo *retraimento* em relação aos homens. Ela se retraiu interiormente, tornou-se anônima e foi deixada sozinha. A mulher que adota esse modo de vida negligencia sua feminilidade para não atrair o interesse masculino, para evitar situações competitivas e viver calmamente, pois ela valoriza e cuida das tarefas diárias ou da meditação que dá sentido à sua vida.

As três deusas virgens não se alteraram por suas experiências com os outros. Elas nunca foram dominadas por suas emoções, nem por outras divindades. Eram invulneráveis ao sofrimento, intocáveis nos relacionamentos e inacessíveis a transformações.

Da mesma forma, quanto mais ajustada estiver a mulher em sua trajetória própria, tanto mais provável também que ela não seja profundamente afetada pelos outros. Esse enfoque pode desligá-la de sua própria vida emocional e instintiva, como também de estabelecer vínculos com os outros. Psicologicamente falando, a menos que ela tenha sido "penetrada", ninguém "conseguiu desvendar seu íntimo". Ninguém lhe importa realmente, e ela não conhece a intimidade emocional.

Portanto, se uma mulher se identifica com o padrão da deusa virgem, ela talvez leve uma vida unilateral e freqüentemente só, sem qualquer "outra pessoa verdadeiramente significativa". Contudo, embora uma deusa permaneça limitada ao desempenho de seu papel, a mulher pode crescer e modificar-se no curso de sua vida. Embora seja por natureza semelhante a uma deusa virgem, ela pode também descobrir que Hera tem algo a lhe ensinar sobre afinidades compromissadas; pode sentir a comoção do instinto maternal e aprender com Deméter; ou pode repentinamente se apaixonar e descobrir que Afrodite também faz parte de seu ser.

Nova teoria

Ao descrever Ártemis, Atenas e Héstia como padrões femininos positivos e ativos, estou desafiando pressupostos tradicionalmente sustentados pela Psicologia. Dependendo do ponto de vista ser freudiano ou junguiano, as qualidades que são características das deusas virgens foram definidas ou como sintomas ou como patologia ou como expressões de um elemento masculino não totalmente consciente na psique de uma mulher. Essas teorias têm inibido o comportamento e prejudicado a auto-estima das mulheres que se ajustam aos padrões da deusa virgem. Muitas mulheres familiarizadas com a teoria freudiana consideram-se anormais, por exemplo, porque desejaram mais uma carreira do que um bebê. E muitas outras, familiarizadas com a teoria junguiana, têm hesitado em expressar suas idéias, sabendo que Jung sentia que a capacidade das mulheres de pensar objetivamente era inferior e opiniosa.

A teoria de Sigmund Freud a respeito da psicologia feminina era centrada no pênis. Ele descreveu as mulheres em termos do que lhes faltava anatomicamente, em vez de descrevê-las em termos daquilo que se fazia presente em seus corpos ou em suas psiques. De acordo com Freud,[4] o fato de não ter pênis tornava as mulheres mutiladas e inferiores. Em conseqüência, ele considerou que as mulheres normais sofriam de inveja do pênis, eram masoquistas e narcisistas, e tinham um fraco desenvolvimento do superego, isto é, uma consciência inferior.

A teoria psicanalítica de Freud interpretava o comportamento das mulheres como se segue:

4. Este resumo da teoria psicanalítica da psicologia das mulheres baseia-se nas seguintes obras de Sigmund Freud publicadas na *The Standard Edition of the Psychological Works of Sigmund Freud* (org.) por J. Strachey, Hogarth Press, Londres, doravante citada como *Standard Version*:
Sigmund Freud, "Three Essays on the Theory of Sexuality", 1905. *Standart Edition,* vol. 7, 1953, pp. 135-243.
Sigmund Freud, "Some Psychological Consequences of the Anatomical distinction Between the Sexes", 1925. *Standart Edition,* vol. 19, 1961, pp. 248-258.
Sigmund Freud, "Female Sexuality", 1931. *Standard Edition,* vol. 21, 1961, pp. 225-243.

• A mulher que é hábil e segura de si, que realiza alguma coisa na vida e que mostra apreciar a oportunidade de aperfeiçoar sua inteligência e capacidade está apresentando um "complexo masculino". De acordo com Freud, ela está agindo como se acreditasse não ter sido castrada, quando na realidade ela o foi. Nenhuma mulher quer se destacar — a necessidade de se destacar é sintoma de um "complexo masculino", uma negação da "realidade".

• A mulher que deseja um bebê na verdade quer um pênis e sublima esse desejo, substituindo pelo bebê o seu desejo de um pênis.

• A mulher que é sexualmente atraída pelo homem o é porque ela descobriu que sua mãe não tem pênis. (Na teoria freudiana, o heterossexualismo de uma mulher remonta ao traumático momento quando ela era criancinha e descobriu que não tinha pênis; então descobriu que sua mãe também não o tinha, e portanto desviou a libido de sua mãe para seu pai, que o tinha).

• A mulher não é tão sexualmente ativa quanto se supõe que sejam os homens; não pode, na visão de Freud, estar tendo prazer em sua sexualidade e estar expressando sua natureza sensual. Ao contrário, ela está se comportando de modo compulsivo, tentando aquietar ansiedades sobre a castração.

A teoria da psicologia feminina de C. G. Jung[5] foi mais complacente para com as mulheres do que a teoria de Freud, pois Jung não percebeu as mulheres exatamente como homens defeituosos. Ele hipotetizou uma estrutura psíquica que correspondia às diferentes ca-

5. Este resumo da teoria de Jung sobre a psicologia das mulheres baseia-se nas seguintes obras:
C. G. Jung, "Animus and Anima", 1934, CW, vol. 7, 1966, pp. 188-211.
C. G. Jung, "The Syzygy: Anima and Animus", 1950, CW, vol. 9, parte 2, 1959, pp. 11-22.
C. G. Jung, "Women in Europe", 1927. CW, vol. 10, 1964, pp. 113-133.

racterizações de cromossomos determinantes dos homens e das mulheres. De acordo com o seu ponto de vista, as mulheres têm uma personalidade consciente feminina e um componente masculino — denominado *animus* — em seu inconsciente, enquanto os homens têm uma personalidade consciente masculina e uma *anima* feminina em seu inconsciente.

Para Jung, a receptividade, a passividade, a disciplina e a subjetividade caracterizavam a personalidade feminina. Jung considerava atributos masculinos o raciocínio, a espiritualidade e a capacidade de agir decidida e impessoalmente. Ele via os homens como sendo naturalmente dotados nessas áreas. As mulheres com traços semelhantes de personalidade, por mais que desenvolvidas, tinham desvantagens por não serem homens. Se a mulher raciocinava bem ou era competente, ela apenas tinha um *animus* masculino bem desenvolvido que, por definição, era menos consciente do que nos homens, e portanto inferior. O *animus* poderia ser também hostil, guiado pela força e irracionalmente opinioso, características que Jung e os junguianos contemporâneos tendem a enfatizar quando descrevem como funciona o *animus*.

Embora Jung não visse as mulheres como inerentemente defeituosas, ele as via como inerentemente menos criativas e menos capazes do que os homens de serem objetivas ou de agirem como os homens. Em geral Jung tendia a ver as mulheres conforme elas eram úteis ou se relacionavam com os homens, em vez de vê-las como portadoras de necessidades próprias; por exemplo, em relação à criatividade ele via os homens como criadores e via as mulheres como assistentes no processo criativo dos homens: "um homem produz seu trabalho como uma criação completa extraída de sua natureza feminina interior" e "o lado masculino interior de uma mulher produz semente criativa que tem o poder de fertilizar o lado feminino do homem."[6]

Sua posição teórica desencorajou a luta das mulheres pela realização. Ele escreveu que "ao aprender uma profissão masculina, estudar e trabalhar como um homem, a mulher está fazendo alguma coisa não inteiramente em harmonia, ou mesmo diretamente ofensiva à sua natureza feminina".[7]

Os padrões da deusa

Quando as deusas são vistas como padrões de comportamento feminino normais, a mulher que é naturalmente mais parecida com a sábia Atenas ou com a competitiva Ártemis do que com a esposa Hera ou com a mãe Deméter é avaliada como sendo ela mesma quando é ativa, objetiva em suas determinações, e orientada para a realização externa. Ela está sendo verdadeira para com a forma, como a deusa determinada com a qual ela mais se assemelha. Não está sofrendo de um complexo de masculinidade, como diagnostica Freud; e não se trata de identificação com o *animus* e de ser masculina em sua atitude, como sugere Jung.

Quando a mulher tem Atenas e Ártemis como padrões de deusa, os atributos femininos, tais como dependência, receptividade e disciplina, podem não ser facetas de sua personalidade. Essas são qualidades que ela necessita desenvolver para que seja uma pessoa que possa estabelecer relacionamentos duradouros, tornar-se vulnerável, dar e receber amor e conforto, e estabelecer o desenvolvimento dos outros.

O enfoque interior contemplativo de Héstia a mantém numa distância emocional dos outros. Embora ela

6. C. G. Jung, CW, vol. 7, p. 209.
7. C. G. Jung, CW, vol. 10, p. 117.

seja desinteressada, seu calmo zelo é disciplinado e apoiador. O que é preciso ser desenvolvido, tanto para Ártemis como para Atenas, é a capacidade de intimidade pessoal.

Essas tarefas em desenvolvimento diferem das carências relativas ao desenvolvimento que lembram Hera, Deméter, Perséfone ou Afrodite. Esses quatro padrões de deusa predispõem as mulheres a se realizarem nos relacionamentos; as personalidades de tais mulheres ajustam-se à descrição que Jung fez das mulheres. Elas precisam aprender como permanecer enfocadas, objetivas, e positivas, qualidades que não são fortes por natureza em tais padrões. Essas mulheres precisam desenvolver o *animus* ou ativar os arquétipos de Ártemis e Atenas, em suas vidas.

Quando Héstia é o arquétipo dominante na mulher, esta compartilha com essas mulheres orientadas para a realização a necessidade de desenvolver seu *animus* ou de ter Ártemis e Atenas como arquétipos ativos para serem eficientes no mundo.

Animus masculino ou arquétipo feminino?

Os sentimentos subjetivos e as imagens dos sonhos ajudam a diferenciar se o enfoque ativo na mulher está associado com o *animus* masculino ou com um padrão de deusa feminino. Por exemplo, se a mulher sente como se o componente positivo de si própria fosse estranho àquilo que ela é — isto é, como um macho em si mesma, a quem apela em situações difíceis que requerem que ela "seja valentona" ou que "pense como um homem" (ela não se sente à vontade em nenhum dos dois casos) — então seu *animus* é que está vindo à tona para ajudá-la. Semelhante a um mecanismo que é reclamado quando se necessita de mais força, o *animus* é mantido em reserva. Esse método de reserva é verdadeiro nas mulheres em que Héstia, Hera, Deméter, Perséfone ou Afrodite são os padrões mais fortes.

Mas, quando Atenas e Ártemis são aspectos bem desenvolvidos de sua personalidade, a mulher pode ser *naturalmente* positiva, raciocinar bem, saber o que almeja alcançar ou competir confortavelmente. Essas qualidades, longe de serem estranhas, são sentidas como expressões inerentes de quem ela é *enquanto mulher* e não se tem a impressão de serem qualidades de um *animus* masculino que age "por ela".

Os sonhos são o segundo caminho para se diferenciar o arquétipo de Ártemis ou Atenas de um *animus*. Eles indicam se essas deusas virgens são a fonte da atitude ativa de uma mulher; indicam se as qualidades, tais como positividade ou a mira dos objetivos, poderiam ser atribuídas ao aspecto masculino de uma mulher.

Quando Ártemis e Atenas são os arquétipos dominantes, a sonhadora está freqüentemente explorando sozinha um terreno desconhecido. Ela está fazendo o papel da protagonista que luta com obstáculos, escala montanhas, aventura-se por um país estrangeiro ou uma paisagem subterrânea. Por exemplo, "estou no volante de meu automóvel, indo a grande velocidade por uma estrada rural à noite, correndo mais que qualquer pessoa que estivesse em minha perseguição". "Sou uma estrangeira numa cidade surpreendente que se parece com os jardins suspensos da Babilônia". "É como ser uma dupla agente. Não se espera que eu esteja lá e seria perigoso se alguma pessoa ao meu redor compreendesse quem sou eu".

As dificuldades encontradas ou a tranqüilidade da viagem em seus sonhos sustentam uma correlação interna e externa, com os obstáculos que a sonhadora enfrenta enquanto procura ser autodeterminada e eficaz no mundo. Como em seus sonhos, ela se sente natural quando determina seu próprio rumo. Está sendo ativa e conscientemente a si-mesma.

Quando as qualidades positivas estão nos estágios primitivos do desenvolvimento, uma sonhadora está freqüentemente acompanhada por outra figura. Essa companhia pode ser masculina ou feminina, uma presença vista indistintamente, ou uma pessoa claramente definida, reconhecível. O sexo da companhia é uma nota explicativa simbólica que ajuda a diferenciar se essas capacidades emergidas são vistas como "masculinas" *(animus)* ou "femininas" (deusa virgem).

Por exemplo, se a pessoa que sonha está desenvolvendo as qualidades de Ártemis ou de Atenas, e ainda está nos estágios primitivos de sua instrução ou carreira, a companheira mais constante no sonho é freqüentemente vaga, uma mulher desconhecida, com feições indistintas. Mais tarde sua companheira poderá ser uma mulher cuja instrução ou carreira é semelhante às da sonhadora, apenas mais avançada, ou uma colega de faculdade que partiu para fazer algo por conta própria na vida.

Quando o companheiro num sonho de aventura é um homem ou um jovem, quem sonha é freqüentemente uma mulher tradicional que se identifica com a deusa vulnerável ou, como veremos mais tarde, com Héstia ou Afrodite. Para essas mulheres os homens simbolizam a ação e, portanto, eles definem as qualidades positivas ou competitivas como masculinas em seus sonhos.

Assim, quando uma mulher penetra vacilantemente no local de trabalho ou no campus da universidade ajudada por um *animus* ou um aspecto masculino de si mesma, esse aspecto pode ser representado em seus sonhos por um homem obscuramente percebido, talvez um jovem ou um adolescente ainda em desenvolvimento, que está com ela num lugar desconhecido e freqüentemente perigoso. Depois que ela obteve boas notas ou uma promoção e se sente mais confiante em suas habilidades, o terreno do sonho torna-se mais favorável, e é provável que o símbolo do sonho se torne um homem familiar ou que pareça familiar no sonho. Por exemplo, "estou numa longa e complicada viagem de ônibus com meu namorado" ou "estou num carro, dirigido por um homem que não posso identificar agora, mas no sonho ele é alguém que conheço muito bem".

A nova teoria que elaborei nesse livro é baseada na existência de padrões arquetípicos, um conceito que Jung introduziu. Não descartei o modelo da psicologia feminina que Jung descreveu. Eu o vejo como adequado para algumas mulheres, mas não para todas. Os capítulos sobre as deusas vulneráveis e Afrodite exaltam mais o padrão de Jung, enquanto os três capítulos seguintes — sobre Ártemis, Atenas e Héstia — proporcionam novos padrões que vão além dos conceitos de Jung.

Bibliografia

GUSTAITIS, Rasa, "Moving Freely through Nighttime Streets", in *Pacific News Service*. Artigo publicado também em outras fontes, como *City on a Hill Press*, University of California, Santa Cruz, abril 9, 1981.

HARDING, M. Esther, "A deusa virgem", in *Women's Mysteries*. Bantam Books, New York, 1973. Tradução brasileira *Os mistérios da mulher*, Edições Paulinas, São Paulo, 1985.

KOTSCHNIG, Elined Prys, "Womanhood in Myth and Life", in *Inward Light* 31, nº 74, 1968.

KOTSCHNIG, Elined Prys, "Womanhood in Myth and Life, Part 2", in *Inward Light* 32, nº 75, 1969.

4
Ártemis: deusa da caça e da lua, competidora e irmã

A deusa Ártemis

Ártemis, conhecida pelos romanos como Diana, era a deusa da caça e da lua. A alta e adorável filha de Zeus e Leto percorria a região da floresta, da montanha, da campina e da clareira com seu bando de ninfas e cães de caça. Vestida com uma túnica curta, equipada com arco de prata e aljava de setas ao ombro, era a arqueira de infalível pontaria. Como deusa da lua ela é também apresentada como portadora de luz, levando tochas nas mãos, ou com a lua e as estrelas ao redor de sua cabeça.

Como deusa da caça, especialmente das crias, era associada com muitos animais não domesticados que simbolizavam suas qualidades. O veado, a corça, a lebre, e a codorniz compartilhavam de sua natureza difícil de compreender. A leoa exemplificava sua realeza e coragem como caçadora, e o feroz javali representava seu aspecto destruidor. O urso era um símbolo apropriado para seu papel de protetora das jovens (as garotas gregas em fase de crescimento consagravam-se a Ártemis e sob sua proteção eram chamadas de "arktoi" ou "ursas" durante a fase marimacho de suas vidas). Finalmente, o cavalo selvagem caminhava sem destino com seus companheiros de viagem, como Ártemis com suas ninfas.

Genealogia e mitologia

Ártemis foi irmã gêmea primogênita de Apolo, deus do sol. Sua mãe, Leto, era uma divindade da natureza, filha de dois Titãs. Seu pai era Zeus, deus líder do Olimpo.

Quando chegou a hora de Leto dar à luz, surgiram grandes obstáculos. Ela era mal acolhida onde quer que fosse, porque os outros temiam a cólera vingativa de Hera, esposa legítima de Zeus. Finalmente ela encontrou refúgio na estéril ilha de Delos, e deu à luz a Ártemis.

Logo que nasceu, Ártemis ajudou Leto durante as prolongadas dores e difícil parto de Apolo. Por nove dias e nove noites, Leto sofreu dores atrozes por causa dos feitos vingativos de Hera. Ártemis, que havia sido parteira de sua mãe, ficou também sendo considerada como deusa do parto. As mulheres se dirigiam a ela como "auxiliar nos momentos de dor, a quem nenhuma dor toca". Elas oravam pedindo-lhe que pusesse fim às suas dores, através do nascimento de um bebê ou através de uma "amena morte", causada por suas flechas.[1]

Quando Ártemis tinha três anos de idade, Leto levou-a ao Olimpo para encontrar Zeus e seus parentes divinos. O poeta Calímaco, em seu "Hino a Ártemis", descreve-a sentada no colo de seu pai encantado, Zeus, "que se curvava e a afagava, dizendo: Quando as deusas me trazem filhas como essa, a raiva de Hera me incomoda muito pouco. Filhinha, você terá tudo o que desejar".[2]

Ártemis pediu um arco e flechas, uma quadrilha de cães de caça para com eles caçar, ninfas para acompanhá-la, uma túnica suficientemente curta para com ela correr, montanhas e selvas como seus lugares especiais e a

1. Walter F. Otto, "Artemis", in *The Homeric Gods.* Thames & Hudson, New York, 1979, pp. 86-87.

2. Callimachus, "To Artemis", in *Hymns and Epigrams.* Harvard University Press, Cambridge, Massachussets, 1969, p. 63.

castidade eterna. Seu pai lhe concedeu tudo isso, e mais o privilégio de fazer suas próprias escolhas.

Então Ártemis foi para as selvas e para o rio com a intenção de escolher as mais belas ninfas. Foi para o fundo do mar encontrar os Cíclopes, os artífices de Posídon, para que moldassem seu arco de prata e suas flechas. E finalmente, com o arco na mão e seguida pelas ninfas, ela procurou Pã, metade homem e metade bode, a divindade musicista da natureza, e solicitou alguns de seus melhores cães de caça. Conforme a noite vinha se aproximando, impaciente para que seus novos dons concorressem numa prova esportiva, ela caçou à luz de tochas.

Nos mitos, Ártemis agia rapidamente para proteger e salvar aqueles que apelavam a ela pedindo socorro. Era rápida também para punir aqueles que a ofendiam.

Certa vez, quando sua mãe Leto estava a caminho de Delfos para visitar Apolo, o gigante Títio tentou violá-la. Ártemis apressou-se em ajudá-la, fez mortal pontaria com seu arco e flecha, e o assassinou.

Outra vez, a arrogante e insensata Níobe cometeu o erro de insultar Leto, gabando-se de que ela, Níobe, tinha muitos filhos e filhas bonitos, enquanto Leto tinha apenas dois. Leto invocou Ártemis e Apolo para vingarem esse insulto, e eles rapidamente o fizeram. Com seus arcos e flechas, Apolo matou os seis filhos dela e Ártemis assassinou as seis filhas. E Níobe foi metamorfoseada numa chorosa coluna de pedra.

É digno de nota que Ártemis repetidamente viesse em auxílio da mãe. Nenhuma outra deusa é conhecida sob esse aspecto. Também outras mulheres apelaram a ela com sucesso. A ninfa da floresta, Aretusa, chamou por Ártemis quando estava para ser violada. Aretusa voltava de uma caçada e estava nua, nadando para se refrescar, quando o deus do rio foi tomado de ardente desejo por ela e perseguiu a ninfa despida, que fugiu aterrorizada.

Ártemis ouviu seu choro, resgatou-a numa nuvem de neblina, e a transformou numa fonte de água.

Ártemis era impiedosa com aqueles que a ofendiam — conforme o desajeitado Actéon descobriu. Enquanto perambulava pela floresta, o caçador Actéon acidentalmente se aproximou da deusa e de suas ninfas, que se banhavam numa piscina escondida, e ficou olhando estupidamente. Ofendida com sua intromissão, Ártemis atirou água no rosto de Actéon, transformando-o num veado adulto. Ele se tornou caça para seus próprios cães caçadores, que o perseguiam. Em pânico, Actéon tentou fugir, mas foi alcançado e despedaçado.

Ártemis matou também outro caçador, Órion, a quem ela amava. Essa morte foi inadvertida, provocada por Apolo, que ficou ofendido com o amor de Ártemis por Órion. Um dia, Apolo viu Órion enquanto ele prosseguia com dificuldade pelas águas do mar, a cabeça bem acima do nível da água. Então Apolo encontrou Ártemis a alguma distância, apontou para um objeto escuro no oceano, e disse que ela não conseguiria atingi-lo. Irritada com o desafio de seu irmão e não sabendo que estava fazendo pontaria em direção à cabeça de Órion, ela desferiu uma flecha e o matou. Posteriormente Ártemis colocou Órion entre as estrelas e deu-lhe um de seus cães de caça, o cão-estrela Sírius, para acompanhá-lo no céu. Desse modo, o homem que ela amava tornou-se vítima de acidente de sua natureza competitiva.

Embora seja mais conhecida como deusa da caça, Ártemis era também deusa da lua. Ela ficava à vontade à noite, percorrendo seu império deserto ao clarão da lua ou à luz da tocha. No seu aspecto de deusa da lua, Ártemis se relacionava com Selene e Hécate. As três foram consideradas como uma trindade lunar: Selene reinava no céu, Ártemis na terra, e Hécate no estranho e misterioso inferno.

O arquétipo de Ártemis

Enquanto deusa da caça e da lua Ártemis era uma personificação do espírito feminino independente. O arquétipo que ela representa possibilita a uma mulher procurar seus próprios objetivos num terreno de sua própria escolha.

A deusa virgem

Como deusa virgem, Ártemis era imune de se apaixonar. Não foi raptada nem violada, como Perséfone e Deméter, e nunca foi metade de um par marido-mulher. Como arquétipo de deusa virgem, Ártemis representa um sentido de integridade, uma-em-si-mesma, uma atitude de "sei cuidar de mim mesma" que permite à mulher agir por conta própria, com autoconfiança e espírito independente. Esse arquétipo possibilita à mulher sentir-se completa sem um homem. Com isso ela pode sair ao encalço de interesses e trabalho que são significativos para ela, sem precisar da aprovação masculina. Sua identidade e senso de valor se baseiam sobre o que ela é e faz, e não tanto no fato de ser casada, ou com quem. Sua insistência em ser tratada de "senhorita" expressa uma qualidade de deusa virgem típica de Ártemis, que enfatiza a independência e a separação dos homens.

A arqueira meta-direcionada

Como deusa da caça no encalço do animal escolhido, a arqueira Ártemis podia objetivar qualquer alvo, perto ou distante, e podia estar ciente de que suas flechas alcançariam sem erro o alvo. O arquétipo de Ártemis dá às mulheres a habilidade inata de se concentrarem intensamente naquilo que lhes é importante; também lhes permite ficarem imperturbáveis em seu trajeto, tanto pelas necessidades de outros como pela competição com outros.

Em todo caso a competição eleva o excitamento "da caça". O enfoque do objetivo e a perseverança apesar dos obstáculos no caminho, ou ainda o esquivamento da caça, são qualidades de Ártemis que conduzem a empreendimentos e realizações. Esse arquétipo torna possível atingir a meta que ela própria tiver escolhido.

Arquétipo do movimento feminista

Ártemis representa as qualidades idealizadas pelo movimento feminista — empreendimento e competência, independência dos homens e das opiniões masculinas, e preocupações pelos atormentados, pelas mulheres fracas e pelas jovens. A deusa Ártemis ajudou sua mãe Leto no parto, livrou Leto e Aretusa de serem violadas e puniu o pretensioso deflorador Títio e o intruso caçador Actéon. Ela era protetora das jovens, especialmente das garotas na pré-adolescência.

Essas preocupações de Ártemis assemelham-se às preocupações do movimento feminista que têm conduzido à organização das clínicas de pessoas estupradas, legítima defesa das camadas sociais, socorro às mulheres sexualmente hostilizadas e refúgio para as mulheres maltratadas. O movimento feminista tem enfatizado o parto cuidadoso, o trabalho da parteira; tem estado preocupado com o incesto e a pornografia, e é motivado por um desejo de evitar o mal às mulheres e crianças e de punir aqueles que praticam tais danos.

A irmã

A deusa Ártemis era acompanhada por um séquito de ninfas, divindades de menor importância que se associavam às montanhas, florestas e riachos. Viajavam com ela, explorando e caçando em terreno selvagem. Não eram coagidas pela domesticidade ou pelas idéias do que as mulheres deveriam estar fazendo, e estavam além do controle dos homens ou das preferências masculinas. Eram como “irmãs” tendo Ártemis como arquétipo da “grande irmã”, que as conduzia e a quem elas podiam apelar por ajuda. Não é portanto de se admirar que o movimento feminista enfatize a “irmandade” das mulheres, pois Ártemis é o seu arquétipo inspirador.

Gloria Steinem, fundadora e editora da revista *Ms.*, é uma mulher contemporânea que personifica aspectos do arquétipo de Ártemis. Steinem tornou-se uma personalidade mítica, maior que a pessoa, para todas as mulheres que projetam nela a imagem da deusa. Gloria Steinem é muito conhecida do público, líder do movimento feminista, e lá na imaginação está uma alta e graciosa Ártemis, de pé entre suas companheiras.

As mulheres que se alinham com os objetivos e aspirações do movimento feminista freqüentemente admiram e identificam Gloria Steinem como personificação de Ártemis. Essa identificação era especialmente verdadeira no princípio dos anos 70, quando muitas mulheres usavam óculos de aviadores e imitavam o estilo de seu cabelo lindo e esvoaçante, repartido ao meio. Dez anos mais tarde a competição exterior foi substituída por esforços de serem mulheres como ela, com poder pessoal e independência.

A mística de Ártemis que envolve o papel e a apresentação de Steinem é intensificada pelo seu estado civil de solteira. Embora tenha se unido romanticamente com diversos homens, ela não se casou — isso apropriadamente para uma mulher que representa uma deusa virgem “uma-em-si-mesma”, que “não pertence a nenhum homem”.

Steinem está na tradição de Ártemis naquele apelo de ajuda que as mulheres lhe fazem, e como grande irmã ela a proporciona. Senti diretamente seu amparo quando lhe pedi que viesse aos encontros anuais da Associação Americana de Psiquiatria para ajudar aquelas de nós que estavam tentando fazer com que a APA (American Psychiatric Association = Associação Psiquiátrica Americana) apoiasse o boicote do movimento feminista dos estados que não tinham homologado a Emenda dos Direitos de Igualdade (ERA = Equal Rights Amendment). Fiquei encantada ao notar quanto poder foi atribuído a Gloria Steinem por muitos homens que "a tinham ofendido", e que depois reagiram como se estivessem partilhando do destino de Actéon. Alguns psiquiatras do sexo masculino que se opuseram a ela na verdade expressavam medos infundados de que poderiam ficar financeiramente arruinados ou perder a subvenção para pesquisa, caso essa "deusa" fosse exercer seu poder para os punir e destruir.

A Ártemis voltada para a natureza

Em sua afinidade com a selva e a natureza não doméstica, Ártemis é o arquétipo responsável pela identificação que algumas mulheres experimentam entre si mesmas e a natureza, quando saem com mochilas pelas montanhas arborizadas, adormecem sob a lua e as estrelas, ou caminham numa praia deserta, ou fitam o deserto e sentem-se em comunhão com a natureza.

Lynn Thomas descreve, no *The Backpacking Woman,* a percepção de uma mulher apreciando a selva através da natureza de Ártemis:

> Para começar há majestade e silêncio, água límpida e ar puro. Há também a dádiva da distância... a oportunidade de encontrar-se distante dos relacionamentos e do ritual diário... e a dádiva da energia. A selva nos infunde um tipo especial de energia. Eu me lembro de certa vez estar deitada perto do rio Snake em Idaho, e de ter-me conscientizado de que não poderia dormir... as forças da natureza tinham-me

na mão. Fiquei mergulhada numa dança de íons e átomos. Meu corpo respondia à penetrante atração da Lua.[3]

A "visão do luar"

A clareza de enfoque da caçadora Ártemis na percepção do alvo é um dos modos de "observação" associados com Ártemis. A "visão do luar" também é característica de Ártemis como deusa da lua. Vista ao clarão da lua, uma paisagem é silenciosa, os detalhes são vagos, bonitos e muitas vezes misteriosos. A visão da pessoa é atraída para o alto, para o céu estrelado ou para uma vasta e panorâmica visão da natureza. Ao luar uma pessoa em comunicação com Ártemis torna-se uma parte da natureza não consciente de si mesma, dentro dela e identificada-com-ela por algum tempo.

Em seu livro *Women in the Wilderness,* China Galland enfatiza que quando as mulheres caminham pela selva elas também caminham interiormente: penetrar na selva envolve a selva que existe em todas nós. Esse pode ser o valor mais profundo de tal experiência, o reconhecimento do nosso parentesco com a natureza.[4] As mulheres que seguem Ártemis na selva descobrem caracteristicamente que estão se tornando mais reflexivas. Muitas vezes seus sonhos ficam mais vívidos que o usual, o que contribui para sua visão interior. Elas vêem o espaço interior e os símbolos dos sonhos ao "clarão do luar", por assim dizer, em contraste com a realidade perceptível, que é mais bem avaliada à clara luz do dia.

Cultivando Ártemis

As mulheres que se identificam com Ártemis reco-

3. Lynn Thomas, *The Backpacking Woman.* Doubleday, New York, 1980, p. 227.

4. China Galland, *Women in the Wilderness.* Harper & Row, New York, 1980, p. 5.

nhecem imediatamente sua afinidade com essa deusa. Outros tipos de mulheres podem também se tornar cientes de sua necessidade de desenvolver a familiaridade com ela. E outras mulheres ainda reconhecem que Ártemis vive nelas e compreendem que têm necessidade dela para se tornar um aspecto mais influente de si próprias. Como poderemos cultivar Ártemis? Ou intensificar esse arquétipo? E como poderemos encorajar o desenvolvimento de Ártemis em nossas filhas?

Algumas vezes o objetivo de desenvolver Ártemis requer medidas drásticas. Por exemplo, uma talentosa escritora, cujo trabalho era significativo para ela, repetidamente o abandonava a cada vez que um homem surgia em sua vida. Inicialmente cada homem era inebriante. Logo ele se tornava uma necessidade. Sua vida daria voltas em torno dele, e se ele se tornasse distante ou rejeitador ela se tornava cada vez mais perdida. Depois que uma amiga comentou que ela estava viciada em homens, ela percebeu o padrão e decidiu que se fosse levar a sério seus escritos teria que dar um "basta" e renunciar aos homens por certo período de tempo. Deslocou-se para fora da cidade, apenas ocasionalmente revendo velhos amigos, enquanto cultivava o isolamento, o trabalho e Ártemis em seu interior.

A mulher que se casa jovem freqüentemente passa de filha a esposa (arquetipicamente Perséfone e depois Hera), e pode descobrir e valorizar as qualidades de Ártemis somente após um divórcio, quando vive sozinha pela primeira vez na vida. Tal mulher pode tirar férias por conta própria e descobrir que pode ter uma boa temporada, ou descobrir as satisfações de poder correr diversas milhas cada manhã, ou apreciar ser membro de um grupo feminino de assistência.

Ou a mulher pode ter uma série de relacionamentos, sentir-se inútil nos intervalos entre um e outro homem e desenvolver Ártemis apenas quando ela "renuncia aos homens" e seriamente conclui que nunca poderá se casar. Uma vez que tenha a coragem de encarar essa possibilidade e de organizar sua vida ao redor de seus amigos e daquilo que lhe interessa, ela pode ter um sentimento de inteireza em-si-mesma, um inesperado bem-estar que surge do desenvolvimento do arquétipo de Ártemis.

Os programas na selva para mulheres evocam Ártemis, especialmente aqueles que combinam uma experiência grupal com uma heróica jornada desacompanhada. Quando as mulheres saem em viagens ou aventuras fantasiosas para mulheres, elas cultivam o arquétipo de Ártemis. Da mesma forma quando nossas filhas competem nos esportes, freqüentam acampamentos de jovens, viajam para explorar novos lugares, vivem em culturas estrangeiras como estudantes em intercâmbio ou unem-se ao Corpo de Paz, elas ganham experiências que podem desenvolver a auto-suficiente Ártemis.

A mulher tipo Ártemis

As qualidades de Ártemis aparecem cedo. Usualmente uma bebê-Ártemis é aquela que olha de modo absorvente para novos objetos e é mais ativa do que passiva. As pessoas muitas vezes comentam sobre sua capacidade de concentrar-se numa tarefa auto-selecionada: "ela tem um poder de concentração surpreendente para uma criança de dois anos", ou "ela é uma criança cabeçuda," ou "cuidado com o que você lhe promete, porque ela tem mente de elefante: não se esquecerá, e cobrará a promessa". A inclinação de Ártemis para explorar um novo território usualmente começa quando ela consegue levantar-se e vencer o berço de grades altas, saindo do cercadinho para penetrar num mundo maior.

Ártemis tem a tendência de se sentir firme a respeito de suas causas e princípios. Ela pode defender alguém menor ou afirmar com veemência que "isso não está certo!", antes de se envolver em alguma campanha para corrigir um erro. As garotas tipo Ártemis que cresceram em famílias que favoreciam os filhos homens — dando aos jovens pequenas tarefas — não aceitam humildemente essa injustiça como um "dado". A feminista em flor é vista como a pequena irmã que exige igualdade.

Os pais

A mulher tipo Ártemis que seguramente prossegue em sua trajetória própria, que se sente bem durante todo o tempo pelo que ela é enquanto pessoa, contente com o fato de ser mulher, muitas vezes tem o equivalente de uma amável Leto e de um aprobativo Zeus para ajudá-la a pôr em prática sua potencial Ártemis. Para a mulher tipo Ártemis competir, desenvolver-se com sucesso e sem conflito, é muito importante a aprovação paterna.

Muitos pais apoiadores são como Zeus, ao proporcionarem "dádivas" que a ajudarão a fazer o que ela quer. Talvez as dádivas sejam inatingíveis: interesses compartilhados ou semelhanças com ele próprio, que ele reconhece e encoraja. Ou podem ser dádivas mais tangíveis, tais como lições especiais e equipamento. Por exemplo, a campeã de tênis Chris Evert Lloyd foi treinada por seu pai técnico de tênis, Jimmy Evert, que lhe forneceu suas próprias raquetes de tênis quando ela tinha seis anos de idade.

Quando a filha tipo Ártemis tem mãe e pai não tradicionais, embora a vida não se assemelhe mais ao monte Olimpo, não há equivalente na mitologia grega. Quando ambos compartilham igualmente a educação da criança e os trabalhos domésticos e cada um tem uma carreira, a filha tipo Ártemis tem um modelo para crescimento que lhe permite valorizar e desenvolver as qualidades de Ártemis. Além do mais, ela pode agir assim sem considerar tais qualidades como incompatíveis com a maternidade ou os relacionamentos.

Os problemas surgem quando os pais criticam ou rejeitam uma filha tipo Ártemis por não ser a garota que eles gostariam que ela fosse. A mãe que quer uma garotinha tranqüila, ponderada, e que, pelo contrário, tem uma criança ágil, do tipo "não me prenda", pode sentir-se desapontada ou rejeitada por ela. A mãe que espera que a filha a siga de perto, recorra a ela buscando ajuda, e docilmente admita que "a mãe sabe melhor", não terá suas esperanças satisfeitas se tiver uma filha tipo Ártemis. Mesmo aos três anos de idade, "a pequenina senhorita independente" não quer ficar em casa com a mamãe, pois prefere brincar com garotas maiores pelo quarteirão abaixo. E não gosta de usar roupas cheias de babados, ou de bancar a engraçadinha para as amigas de sua mãe.

Mais tarde, quando Ártemis quer fazer algo que requeira a permissão dos pais, ela pode encontrar oposição. Se os meninos fazem alguma coisa que ela não pode fazer "porque é menina", ela pode berrar em protesto. E pode se afastar ressentida, caso seus protestos não tenham eficácia. A oposição e a desaprovação podem ferir sua auto-estima e autoconfiança, especialmente se seu admirado pai criticá-la por não estar sendo elegante e nunca tratá-la como "sua garota especial", sendo, ao mesmo tempo, desdenhoso ou crítico de suas idéias, habilidades e aspirações.

Em minha prática, examino o que aconteceu quando tais pais se opunham às suas filhas tipo Ártemis. Tipicamente, a garota mantinha uma atitude desafiante no exterior, mas interiormente estava magoada. Ela aparentava ser forte e não influenciada pelo que ele pensava, esperando o momento em que pudesse agir por conta própria. As conseqüências variam em intensidade e rigor, mas seguem um padrão: o que resulta é uma mulher que se sente em conflito a respeito de sua capacidade e muitas vezes pratica sabotagem consigo mesma — suas próprias dúvidas são seus piores inimigos. Embora na superfície afortunadamente resistisse ao poder do pai que limitava suas aspirações, ela incorporava sua atitude crítica dentro da sua psique. Luta profundamente com sentimentos de que não é suficientemente boa, hesita quando novas oportunidades são oferecidas, realiza menos do que é capaz de realizar e, até mesmo quando é bem sucedida, ainda se sente inadequada. Esse padrão é culturalmente produzido por famílias e culturas que atribuem maior valor aos filhos do que às filhas, e que esperam que as filhas sejam estereotipadamente femininas.

Certa mulher tipo Ártemis que freqüentou um seminário ministrado por mim, comentou: "Minha mãe queria uma Perséfone, uma submissa filhinha da mamãe, e meu pai queria um filho. O que eles tiveram foi eu". Algumas mães de filhas tipo Ártemis são também rejeitadoras e críticas com suas filhas porque estas perseguem objetivos que elas não valorizam. Suas filhas usualmente não ficam dissuadidas por causa dessa desaprovação que, todavia, torna-se gradativamente destrutiva. Contudo, o peso do negativismo da mãe é usualmente menor do que o do pai, por causa da grande autoridade que o pai exerce.

Outra dificuldade comum entre mãe e filha, que as filhas tipo Ártemis têm, é com as mães que elas vêem como passivas e fracas. Suas mães podem ter sido deprimidas, vitimadas pelo álcool, por um mau casamento, ou imaturas. Quando elas descrevem seus relacionamentos com a mãe, muitas filhas tipo Ártemis nessa configuração dizem: "Eu era minha mãe". Ao discorrerem mais, exprimem sua tristeza por não terem mãe forte e por não serem suficientemente fortes para mudar a vida da mãe. Enquanto a deusa Ártemis foi sempre capaz de ajudar sua mãe Leto, os esforços das filhas tipo Ártemis para proteger a mãe são freqüentemente mal sucedidos.

A desvalorização e a falta de respeito pela fraca mãe reforçam as qualidades de deusa virgem das filhas tipo Ártemis. Determinadas a não ficar como a mãe, elas sufocam sentimentos de dependência, evitam expressar vulnerabilidade e juram tornar-se independentes.

Quando uma filha tipo Ártemis carece de respeito pela mãe cujos papéis principais foram os tradicionais, ela fica num aperto. Ao rejeitar a identificação com a mãe, ela comumente rejeita o que é considerado feminino — suavidade, receptividade e movimento em direção ao casamento e à maternidade. Ela fica atormentada por inadequabilidade de sentimentos — desta vez no domínio da sua identificação feminina.

Adolescência e juventude

Enquanto garota, a mulher tipo Ártemis é tipicamente uma competidora natural, com perseverança, coragem e vontade de vencer. Na perseguição de qualquer meta ela vai à frente até ao limite. Ela pode se tornar escoteira — andando a pé, escalando, dormindo fora, manejando um machado para cortar lenha para a fogueira ou, como a própria Ártemis, tornando-se uma perita arqueira. A inconfundível adolescente Ártemis é a garota "louca por cavalo", cujo mundo gira em torno de cavalos. A heroína do clássico filme *National Velvet* personifica o arquétipo da adolescente Ártemis.

A adolescente Ártemis é uma garota com traços de independência e tendência para a exploração. Ela se aventura pelas florestas, escala morros, ou quer ver o que está no próximo quarteirão e no seguinte. "Não me prenda" e "não pise em mim" são seus lemas. Enquanto garota, ela é menos ajustada ou compromissada do que muitos de seus parceiros, porque é menos motivada pela ânsia de agradar aos outros e porque usualmente sabe o que quer. Essa segurança pode repercutir nela, contudo: outros podem considerá-la "cabeçuda", "teimosa" e "não feminina".

Quando a mulher tipo Ártemis sai de casa para a faculdade ela aprecia a alegria da independência e o desafio competitivo daquilo que lhe interessa. Usualmente encontra um grupo de mentalidade semelhante para dele participar. Se ela for política, pode ficar fora, fazendo campanha.

E se ela for ávida por condicionamento físico, pode na verdade estar correndo muitas milhas por dia, deleitando-se com sua força e graça, apreciando o estado reflexivo em que entra sua mente enquanto ela corre. Ainda estou para encontrar uma mulher que tenha corrido numa maratona e não tenha um forte traço de Ártemis, responsável pela combinação do objetivo enfocado, competitividade e vontade que são requeridas. Ártemis também é encontrada em mulheres esquiadoras, que traçam sua trajetória montanha abaixo instintivamente, sempre inclinadas para diante, numa atitude física e psicológica que sem hesitação as impulsiona para a frente, desafiadas pelas dificuldades.

O trabalho

A mulher tipo Ártemis empenha-se no trabalho que tem valor subjetivo para ela. É estimulada pela competição e não se amedronta com oposição. A mulher tipo Ártemis que ingressou numa profissão de assistência ou num setor legal comumente tem um ideal que influenciou sua escolha. Se ela estiver no comércio, provavelmente iniciou com um produto no qual acreditava, ou talvez com aquele que a ajudou a fazer algo que ela queria. Se estiver num setor criativo, mais provavelmente estará expressando uma visão pessoal. Se ingressou na política, é advogada de uma causa, tendo usualmente mais a ver com as questões ambientais ou feministas. O sucesso mundano — fama, poder ou dinheiro — pode vir ao seu encontro, se ela se destacar em algo gratificante.

Contudo, os interesses perseguidos por muitas mulheres tipo Ártemis não têm nenhum valor comercial, e não conduzem a uma carreira, nem intensificam a reputação ou os recursos. Algumas vezes, ao contrário, o interesse é tão pessoal ou fora do comum, tão absorvente quanto ao tempo, que a falta de sucesso no mundo ou a falta de relacionamento são garantidos. Contudo, a busca é pessoalmente realizadora para o elemento Ártemis na mulher. Por exemplo, a advogada da causa perdida, a reformadora desconsiderada, a "voz clamando no deserto" à qual ninguém parece prestar atenção é mais provavelmente uma mulher tipo Ártemis, podendo ser a artista que continua trabalhando sem nenhum encorajamento ou sucesso comercial. (No caso da artista, Afrodite, com sua influência na criatividade e ênfase na experiência subjetiva, junta-se a Ártemis.)

Pelo fato de a mulher tipo Ártemis não ser tradicional, no seu interior podem surgir conflitos consigo mesma ou com os outros, conflitos que podem incapacitar seus esforços. O que ela quer fazer pode "estar fora de seus limites", por exemplo, caso sua família considere suas aspirações como impróprias para uma família. A escolha da carreira que ela quer seguir pode ter sido há pouco encerrada. Se ela tivesse "acordado bem cedo" para o movimento feminista, ela poderia ter sido derrotada por obstáculos e falta de apoio, e seu espírito de Ártemis poderia ter sido esmagado.

Relação com as mulheres: fraternal

Em certo sentido as mulheres tipo Ártemis têm senso de associação com outras mulheres. Como a própria deusa, que se cercava da companhia das ninfas, as mulheres tipo Ártemis usualmente consideram sua amizade com outras mulheres muito importante. Esse padrão remonta à escola primária. Elas têm "melhores amigas", com as quais compartilham tudo o que é significativo em suas vidas, e suas amizades podem eventualmente durar décadas.

No mundo do trabalho, as mulheres tipo Ártemis se associam facilmente com suas antigas amigas. Grupos de apoio, grupos de amigas antigas, e relacionamentos mentores com mulheres mais jovens em seus setores de atividade, são expressões naturais do arquétipo da irmã.

Até mesmo as mulheres tipo Ártemis que são individualistas e evitam grupos apóiam quase sempre os direitos das mulheres. Essa atitude pode refletir uma afinidade com sua mãe, através da qual elas desenvolveram percepção e solidariedade pelo destino das mulheres no mundo. Ou a atitude pode estar relacionada com o esquecimento do passado, com as aspirações frustradas de suas mães. Muitas mulheres tipo Ártemis dos anos 70 estavam agindo e vivendo do mesmo modo que suas mães gostariam de ter agido e vivido, mas não puderam. Quando suas mães eram jovens adultas, os anos de explosão demográfica após a II Guerra Mundial não permitiram a Ártemis muita expressão. Muitas vezes a mãe protetora pode ser encontrada em alguma parte na formação da mulher tipo Ártemis, aplaudindo sua filha feminista.

Por natureza, muitas mulheres tipo Ártemis têm inclinações feministas — as causas advogadas pelas feministas fazem lembrar um responsivo. A mulher tipo Ártemis sente que ela é uma igual para os homens;

competiu com eles e muitas vezes sentiu que o papel estereotipado que ela supunha representar era antinatural. Esconder suas habilidades — "Não deixe o homem saber quão elegante você é" ou "Deixe o homem ganhar" (o argumento ou o jogo de tênis) — vai contra sua índole.

Sexualidade

A mulher tipo Ártemis pode assemelhar-se à deusa ao manter eterna castidade, permanecendo sua sexualidade não desenvolvida e não expressa. Nos tempos contemporâneos, contudo, esse padrão é raro. Mais provavelmente, uma mulher tipo Ártemis, quando adulta, já adquiriu experiência sexual como parte de sua tendência de explorar e tentar novas aventuras.

A sexualidade da mulher tipo Ártemis pode assemelhar-se à de um homem tradicionalmente orientado para o trabalho. Para ambos as relações são secundárias. Envolvimento na carreira, projeto criativo ou causa são fundamentais. O sexo é, portanto, um esporte recreativo, ou uma experiência física de intimidade emocional e compromisso (motivação que Hera proporciona); ou é um instinto profundamente expressivo de sua própria natureza sensual (para a qual Afrodite é necessitada).

A mulher tipo Ártemis, se lésbica, usualmente faz parte de uma comunidade ou rede de lésbicas. Embora ambas as mulheres tipo Ártemis, a heterossexual e a homossexual, tenham intensa e importante afinidade com as mulheres amigas, a mulher tipo Ártemis lésbica pode considerar a intimidade sexual como outra dimensão da amizade, em vez de considerá-la como razão para o relacionamento.

A mulher tipo Ártemis lésbica pode ter ou uma imagem-modelo de amante, uma afinidade quase de gêmeos idênticos, ou pode ser atraída para uma pessoa semelhante a uma ninfa, mais suave, mais feminina do que ela própria, com uma personalidade menos distinta. Ela, como seu equivalente heterossexual, evitam relacionamentos nos quais fique reprimida ou dominada por um parceiro "paternal" ou nos quais se espera que ela desempenhe o papel de pai.

Casamento

O casamento está muitas vezes distante do propósito da mulher tipo Ártemis nos primeiros anos de sua vida adulta, quando ela ocupa seu tempo com o trabalho e as causas. Além do mais, viver mais sossegadamente não proporciona nenhuma grande atração para a Ártemis que vai dum lado para outro. Se ela for atraente e popular é bem possível que tenha saído com uma variedade de homens, envolvendo-se confortavelmente com vários, e não apenas com um. Pode até mesmo ter preferido viver com um homem do que se ter casado com ele. Pode ainda permanecer solteira.

Quando se casa, o companheiro é muitas vezes um colega de classe, um companheiro, ou um competidor. Seu casamento tem usualmente uma qualidade igualitária. Hoje em dia é provável que ela conserve seu próprio nome, e não mude para o nome dele ao casar.

Relacionamento com homens: fraternal

A deusa Ártemis tinha um irmão gêmeo, o deus do sol, de muitas facetas. Ele era o seu complemento masculino: seu domínio era a cidade, o dela a selva; o dele o sol, o dela a lua; o dele os rebanhos domesticados, o dela os animais selvagens não domesticados; ele era o deus da música, ela era a inspiração para as danças de roda nas montanhas. Como segunda geração olímpica, Apolo estava na geração dos filhos, em vez de na dos pais. De um lado, estava associado com a racionalidade e as leis; de outro, como deus da profecia (suas sacerdotisas profetizavam em Delfos), estava associado também com o irracional. Como sua irmã, Apolo é andrógino: cada um tinha algumas qualidades ou interesses que estão intimamente ligados ao sexo oposto.

O casal de gêmeos Ártemis-Apolo é o modelo mais comumente visto nos relacionamentos que as mulheres tipo Ártemis mantêm com os homens — sejam eles amigos, colegas ou maridos. Além do mais, a mulher tipo Ártemis é muitas vezes atraída por um homem cuja personalidade tenha um lado estético, criativo, saudável ou musical. Seu trabalho pode se desenvolver nas profissões de assistência ou no setor criativo. Ele é usualmente seu equivalente intelectual, com interesses compartilhados ou complementares. Um exemplo de relacionamento Ártemis-Apolo é o de Jane Fonda, atriz, ativista e advogada, com seu marido Tom Hayden, político liberal.

A mulher tipo Ártemis não vive absolutamente fascinada por dominar os homens e ter relacionamentos do tipo "mim Tarzan, tu Jane". Nem vive interessada no relacionamento mãe-filho. Ela evita os homens que insistem em serem o centro de sua vida. Permanecendo forte psicologicamente, como a própria deusa fisicamente, ela sente-se ridícula tentando representar o papel de "a pequena mulher".

Muitas vezes um relacionamento Ártemis-Apolo e interesses ao ar livre caminham de mãos dadas. Ambos os parceiros podem ser esquiadores ou corredores, e ávidos de aptidão física. Se a mulher tipo Ártemis ao ar livre não puder compartilhar a mochila, esqui, ou o que quer que goste de fazer com um parceiro, poderá sentir que está faltando um elemento essencial no relacionamento.

O relacionamento Ártemis-Apolo pode resultar num casamento assexuado, amigável, no qual os parceiros são os melhores amigos um do outro. Algumas mulheres tipo Ártemis até se casam com homens homossexuais, por exemplo, e valorizam o companheirismo e a independência que cada parceiro permite ao outro em tal relacionamento. A mulher tipo Ártemis pode permanecer a melhor amiga de um ex-marido que abandonou sua união irmão-irmã quando ele se apaixonou por uma outra mulher de tipo diferente.

Para que a mulher tipo Ártemis tenha um profundo e importante elemento sexual em seu casamento, uma outra deusa — Afrodite — deve ter influência. E para que esse casamento seja monogâmico, relacionamento comprometido, Hera também deve estar presente na mulher. Sem estas duas outras deusas, um relacionamento Ártemis-Apolo torna-se facilmente um relacionamento irmão-irmã.

Além do padrão de relacionamento entre iguais, o segundo padrão comum de relacionamento para as mulheres tipo Ártemis é o do envolvimento com homens que as sustentam. Tal homem é uma pessoa com quem ela se sente à vontade. Ele a ensina a ser atenciosa e sensível aos sentimentos. É sempre a pessoa que quer que eles tenham um filho.

Relacionamentos menos compatíveis ou complementares admitidos por mulheres tipo Ártemis muitas vezes recapitulam os primitivos conflitos pai-filha. O marido não aprova suas aspirações e a critica e arruína. Como com seu pai, ela é rebelde e continua em sua carreira. Contudo, sua auto-estima fica afetada, ou ainda seu espírito acaba sendo dobrado e, finalmente, ela se conforma com a idéia dele de como ela deveria ser.

Ou, como no mito de Ártemis e Órion uma mulher tipo Ártemis pode se apaixonar por um homem forte e então ser incapaz de manter o elemento competitivo fora do relacionamento, e o destrói. Se ele consegue algum reconhecimento e, mais do que estar contente por ele, ele se ressente do seu sucesso e encontra um meio de estragá-lo, esta competitividade corroerá o amor que ele tem por ela. Por exemplo, ele pode reagir às suas conquistas vencendo ou indo além. Se ambos são incapazes de parar de competir, desafios de qualquer espécie que surjam entre eles, desde a competição de esqui até o jogo de cartas, provavelmente serão mortalmente tomados a sério.

Os homens para quem uma Ártemis é "meu tipo de mulher" são muitas vezes atraídos em direção a ela como uma alma gêmea ou irmão — uma parceira feminina de si mesmos. Ou eles podem ser atraídos por seu espírito independente e afirmativo e pela força de vontade, que podem não estar desenvolvidos neles. Ou podem ser atraídos como se ela fosse uma imagem de pureza que corresponde a um ideal deles.

O duplo motivo fundamenta as atrações mais comuns. A esta altura o homem é atraído por sua parceira feminina, uma igual com quem ele se sente à vontade, alguém que pode ter ao seu lado enquanto persegue aquilo que o desafia.

O homem que vê em Ártemis as qualidades admiradas que estão subdesenvolvidas nele é comumente atraído por sua força de vontade e espírito independente. Ele a coloca num pedestal por qualidades que usualmente não são consideradas femininas. Ela se lhe apresenta bonita por causa de seus poderes. Sua mulher idealizada assemelha-se à "Mulher Maravilha", que se disfarçou de Diana, nome romano atribuído a Ártemis.

Quando meu filho tinha oito anos, por acaso ouvi seu amigo falando com admiração das ousadas proezas de uma garota. Ele via sua namorada como uma garota franca e corajosa, alguém com quem poderia contar que viesse em sua ajuda: "Se alguém me molestasse, eu a chamaria e ela acabaria com tudo num minuto". Como psiquiatra, tenho ouvido aquele mesmo tom de admiração, aquele mesmo orgulho da relação, quando os homens que têm Ártemis como imagem ideal falam das proezas ou realizações das mulheres que eles amam.

Uma terceira espécie de homem é atraído pela pureza de Ártemis, sua virgindade e identificação com a natureza primitiva. Na mitologia grega essa atração foi personificada por Hipólito, um jovem atraente que se dedicou à deusa Ártemis e a uma vida de celibato. Sua castidade ofendeu Afrodite, deusa do amor, que depois pôs em andamento uma trágica seqüência de acontecimentos — um mito que descreverei no capítulo sobre Afrodite. Tais homens — atraídos por mulheres que parecem ser tão puras quanto Ártemis — ficam ofendidos pela sexualidade pura e simples. Como o jovem Hipólito, eles podem estar na fase final da adolescência ou no começo da idade adulta, e podem ser castos.

Filhos

A mulher tipo Ártemis dificilmente é sensual e maternal — e estar grávida ou amamentando um filho não a realizará. Na verdade, a gravidez pode ser repugnante para a mulher tipo Ártemis, que gosta de ter uma imagem vigorosa, graciosa, ou infantil. Ela não sente uma forte atração instintiva para ser mãe (para isto Deméter deve estar presente). Ela, contudo, gosta de crianças.

Quando a mulher tipo Ártemis tem seus próprios filhos, é muitas vezes uma boa mãe — como a ursa, que é seu símbolo. É um tipo de mãe que encoraja a independência, que ensina seus filhos jovens a se defenderem sozinhos, e ainda a mãe que pode ser cruel na defesa deles. Alguns filhos de mulheres tipo Ártemis estão convencidos de que suas mães lutariam por eles até a morte.

As mulheres tipo Ártemis sentem-se à vontade não gerando filhos, pondo seu tipo pessoal de energia geradora — que pode ser semelhante ao de uma tia jovem — à disposição dos filhos de outras pessoas. Ser supervisoras de escoteiras ou madrastas ou membros do "Big Sisters of America" proporciona tais oportunidades. Nesses papéis elas se assemelham à deusa Ártemis, que protegia as garotas que estavam no limiar da vida adulta.

As mulheres tipo Ártemis não olham para trás, com saudades da época em que seus filhos eram bebês ou crianças que estavam começando a andar. Ao contrário, olham para a frente, para a época em que seus filhos serão mais independentes. Os meninos e meninas ativos que gostam de explorar, acabam descobrindo que suas mães tipo Ártemis são companheiras entusiásticas. A mãe tipo Ártemis fica contente quando a criança vem para casa com uma cobra não venenosa, e alegremente vai acampar ou esquiar com os filhos.

Mas uma preocupação se estabelece quando a mulher tipo Ártemis tem uma criança dependente e passiva. Tentar encorajar a independência muito cedo pode, para tais crianças, piorar as coisas porque aumenta o apego. A criança pode sentir-se rejeitada e não tão boa para alcançar os padrões de sua mãe tipo Ártemis.

A meia-idade

A mulher tipo Ártemis entre os trinta e cinco e cinqüenta e cinco anos de idade pode achar que está no período de crise da meia-idade, caso não tenha aspectos de qualquer outra deusa em sua vida. Ártemis é um padrão muito compatível com uma jovem de objetivo orientado, que ingenuamente persegue seu objetivo auto-escolhido.

Mas pode ocorrer mudança na sua meia-idade. Agora há menos "selvas inexploradas" para que ela as explore. Ou ela foi bem sucedida em realizar suas metas e alcançou um platô, ou fracassou.

A meia-idade da mulher tipo Ártemis também pode conduzir a uma época mais reflexiva porquanto ela se interioriza, mais influenciada por Ártemis como deusa da lua do que por Ártemis enquanto deusa da caça. As fantasias da menopausa e os sonhos podem estimular a mulher tipo Ártemis extrovertida a uma interiorização. Aí ela se confronta com "fantasmas" de seu passado, muitas vezes revelando sentimentos ou anseios há muito ignorados. Esse ímpeto da menopausa em direção à introversão está relacionado com Hécate, a velha enrugada que era a deusa da lua escura, dos fantasmas e do fantástico. Hécate e Ártemis eram ambas deusas da lua que passeavam sem destino pela terra. A conexão das duas deusas é observada nas mulheres tipo Ártemis mais velhas que se aventuram nos domínios psíquicos, psicológicos ou espirituais, com o mesmo sentido de exploração que quando mais jovens tinham em outras buscas.

A velhice

Não é incomum para a mulher que as qualidades de Ártemis persistam até a velhice. Suas atividades de jovem nunca cessam. Ela não sossega; ou sua mente ou seu corpo — muitas vezes ambos — estão em movimento. É uma viajante explorando novos projetos ou países estrangeiros. Retém afinidade com os jovens e uma habilidade jovem de pensar que a afasta do sentimento da "meia-idade", quando atravessa esse período, ou "da velhice", quando vive os anos posteriores.

Duas mulheres conhecidas na localidade da Califórnia do Norte personificam esse aspecto de Ártemis.

Uma, a professora naturalista Elizabeth Terwilliger, agora com seus setenta anos de idade, conduz bandos de escolares pelas campinas, florestas, regatos e montanhas. Observa excitadamente um cogumelo raro meio escondido perto das raízes de uma árvore, ostenta uma bonita cobra, aponta para as plantas alimentícias nas encostas e passa as alfaces para os outros saborearem. Durante todo o tempo está compartilhando seu entusiasmo, ligando sucessivas gerações de criança, bem como adultos receptivos, às maravilhas da natureza.

Uma segunda idosa e vivaz Ártemis é Frances Horn, cujas explorações conduziram-na à natureza humana. Aos setenta anos de idade doutorou-se em psicologia. Aos setenta e cinco publicou *I Want It All Now,*[5] um livro autobiográfico que registra suas explorações e menciona o que ela encontrou de valor duradouro.

Georgia O'Keeffe, a mais conhecida artista americana, continuava a exemplificar Ártemis quando estava lá pelos noventa, conforme o que tinha feito durante sua vida toda. Tinha paixão e afinidade espiritual com o selvagem Sudoeste, combinados com uma força de propósito através da qual alcançou os objetivos de sua vida. O'Keeffe é citada dizendo: "Sempre soube o que queria e muitas pessoas não o sabem".[6] Ela refletiu que o seu sucesso podia ser devido a um traço de agressão, que a conduziu a "agarrar qualquer coisa que passasse e eu quisesse". Como Ártemis, O'Keeffe evidentemente fez infalível pontaria e alcançou o que tentara conseguir.

Em 1979, aos noventa e dois anos de idade, O'Keeffe era a única mulher viva a ser incluída no "The Dinner Party", uma homenagem em baixela de porcelana e bor-

5. Frances Horn, *I Want It All Now.* DeVorss, Marina del Rey, California, 1979.

6. Laurie Lisle, *Portrait of an Artist: A Biography of Georgia O'Keeffe.* Washington Square Press/Pocket Books/Simon & Schuster, New York (publicado em acordo com Seaview Books, 1981), p. 436.

dado, feita para trinta e nove mulheres importantes da história. O prato de O'Keeffe sobressaía na mesa mais do que qualquer outro prato, simbolizando na opinião de Chicago a aspiração quase sucedida de O'Keeffe de ser totalmente sua própria mulher.[7]

Dificuldades psicológicas

A deusa Ártemis passeava pelo seu campo escolhido com alguém de sua própria escolha, fazendo o que lhe agradava. Ao contrário das deusas que eram vitimadas, Ártemis nunca sofreu. Contudo fez ofensas a quem a ofendeu, ou ameaçou quem estava sob sua proteção. Da mesma forma, as dificuldades psicológicas que caracteristicamente estão associadas com mulheres tipo Ártemis usualmente levam os outros a sofrerem, em vez de trazerem sofrimento a elas próprias.

Identificação com Ártemis

Viver "como Ártemis", em perseguição de um objetivo ou enfocada no trabalho, pode ser bastante satisfatório para a mulher tipo Ártemis. Esta caracteristicamente pode não sentir carência em sua vida, especialmente se for capaz de investir sua energia considerável no trabalho que tenha um profundo significado para ela. É provável que tenha um estilo de vida cheio de movimento, o que ela aprecia. Um "lar base" não é importante. Nem o casamento e os filhos são prementes necessidades, não obstante a pressão da família e da sociedade, a menos que Hera e/ou Deméter sejam também fortes arquétipos. Embora esteja passando sem a íntima e comprometida intimidade emocional, ela tem relacionamentos duradouros de irmão e irmã com amigos homens e mulheres, e pode apreciar a companhia dos filhos dos outros.

7. Lisle, idem, p. 430.

Identificar-se com Ártemis modela o caráter de uma mulher. Ela então precisa ser desafiada e envolvida em interesses que sejam pessoalmente compensadores. Caso contrário o arquétipo é contrariado e incapaz de encontrar expressão adequada, e a mulher tipo Ártemis se sente frustrada e finalmente deprimida. Esta era a situação de muitas mulheres tipo Ártemis no pós-segunda Guerra Mundial, anos de explosão demográfica, onde elas tentaram inutilmente adaptar-se aos papéis disponíveis.

Relembrando o quão destrutiva a deusa Ártemis poderia ser com os outros, não é surpreendente perceber que a identificação inconsciente de uma mulher com Ártemis possa ser assim expressa: através de ações que danificam ou ferem outras pessoas. Essas potencialidades negativas são enumeradas nos parágrafos seguintes.

Desprezo pela vulnerabilidade

Desde que haja um elemento de "busca" de sua parte, a mulher tipo Ártemis pode ficar interessada num homem. Mas se ele a arrebatar emocionalmente e quiser se casar com ela ou tornar-se dependente dela, o arrebatamento da "caça" está acabado. Além do mais, ela pode perder o interesse ou até sentir desprezo por ele, caso ele mostre "fraqueza" por necessitar dela. Como resultado, a mulher tipo Ártemis pode ter uma série de relacionamentos bem sucedidos apenas enquanto guarda alguma distância emocional e nem sempre está disponível. Esse padrão pode surgir se uma mulher se identificar com o elemento "uma-em-si-mesma" da deusa virgem e negar sua própria vulnerabilidade e necessidade de outro. Para mudar, ela deve descobrir que o amor e a confiança de outra pessoa são muito preciosos para ela.

Até então, do ponto de vista do homem, ela é como uma sereia: metade bonita mulher, metade fria e desumana. A analista junguiana Esther Harding fez algumas observações sobre esse aspecto da mulher tipo deusa virgem: "A frieza da lua e a crueldade da 'deusa lua' simbolizam esse aspecto da natureza feminina. Apesar de sua falta de entusiasmo e de sua imaturidade, em parte talvez devidos à sua grande indiferença, o erotismo impessoal numa mulher muitas vezes atrai um homem".[8]

A mulher tipo Ártemis pode se tornar cruel com um homem que a ama, uma vez que não esteja mais interessada nele. Ela pode rejeitá-lo e tratá-lo como intruso indesejado.

A raiva destrutiva: o javali de Cálidon

A deusa Ártemis tinha um aspecto destruidor, simbolizado pelo javali selvagem, um de seus animais sagrados. Na mitologia ela desatrelava o destruidor javali de Cálidon na zona rural quando era ofendida.

Conforme descrito em *Bullfinch's Mythology,* "os olhos do javali brilhavam com sangue e fogo, seus pêlos erguiam-se como lanças ameaçadoras, suas presas eram como a dos elefantes indianos. O grão em crescimento era pisado, as vinhas e as oliveiras devastadas, os rebanhos e manadas postos em selvagem confusão pelo adversário matador".[9] Esse é um quadro vívido de agitante destruição, metáfora adequada para a mulher tipo Ártemis em pé-de-guerra.

A raiva de Ártemis é ultrapassada somente pela de Hera. Embora a intensidade do sentimento de ambas pareça semelhante, a direção da raiva e a provocação diferem. A mulher tipo Hera se enfurece "com a outra mulher". A mulher tipo Ártemis fica provavelmente irada

8. M. Esther Harding, *Os mistérios da mulher*. Edições Paulinas, São Paulo, 1985, p. 166.

9. "Meleager and Atalanta", in *Bullfinch's Mythology*. Hamlyn, Middlesex, England, 1964, p. 101.

com um homem ou com os homens em geral por depreciá-la ou por falharem ao encarar sem respeito alguma coisa que ela valoriza.

Por exemplo, o despertar da consciência com o movimento feminista dos anos 70 usualmente levou a mudanças construtivas. Mas, quando muitas mulheres tipo Ártemis tornaram-se cientes das limitações injustas da sociedade e das atitudes humilhantes para com as mulheres em geral, elas reagiram com intensa hostilidade, muitas vezes sem proporção com uma determinada provocação. Espectadores prudentes sabiamente saíam do caminho quando um javali de Cálidon encontrava um porco chauvinista no início dos anos 70! Além do mais, muitas mulheres também se sentiam ofendidas e "podadas" pelas mulheres tipo Ártemis que saíam em tumulto depois de tais sessões de conscientização.

No mito do javali de Cálido, a mesma Atalanta que fazia correr Hipômenes encarou o javali atacante com uma lança na mão. O javali já tinha chifrado e matado muitos heróis famosos que haviam tentado matá-lo. Seu couro era mais rijo do que uma armadura. Dependia dela pôr fim à vida da fera ou ser destruída. Esperou até que o javali estivesse quase em cima dela, fez cuidadosa pontaria, e depois atirou a lança num olho, seu único lugar vulnerável, para acertar o alvo.

A raiva destruidora da mulher tipo Ártemis pode ser contida apenas pelo que fez Atalanta. A mulher tipo Ártemis deve confrontar diretamente sua própria destrutividade. Deve vê-la como um aspecto de si mesma ao qual deve pôr fim antes que essa destrutividade a consuma e arruíne seus relacionamentos.

Encoraja-se confrontar o javali interior, pois fazê-lo significa que a mulher deve ver quanto mal fez a si própria e aos outros. Ela não pode mais se sentir justa e poderosa. A humildade é a lição que a faz retornar ao seu lado humano — ela se torna bem consciente de que também ela é alguém com defeitos humanos, e não uma deusa vingadora.

Inacessibilidade

Ártemis foi chamada de "a distante Ártemis". A distância emocional é uma característica da mulher tipo Ártemis, que está tão concentrada em seus próprios objetivos e tão atenta que falha em notar os sentimentos dos que estão ao seu redor. Como conseqüência de sua falta de atenção, aqueles que se interessam por sua pessoa sentem-se insignificantes e excluídos, e ficam magoados e zangados com ela.

Além disso, ela deve tomar consciência antes de poder mudar. A esta altura, a mulher tipo Ártemis precisa ouvir e considerar o que os outros dizem. Eles por sua vez fariam melhor em esperar até que ela não estivesse concentrada num projeto predileto e pudesse voltar seu ponto de convergência para eles. Ártemis era uma deusa do tipo "agora você a vê, agora não a vê" que podia desaparecer pela floresta, como os animais selvagens, que algumas vezes podem ser vistos e outras vezes não. Quando a distância emocional é um efeito colateral inadvertido de intensa concentração, um desejo sincero de permanecer em contato e acessível àqueles que importam pode abrandar essa tendência.

Crueldade

Ártemis foi muitas vezes uma deusa cruel. Por exemplo, o caçador Actéon inadvertidamente intrometeu-se com ela e perdeu o bom senso de reconhecer que olhar estupidamente para uma deusa nua era grande ofensa. Então Ártemis o transformou num veado que foi despedaçado por seus próprios cães de caça. E quando a convencida Níobe humilhou Leto, mãe de Ártemis e Apolo, os gêmeos por sua vez defenderam a honra de Leto, sem misericórdia.

O desgosto diante dos erros feitos, a lealdade para com os outros, a força para expressar um ponto de vista e a propensão para começar a agir podem ser características muito positivas de Ártemis e de mulheres tipo Ártemis. Mas a crueldade da punição que elas impõem pode ser apavorante: todos os doze filhos de Níobe foram mortos pelos arqueiros gêmeos de tal forma que ela não tinha nada do que se vangloriar.

A falta de misericórdia surge muitas vezes quando a mulher tipo Ártemis julga as ações dos outros em termos de absoluto preto-no-branco. Nessa perspectiva, não somente uma ação é toda má ou toda boa, mas a pessoa que faz tal coisa o é também. Portanto, a mulher tipo Ártemis sente-se defendida se ela tira desforra ou pune.

Ela precisa desenvolver a compaixão e a empatia, que devem vir com a maturidade para desenvolver essa atitude. Muitas mulheres tipo Ártemis entram na idade adulta sentindo-se autoconfiantes e invulneráveis. Com a experiência da vida, contudo, sua compaixão pode desenvolver-se à medida que elas também sofrem, são mal julgadas ou fracassam em algum aspecto. Se a mulher Ártemis aprende como experimentar ser vulnerável e torna-se mais compreensiva; se ela descobre que as pessoas são mais complexas do que pensava; e se perdoa aos outros e a si própria por cometer enganos, então essas lições aprendidas a tornarão mais misericordiosa.

A escolha crucial: sacrificar ou salvar Ifigênia

Um último mito sobre Ártemis fala de uma escolha significativa para a mulher tipo Ártemis. É o mito de

Ifigênia, e a escolha envolve o papel de Ártemis como salvadora de Ifigênia ou como causadora de sua morte.

Na história da guerra de Tróia, os navios gregos agrupavam-se no porto grego de Áulis antes de partir para Tróia. Lá a frota ficou parada, pois o vento não surgia para enfunar a vela. Convencido de que a calmaria era provocada por um deus, Agamêmnon, o comandante das forças gregas, consultou o profeta da expedição. O profeta declarou que Ártemis tinha sido ofendida e que poderia ser acalmada apenas com o sacrifício de Ifigênia, a filha de Agamêmnon. A princípio Agamêmnon resistiu mas, com o passar do tempo, e como os homens se tornavam mais zangados e indisciplinados, ele enganou sua esposa Clitemnestra que trouxe Ifigênia até ele, com o pretexto de que ela ia se casar com o herói grego Aquiles. Ao contrário, ela foi preparada para o sacrifício: sua vida em troca de promissores ventos que poderiam levar a frota à guerra.

O que aconteceu depois é contado em duas versões. De acordo com uma delas, a morte de Ifigênia foi realizada conforme exigência de Ártemis. De acordo com a outra, Ártemis intercedeu no momento exato em que Ifigênia ia ser sacrificada, substituindo-a por uma corça, e levou-a para Táurida, onde ela se tornou uma das sacerdotisas de Ártemis.

Esses dois desenlaces podem representar os dois possíveis efeitos de Ártemis. De um lado, ela livra do patriarcado as mulheres e os valores femininos, pois o mundo patriarcal desvaloriza ou oprime ambos. De outro, com seu intenso enfoque nos objetivos, ela pode também exigir tal sacrifício da mulher e desvalorizar o que foi tradicionalmente considerado "feminino" — as qualidades receptivas, desejosas de fazer sacrifícios em benefício dos outros. Toda mulher tipo Ártemis provavelmente tem algo nela que é como Ifigênia — algo jovem, confiante, bonito, que representa sua vulnerabilidade, seu potencial para a intimidade, e sua dependência em relação aos outros. Ela salvará e protegerá esse aspecto de si mesma de tal forma que possa desenvolver-se, até mesmo quando muda de posição no decorrer da vida, objetivando o que lhe interessa? Ou determinará que matem esse aspecto de Ifigênia em si mesma, para que seja tão enfocada, enérgica e clara quanto possível?

Caminhos para o crescimento

Para desenvolver-se além de Ártemis, a mulher deve cultivar seu potencial menos consciente, receptivo, orientado para o relacionamento. Precisa tornar-se vulnerável, aprender a amar e interessar-se profundamente por outra pessoa. Se isso acontecer, talvez seja um relacionamento — em geral com um homem que a ama, algumas vezes com outra mulher, ou tendo um filho.

Freqüentemente esse progresso pode ocorrer somente depois que a mulher tipo Ártemis tiver "se esgotado", depois que ela tiver objetivado uma porção de metas e as tiver alcançado ou fracassado, após a emoção da caça, da corrida, ou quando a busca perdeu o encantamento. Um homem que a ame pode ter que esperar até aí, e até que ele tenha conseguido alguma ajuda de Afrodite.

O mito de Atalanta: metáfora para o crescimento psicológico

Atalanta foi uma heroína cuja coragem e capacidades como caçadora e corredora eram iguais às de qualquer homem. Foi abandonada no topo de uma montanha, logo depois de seu nascimento. Encontrada e alimentada por uma ursa, tornou-se uma bela mulher. Um caçador chamado Meléagro tornou-se seu amante e companheiro. E o par de caçadores ficou bem conhecido e famoso por toda a Grécia, principalmente por sua participação na caça ao javali de Cálidon. Meléagro morreu nos braços dela pouco depois disso. Então Atalanta deixou a montanha, onde juntos caminhavam, para se confrontar com seu pai e ser reconhecida como herdeira de seu trono.

A essa altura muitos pretendentes se apresentaram para pedir sua mão em casamento, mas ela tratou a todos eles com desdém. Quando surgiu um clamor para que ela escolhesse entre eles, disse que se casaria com o homem que pudesse vencê-la numa corrida a pé. Se ele ganhasse, ela se casaria com ele; se perdesse, ele perderia o direito de viver. Corrida após corrida se sucedeu, com os pés ágeis de Atalanta sempre na liderança.

Finalmente, o não atlético Hipômenes, que realmente a amava, decidiu participar da corrida, embora isso provavelmente lhe fosse custar a vida. Na noite anterior ao acontecimento ele orou a Afrodite, deusa do amor, pedindo proteção. Ela ouviu seu pedido e lhe deu três maçãs de ouro para usar na corrida.

Maçã 1: Consciência da passagem do tempo. No início da corrida, Hipômenes atirou a primeira maçã de ouro no caminho de Atalanta. Ela ficou atraída pela beleza de seu brilho e diminuiu a velocidade para pegá-la. Hipômenes ganhava terreno na corrida enquanto ela olhava fixamente a maçã de ouro em sua mão. Com o reflexo, ela viu seu próprio rosto, distorcido pelas curvaturas da maçã: "É assim que vou ser quando ficar velha", pensou ela.

Muitas mulheres atarefadas ficam inconscientes do passar do tempo, até que num dado momento, na meia-idade, os desafios da competição ou do alcançar os objetivos diminuem. Pela primeira vez na vida, tal mulher pode tornar-se ciente de que sua juventude não é eterna, e começa a ponderar sobre a trajetória que está percorrendo e para onde ela a conduz.

Maçã 2: Consciência da importância do amor. Depois ele atirou a segunda maçã no seu caminho. Atalanta, mais uma vez, concentrou-se na corrida e facilmente ganhou de Hipômenes. Quando parou para ver a segunda maçã de ouro de Afrodite, as lembranças de Meléagro, seu amante falecido, brotaram dentro dela. Desejos ardentes de intimidade física e emocional foram excitados por Afrodite. Quando isso é combinado com a consciência de que o tempo está passando, o enfoque usual da mulher tipo Ártemis é desviado para uma nova receptividade ao amor e à intimidade.

Maçã 3: Instinto gerador e criatividade. A reta final estava na mira quando Atalanta empatou a partida até mesmo com Hipômenes. Ela estava quase para ultrapassá-lo e ganhar, quando Hipômenes deixou cair a terceira maçã de ouro. Por uma fração de segundo, Atalanta hesitou: ela passaria o limite final e ganharia a corrida, ou pegaria a maçã e perderia? Atalanta decidiu-se pela maçã, exatamente quando Hipômenes atravessou a linha final para ganhar a corrida e tê-la como esposa.

O instinto procriativo de Afrodite, ajudado por Deméter, modera a atividade de muitas mulheres atarefadas e concentradas num objetivo, quando chegam os últimos anos da casa dos trinta. As mulheres que fazem carreira são muitas vezes pegas de surpresa pela urgência constrangedora de terem um filho.

A terceira maçã de ouro também pode representar outra criatividade além da biológica. O empreendimento pode tornar-se menos importante após a meia-idade. Em seu lugar, a generatividade representada por Afrodite é dirigida no sentido de transformar a experiência em alguma forma de expressão pessoal.

Se o conhecimento de Afrodite é induzido através do amor de outra pessoa, então a unilateralidade da mulher tipo Ártemis, por mais satisfatória que tenha sido, pode abrir caminho para a possibilidade da totalidade. Ela pode voltar-se para seu interior, a fim de refletir sobre o que é importante para si mesma, e tornar-se intimamente dirigida tanto quanto exteriormente focalizada. Torna-se ciente de que tem necessidade tanto de intimidade quanto de independência. Uma vez que reconheça o amor — como Atalanta — terá momentos de decisão para concluir por si mesma sobre o que é mais importante.

Bibliografia

GUTHRIE, W. K. C., "Artemis". In *The Greeks and Their Gods,* Beacon Press, Boston, 1950, pp. 99-106.

KERÈNYI, C., "Leto, Apollon and Artemis". In *The Gods of the Greeks,* Thames & Hudson, New York, 1979 (originalmente publicado em 1951).

KERÈNYI, Karl, "A Mythological Image of Girlhood: Artemis". In *Facing the Gods,* org. por James Hillman, Irving, Texas: Spring, 1980, pp. 39-45.

MAYERSON, Philip, "Artemis". In *Classical Mythology in Literature, Art, and Music,* Wiley, New York, 1971, pp. 150-169.

MOORE, Tom, "Artemis and the Puer". In *Puer Papers.* Irving, Texas: Spring, 1979, pp. 169-204.

MALAMUD, René, "The Amazon Problem". *Spring,* 1971, pp. 1-21.

OTTO, Walter F., "Artemis". In *The Homeric Gods,* Thames & Hudson, New York, publicado em acordo com Pantheon Books, 1979, pp. 80-90.

SCHMIDT, Lynda, "The Brother-Sister Relationship in Marriage". In *Journal of Analytical Psychology* 25, nº 4, 1980, pp. 17-35.

ZABRISKIE, Philip T., "Goddesses in Our Midst". *Quadrant,* outono de 1974, pp. 41-42.

5
Atenas: deusa da sabedoria e das artes, estrategista e "filha do pai"

A deusa Atenas

Atenas era a deusa grega da sabedoria e das artes, conhecida pelos romanos como Minerva. Da mesma forma que Ártemis, Atenas era uma deusa virgem, dedicada à castidade e ao celibato. Era majestosa e bonita deusa guerreira, protetora de seus heróis escolhidos e de sua cidade homônima, Atenas. Era a única deusa olímpica retratada usando couraça, com a pala de seu capacete voltada para trás para mostrar a sua beleza, um escudo no braço e uma lança na mão.

Condizendo com seu papel como deusa que presidiu às estratégias da batalha na época da guerra e às artes domésticas em tempo de paz, Atenas era também apresentada com uma lança numa das mãos e uma tigela ou uma roca na outra. Era a protetora das cidades, das forças militares, e deusa das tecelãs, ourives, oleiras e costureiras. Atenas foi creditada pelos gregos ao dar à humanidade as rédeas para amansar o cavalo, ao inspirar os construtores de navios em sua habilidade, e ao ensinar as pessoas a fazerem arado, ancinho, canga de boi e carro de guerra. A oliveira foi seu presente especial a Atenas, um presente que produziu o cultivo das azeitonas.

Atenas foi freqüentemente retratada com uma coruja, ave associada com a sabedoria e de olhos proeminentes — duas de suas características. Cobras entrelaçadas eram apresentadas como um modelo no debrum de sua capa.

Quando Atenas era retratada com outra pessoa, a outra era invariavelmente alguém do sexo masculino. Por exemplo, era vista perto de Zeus na atitude de um guerreiro de sentinela para seu rei. Ou era reconhecida atrás ou ao lado de Aquiles ou de Odisseu, os principais heróis gregos da Ilíada e da Odisséia.

As habilidades bélicas e domésticas associadas com Atenas envolvem planejamento e execução, atividades que requerem pensamento intencional. A estratégia, o aspecto prático e resultados tangíveis são indicações de qualidades e legitimidade de sua sabedoria própria. Atenas valoriza o pensamento racional e é pelo domínio da vontade e do intelecto sobre o instinto e a natureza. Sua vitalidade é encontrada na cidade; para Atenas (em contraste com Ártemis), a selva deve ser subjugada e dominada.

Genealogia e mitologia

O ingresso de Atenas na companhia dos deuses olímpicos foi dramático. Ela saltou da cabeça de Zeus como mulher adulta, usando flamejante égide de ouro, com uma lança aguda numa das mãos, emitindo um poderoso grito de guerra. Em algumas versões seu parto assemelha-se a uma operação cesariana dolorosa — Zeus foi atormentado por dor de cabeça torturante originária do "parto", e foi ajudado por Hefesto, o deus da forja, que lhe abriu o crânio com um machado de dois gumes, dando espaço para que Atenas nascesse.

Atenas considerava-se portadora de um só genitor, Zeus, com quem esteve associada para sempre. Foi o braço direito de seu pai, a única deusa olímpica a quem ele confiou seu raio e égide, símbolos de seu poder.

A deusa não conheceu sua mãe, Métis. Na verdade Atenas parecia não ter consciência de que tinha mãe. Como relata Hesíodo, Métis foi a primeira esposa real de Zeus, uma divindade do oceano, que ficou conhecida por sua sabedoria. Quando Métis estava grávida de Atenas, Zeus a enganou tornando-a pequenina e a engoliu. Foi profetizado que Métis teria dois filhos muito especiais: uma filha igual a Zeus em coragem e sábia resolução, e um filho, um rapaz de coração totalmente cativante, que se tornaria rei dos deuses e dos homens.[1] Ao engolir Métis, Zeus contrariou o destino e assumiu o controle dos atributos dela como se fossem seus.

Em sua mitologia, Atenas era protetora, conselheira, patrona e aliada de homens heróicos. A lista daqueles a quem ajudou se parece com a "dos heróis, quem é quem".

Entre eles estava Perseu, que matou a górgona Medusa — o monstro fêmea que tinha serpentes como cabelos, garras de bronze e de olhos arregalados, cujo olhar metamorfoseava os homens em pedra. Atenas sugeriu a proeza com espelhos, através dos quais Perseu poderia ver o reflexo da górgona e evitar encará-la diretamente. Então, com sua espada, ele decapitou a Medusa.

Atenas ajudou também Jasão e os argonautas na construção do navio antes dos mesmos partirem para capturar o velocino de ouro. Ela deu um freio dourado a Belerofonte com o qual ele pôde domesticar o cavalo alado Pégaso, e vir em ajuda de Héracles (o Hércules romano) durante suas doze tarefas.

Durante a guerra de Tróia, Atenas foi muito ativa em defesa dos gregos. Cuidou de seus favoritos, especialmente de Aquiles, o mais formidável e poderoso dos

1. Hesiod, *Theogony*, in *Hesiod*. The University of Michigan Press, Ann Arbor, Michigan, 1959, p. 177.

guerreiros gregos. Posteriormente ela ajudou Odisseu (Ulisses), em sua longa viagem para casa.

Além de patrocinar os heróis individuais e de ser a deusa olímpica mais próxima a Zeus, Atenas tomou o partido da patriarquia. Deu o voto decisivo para Orestes, na primeira disputa em sala de tribunal da literatura ocidental. Orestes tinha matado sua mãe Clitemnestra para vingar o assassínio de seu pai Agamêmnon. Apolo falou em defesa de Orestes: ele alegou que a mãe era apenas a nutridora da semente plantada pelo pai, proclamou o princípio de que o macho predomina sobre a fêmea e citou como prova o nascimento de Atenas que não nascera do ventre de uma mulher. O voto dos jurados foi empatado quando Atenas deu o voto decisivo. Ela tomou o partido de Apolo, libertou Orestes e colocou os princípios patriarcais acima das ligações maternas.

Na mitologia de Atenas apenas uma estória bem conhecida envolve o nome de uma mulher mortal. Ela é Aracne, a quem Atenas transformou numa aranha. Como deusa das artes, Atenas foi desafiada numa competição de destreza por uma tecelã presunçosa chamada Aracne. Ambas trabalharam com rapidez e habilidade. Quando as tapeçarias ficaram terminadas, Atenas admirou o trabalho impecável de sua competidora, mas ficou furiosa porque Aracne ousou ilustrar as desilusões amorosas de Zeus. Na tapeçaria, Leda está acariciando um cisne — uma simulação para Zeus, que tinha entrado no dormitório da rainha casada disfarçado de cisne para fazer-lhe a corte. Um outro painel era de Dânae, a quem Zeus fecundou na forma de um chuvisco dourado; um terceiro representava a donzela Europa, raptada por Zeus disfarçado na forma de um majestoso touro branco.

O tema de sua tapeçaria era a ruína de Aracne. Atenas ficou tão enraivecida do que Aracne representou que rasgou em pedaços o trabalho e induziu Aracne a enforcar-se. Depois, sentindo pena, Atenas deixou Aracne viver, transformando-a em aranha, condenada para sempre a tecer. Observe-se que Atenas, muitíssimo defensora de seu pai, a puniu por tornar público o comportamento velhaco e ilícito de Zeus, mais do que pelo desaforo do próprio desafio.

O arquétipo de Atenas

Como deusa da sabedoria, Atenas era conhecida por suas estratégias vitoriosas e soluções práticas. Como arquétipo, Atenas é seguida pelas mulheres de mente lógica, governadas mais pela razão do que pelo coração.

Atenas é um arquétipo feminino: ela demonstra que pensar bem, manter a calma no ponto mais culminante de uma situação emocional e desenvolver boas táticas no meio do conflito são traços naturais para algumas mulheres. Tal mulher está sendo como Atenas, não agindo "como um homem". Seu aspecto masculino, ou *animus,* não está pensando por ela. Ela está pensando claramente e bem *por* si mesma. O conceito de Atenas como arquétipo do pensamento lógico desafia a premissa junguiana de que o pensar é realizado por uma mulher através de seu *animus* masculino, que se presume ser diferente do seu "ego" feminino. Quando a mulher reconhece o modo intenso com que sua mente trabalha como uma qualidade feminina relacionada com Atenas, ela pode desenvolver uma autoimagem positiva, ao invés de se amedrontar de estar masculinizada, isto é, imprópria.

Quando Atenas representa apenas um dos muitos arquétipos ativos numa determinada mulher — em vez de um único padrão dominante — então esse arquétipo pode ser um aliado das outras deusas. Por exemplo, se ela é motivada por Hera a necessitar de um companheiro para se sentir completa, então Atenas pode ajudar a avaliar a situação e desenvolver uma estratégia para conseguir seu homem. Ou, se Ártemis é a inspiração direcionada para a sanidade coletiva das mulheres, o sucesso do projeto pode depender da perspicácia política de Atenas. No meio de uma tempestade emocional, se a mulher puder invocar Atenas como um arquétipo dentro de si mesma, a racionalidade a ajudará a orientar-se.

A deusa virgem

As qualidades invulneráveis e íntegras de Ártemis aplicam-se da mesma forma a Atenas. Quando Atenas governa a psique da mulher, ela — como as mulheres que se assemelham a Ártemis ou Héstia — é motivada por suas próprias prioridades. Como o arquétipo de Ártemis, Atenas predispõe a mulher a enfocar aquilo que lhe interessa, em vez de enfocar as necessidades dos outros.

Atenas difere de Ártemis e de Héstia no que diz respeito à deusa virgem que procurava a companhia dos homens. Em vez de separar-se ou retirar-se, ela aprecia estar no meio da ação e do poder masculino. O elemento da deusa virgem a ajuda a evitar as complicações emocionais e sexuais com os homens com os quais trabalha intimamente. Ela pode ser companheira, colega ou confidente dos homens, sem desenvolver sentimentos eróticos ou intimidade emocional.

Atenas emergiu da companhia dos deuses olímpicos como adulta completamente desenvolvida. Foi retratada em sua mitologia interessando-se por assuntos de conseqüência mundial. O arquétipo de Atenas representa portanto uma versão de deusa virgem mais velha, mais amadurecida do que Ártemis. A orientação realista de Atenas para o mundo como ele é, sua atitude pragmática, sua conformidade aos padrões "adultos" (isto é, tradicionalmente recebidos) e a falta de romantismo ou de idealismo completam essa impressão de Atenas como o epítome do "adulto sensível".

A estrategista

A sabedoria de Atenas era a do general distribuindo forças ou a do magnata de negócios manobrando com perícia a competição. Foi a melhor estrategista durante a Guerra de Tróia. Suas táticas e intervenções ganharam vitórias para os gregos no campo de batalha. O arquétipo de Atenas prospera nas arenas comerciais, acadêmicas, científicas, militares ou políticas. Por exemplo, Atenas pode se manifestar na mulher com mestrado em administração comercial. Aliada com um mentor poderoso, ela abre caminho para a ascensão da corporação. A rápida ascensão de Mary Cunningham à vice-presidência da Corporação Bendix, como a talentosa afilhada do presidente e dirigente do conselho, seguiu um curso de Atenas. Quando seu relacionamento recebeu atenção desfavorável, ela renunciou para mudar lateralmente para uma importante posição com Schenley, outra corporação poderosa e importante. Esta sábia mudança poderia ser considerada o equivalente de um afastamento estratégico e uma ação decisiva tomada debaixo do fogo.

A perspicácia de Atenas possibilita à mulher avançar efetivamente onde quer que as considerações políticas ou econômicas sejam importantes. Ela pode usar sua habilidade de pensar estrategicamente para favorecer seus próprios projetos, ou como consultora-associada de um homem ambicioso em ascensão. Em qualquer caso, o arquétipo de Atenas governa as mulheres que sabem o que é ser "inevitável", cuja inteligência é ligada ao prático e ao pragmático, cujas ações não são determinadas pela emoção ou dominadas pelo sentimento. Com Atenas em sua psique, a mulher lança mão ao que deve ser feito e imagina como alcançar o que quer.

A diplomacia, que envolve estratégia, poder e manobras enganadoras, é um domínio no qual Atenas se sobressai. Clare Booth Luce, uma beldade famosa, teatróloga, congressista, embaixadora na Itália e general de honra no Exército dos Estados Unidos, tinha essas qualidades de Atenas. Era admirada e criticada por sua ambição e por usar sua inteligência e alianças para explorar o mundo dos homens. Ela era casada com Henry R. Luce, fundador da revista *Time*, um Zeus em seu império próprio. Aos olhos de seus admiradores, era digna de louvor por sua frieza, embora seus críticos a citem como "fria" e intrigante.[2]

Igualmente como Atenas é a mulher com um título de doutorado que é efetiva na academia. Alcançar o posto requer pesquisa, obter publicação, servir em comitês, receber concessões, saber qual é o jogo e fazer pontos. Para irem adiante, tanto as mulheres como os homens necessitam de mentores, patrocinadores e aliados. A habilidade intelectual apenas não é em geral suficiente; é preciso considerações táticas e políticas: que assunto ela estuda, ensina ou pesquisa; em que "campus" ela fixa residência; que cátedra departamental ou de mentor ela escolhe... Tudo tem lugar para decidir se ela conseguirá obter privilégios e posições necessárias para se fazer o trabalho.

Rosalyn Yalow é vencedora do prêmio Nobel em química por suas descobertas em radioimunologia (o uso de isótopos radiativos para medir quantidades de hormônio e outras substâncias químicas no corpo). Para completar com bom êxito o que fez, Rosalyn Yalow deve ser uma brilhante Atenas. Ela fala de alegrias de trabalhar com as mãos e o cérebro (combinando os aspectos da sabedoria e das habilidades de Atenas). Yalow teve que ser uma forte estrategista para planejar as seqüências laboratoriais que conduziram às suas descobertas, uma habilidade que também deve tê-la mantido em bom lugar quando carreiras políticas estavam envolvidas.

2. Wilfred Sheed., *Clare Booth Luce,* Dutton, New York, 1982.

As mulheres artesãs

Como deusa das artes Atenas envolvia-se em fazer coisas que eram ao mesmo tempo úteis e esteticamente agradáveis. Era muito notada por suas habilidades como tecelã, onde as mãos e o cérebro devem trabalhar juntos. Para se fazer uma tapeçaria ou tecelagem, a mulher deve esquematizar e planejar o que fará e depois, fileira por fileira, criá-la metodicamente. Esse método é uma expressão do arquétipo de Atenas, que dá ênfase à previsão, planejamento, domínio da habilidade e paciência.

As habitantes da fronteira que teciam, criavam roupas e faziam praticamente tudo o que era usado por suas famílias, incorporavam Atenas em seu campo doméstico. Lado a lado com seus maridos, elas desbravavam a terra da selva, dominando a natureza conforme eles prosseguiam afastando a fronteira Oeste. Sobreviver e ser bem sucedido requeria os traços de Atenas.

A "filha do pai"

Enquanto arquétipo da "filha do pai", Atenas representa a mulher que tende naturalmente aos homens poderosos que têm autoridade, responsabilidade e poder, homens que se ajustam ao arquétipo do pai patriarcal ou do "homem patrão". Atenas predispõe as mulheres a formar relacionamentos de mentoras com homens decididos que compartilham de seus interesses e de modos semelhantes de olhar as coisas. Ela conta com dedicação mútua. Como a própria Atenas, uma vez que dá a ele seu voto de fidelidade, ela se torna a sua mais ardente defensora ou seu "braço direito", com crédito total para usar bem sua autoridade e proteger as prerrogativas dele.

Muitas dedicadas secretárias executivas, que devotam suas vidas a seus patrões, são mulheres tipo Atenas. Sua lealdade para com seus homens escolhidos é inabalável. Quando penso em Rosemary Woods, secretária particular de Richard Nixon, e na obliteração dos 18 minutos nas fitas de Watergate, eu me pergunto se não houve "um dedinho" de Atenas nisso. Sei que teria sido como Atenas ter compreendido a "sabedoria" de livrar-se de tal prova e como Atenas tê-la apagado sem sentir culpa.

A qualidade de filha do pai pode tornar uma mulher tipo Atenas uma defensora dos direitos e valores patriarcais, que enfatizam a tradição e a legitimidade do poder masculino. As mulheres tipo Atenas comumente mantêm o "status quo" e aceitam as normas estabelecidas como linhas mestras de comportamento. Tais mulheres são em geral politicamente conservadoras. Elas resistem à mudança. Atenas tem pouca compaixão pelos mal-sucedidos, oprimidos ou rebeldes.

Por exemplo, Phyllis Schlafly, uma Phi Beta Kappa com mestrado em Radcliffe, mulher extraordinariamente bem organizada e articulada, conduziu a oposição à Emenda dos Direitos de Igualdade. Antes da liderança da oposição, a ratificação parecia inevitável. Nos primeiros doze meses de sua vida, um ano antes que Phyllis Schlafly formasse sua organização *STOP ERA*, em outubro de 1972, a *ERA* tinha conseguido trinta ratificações. Mas, uma vez que conduziu suas tropas à batalha, ela parou. Nos próximos oito anos, somente mais cinco estados ratificaram, e cinco dos trinta e cinco estados ratificados votaram para rescindir sua ratificação. Schlafly, cujo biógrafo a chamou de "the sweetheart of the silent majority"[3], é uma Atenas contemporânea no papel de filha arquetípica do pai, defendendo valores patriarcais.

3. Carol Felsenthal, *The Sweetheart to the Silent Majority: The Biography of Phyllis Schlafly*. Doubleday, New York, 1981.

O justo meio-termo

Quando o arquétipo de Atenas é forte, a mulher mostra uma tendência natural de fazer todas as coisas com moderação para viver "o justo meio-termo", que era o ideal ateniense. Os excessos são em geral o resultado de sentimentos intensos ou de necessidades, ou de uma natureza apaixonada, justa, temível, ou cobiçosa, coisas que são antitéticas para a racional Atenas. O justo meio-termo é também mantido pela tendência de Atenas de conduzir acontecimentos, notar efeitos, e mudar um curso de ação tão logo ele pareça improdutivo.

A Atenas encouraçada

Atenas chegou ao cenário olímpico com esplêndida couraça dourada. E, na verdade, estar "encouraçada" é um traço de Atenas. As defesas intelectuais conservam tal mulher longe do sofrimento, tanto do próprio como o dos outros. No meio da agitação emocional ou cruel luta corpo-a-corpo, ela permanece impermeável ao sentimento enquanto observa, qualifica e analisa o que está acontecendo, e decide o que fará depois.

No mundo competitivo, o arquétipo de Atenas tem indiscutível vantagem sobre o de Ártemis. A mulher tipo Ártemis tem objetivos e compete, mas não é encouraçada, como a deusa Ártemis, que usava uma túnica curta. Se o arquétipo da mulher é Ártemis em vez de Atenas, ela é pessoalmente atingida por qualquer hostilidade ou decepção inesperada. Pode ficar ferida ou insultada, e pode tornar-se emotiva e menos efetiva. Na mesma situação, Atenas avalia friamente o que está acontecendo.

Cultivando Atenas

As mulheres que não são por natureza como Atenas podem cultivar esse arquétipo através da educação ou trabalho. A educação requer o desenvolvimento das qualidade de Atenas. Quando a mulher leva a sério a escola, ela desenvolve hábitos de estudo disciplinados. Matemática, ciências, gramática, pesquisa e escrever dissertações requerem as habilidades de Atenas. O trabalho tem efeito semelhante. Comportar-se "profissionalmente" implica que a mulher seja objetiva, impessoal e habilidosa. A mulher que sente profundamente pelos outros pode ingressar na medicina ou na enfermagem, por exemplo, descobrir que entrou no território de Atenas e precisa aprender a observação desapaixonada, o pensamento lógico e certas habilidades.

Toda instrução estimula o desenvolvimento desse arquétipo. Aprender fatos objetivos, pensar claramente, preparar-se para os exames e fazer testes são todos exercícios que evocam Atenas.

Atenas pode também desenvolver escapatória para necessidades. Uma jovem numa família corrupta pode aprender a esconder seus sentimentos e vestir couraça protetora. Pode tornar-se insensível e não estar a par de seus sentimentos porque de outra maneira não estará segura. Ela deve aprender a observar e a usar de estratégia para sobreviver. Atenas torna-se ativada em qualquer momento que uma mulher vitimada comece a planejar um meio de sobrevivência ou de fuga.

Walter F. Otto, autor de *The Homeric Gods,*[4] denominou Atenas de deusa "continuamente próxima". Ela se punha imediatamente atrás de seus heróis e era invisível aos outros. Sussurrava conselhos, aconselhava comedimento e lhes dava certa margem de superioridade sobre seus rivais. O arquétipo de Atenas "continuamente próxima" precisa ser convidado "a se aproximar" toda vez

4. Walter F. Otto, "Athena", in *The Homeric Gods.* Thames & Hudson, New York, em acordo com Pantheon Books, 1979, p. 60.

que a mulher precisa pensar claramente quando está numa situação emocional, ou toda vez que ela compete nos mesmos termos como um homem em sua ocupação determinada ou campo educacional.

A mulher tipo Atenas

Há certo tipo de mulher americana estável e sociável que parece personificar melhor Atenas em sua aparência do dia-a-dia. Ela é prática, descomplicada, não inibida e segura, alguém que faz as coisas sem espalhafato. A mulher tipo Atenas tipicamente tem boa saúde, não tem conflitos mentais e é fisicamente ativa, conforme condiz com a identificação com Atenas (que em seu aspecto de Atenas Higiia era também deusa da saúde). Na imaginação eu a vejo como uma dessas mulheres bem apessoadas, arrumadas, que usam moda requintada durante toda a sua vida. A psique da mulher tipo Atenas leva consigo uma semelhança com a aparência de roupas práticas, duráveis, de qualidade permanente e não influenciadas pelas mudanças da moda.

A elegante moda requintada pode ser usada pela mulher tipo Atenas suburbana; a variação "central" é o traje feito sob medida e a blusa usada pelas mulheres que trabalham com sucesso no comércio. Ambas as versões, a suburbana e a do centro da cidade são influenciadas pelos Brooks Brothers, aquela classe média alta com aparência inglesa preferida por muitos homens de negócio e estudantes. Colarinhos tipo Peter Pan e camisas de colarinho abotoado são vestimentas apropriadas a muitas mulheres tipo Atenas que cultivam uma assexualidade imutável.

A Atenas criança

Uma criança tipo Atenas compartilha a capacidade de concentração de uma jovem Ártemis, à qual ela adiciona uma tendência decididamente intelectual. Por exemplo, aos três anos Atenas pode ser uma leitora autodidata. Qualquer que seja a idade, uma vez que tenha encontrado livros, provavelmente terá o "nariz metido num deles". Quando não está lendo, está seguindo os passos de seu pai, perguntando: "Papai, por quê?" ou "Papai, como funciona isso?" ou, mais tipicamente: "Papai, mostre-me!" Ela usualmente não pergunta: "Mamãe, por quê?" — a menos que tenha mãe tipo Atenas, que lhe dê as respostas lógicas que ela busca. A garota tipo Atenas é curiosa, busca informações, quer saber como funcionam as coisas.

Os pais

Quando uma filha tipo Atenas cresce como criança predileta de um pai bem sucedido, que tem orgulho de que ela "é como ele", este a ajuda a desenvolver suas tendências naturais. Quando seu ídolo lhe dá a bênção, a confiança em suas habilidades é seu "direito inato". Tal filha cresce segura e sem conflitos quanto ao ser brilhante e ambiciosa. Como adulta, ela então pode estar à vontade exercendo poder, autoridade e demonstrando suas capacidades.

Mas nem todas as mulheres tipo Atenas têm um pai tipo Zeus, que as favoreça. Quando elas não o têm, fica faltando um ingrediente essencial para o desenvolvimento. Algumas mulheres tipo Atenas têm pais bem sucedidos que estão muito ocupados para notá-las. Outros pais tipo Zeus insistem para que suas filhas se comportem como garotas tradicionais; eles podem provocantemente dizer: "Não encha sua bonita cabeça com fatos" ou repreendê-las ao dizer: "Não é com isso que as garotas deveriam brincar" ou "Isto não lhe diz respeito, isto é negócio". Como resultado, ela pode crescer sentindo que não é aceita como ela é, e muitas vezes falta confiança em suas habilidades, mesmo que não tenha sido desencorajada a entrar para o ramo comercial ou profissional. Quando a mulher tipo Atenas tem um pai muito diferente de Zeus — talvez um fracassado nos negócios, alcoólatra, poeta sem fama ou novelista inédito — seu desenvolvimento na linha de Atenas é usualmente colocado em situação desvantajosa. Ela pode não aspirar a alcançar objetivos que poderia desempenhar. E até mesmo quando dá aos outros a impressão de ser bem sucedida, freqüentemente sente-se como uma impostora que será desmascarada.

A menos que elas próprias sejam mulheres tipo Atenas, muitas mães de filhas tipo Atenas sentem-se não apreciadas, ou sentem como se suas filhas fossem de uma espécie completamente diferente. Por exemplo, qualquer mulher orientada para os relacionamentos provavelmente encontrar-se-á em falta de comunicação com sua filha tipo Atenas. Quando ela fala sobre as pessoas e os acontecimentos, a filha está desinteressada. Ao contrário, sua filha quer saber como alguma coisa funciona, e descobre que sua mãe não tem a mais obscura noção ou desejo de saber. Como resultado de suas diferenças, a filha tipo Atenas pode tratar sua mãe como uma incompetente. Certa mãe observou que sua filha "tinha dez anos e aparentava trinta". O lema de sua filha parecia ser: "Oh, mamãe, seja prática!" Esta mãe continuava a dizer: "Algumas vezes minha filha me fez sentir como se ela fosse adulta e eu fosse uma criança retardada!"

Deve ser igualmente negativa a experiência de uma filha tipo Atenas com a mãe que dá a impressão de haver alguma coisa errada com sua filha. Tal mãe pode comentar, por exemplo: "Você não é mais do que uma máquina calculadora" ou "tente fingir que você é uma moça".

A mulher que desenvolve suas qualidades de Atenas e é uma alta realizadora com auto-estima usualmente teve pais seguindo o modelo Zeus-Métis[5] (pai bem sucedido no primeiro plano, mãe disciplinada no pano de fundo) e a posição de primogênita na família. Muitas vezes sua posição na família aconteceu por descuido. Ela pode ter sido a única filha ou a mais velha de diversas meninas. Ou seu irmão pode ter sofrido de debilidade mental ou física, ou ter sido um sério desapontamento para seu pai. Como conseqüência, ela se tornou a beneficiária das aspirações de seu pai por um filho e a companheira com quem ele compartilha seus interesses.

Uma Atenas com auto-imagem positiva, que não tem conflitos sobre o ter ambição, poderia também ser a filha de pais que exercem ambos suas carreiras, ou a filha de uma mãe bem sucedida. Ela cresce tendo mãe como modelo e ajuda paterna para ser ela mesma.

Adolescência e juventude

As garotas tipo Atenas olham embaixo das capotas do carro. São daquelas que aprendem como consertar as coisas. São as garotas que nas aulas de computação aprendem imediata e animadamente como funcionam as máquinas e têm afinidade com a linguagem da computação. Elas podem ser imediatamente atraídas por um programa de computação, como um pato atraído pela água, porque pensam linearmente e claramente, dando atenção aos detalhes. São as garotas que aprendem sobre bolsas de valores, que poupam e investem.

5. Por exemplo, as vinte e cinco mulheres bem sucedidas (todas elas ocupando posições de presidente e vice-presidente em firmas nacionalmente reconhecidas) estudadas por Henning e Jardim se encaixam no modelo de Atenas. Eram "filhas do pai" — filhas que partilharam interesses e atividades com seus bem sucedidos pais. Igual a Métis, que foi engolida por Zeus, suas mães eram mulheres cuja educação nunca se igualou ou ultrapassou seus maridos; vinte e quatro das vinte e cinco mães eram donas de casa, e a vigésima quinta era professora. A relação pai-filha era vividamente relembrada como algo de significativo; em troca, a relação mãe-filha era vaga e generalizada. Cf. Margaret Henning e Anne Jardim, "Childhood", in *The Managerial Woman*. Pocket Books/Simon & Schuster, New York, 1978, pp. 99-117.

Muitas vezes, uma garota tipo Atenas pensa que "a maior parte das garotas são tolas ou idiotas", expressando a mesma atitude que os meninos têm na pré-adolescência. É muito mais provável que uma garota tipo Atenas esteja interessada em classificar um estranho defeito mecânico do que ficar alarmada com ele. Ela fica perplexa quando outras garotas dão respostas infantis. Condizendo com uma garota que se parece com Atenas, que puniu Aracne, nenhuma aranha "que sentar-se ao lado dela" assustará a senhorita Atenas.

A jovem tipo Atenas pode levar vantagem nos trabalhos de costura, tecelagem ou renda feita a mão. Ela pode apreciar várias artes e compartilhar esses interesses com sua mãe ou com outras garotas tradicionalmente inclinadas com as quais ela muitas vezes sente pouco em comum. Ela, mais do que as outras, pode apreciar o desafio de estabelecer um padrão e desenvolver uma habilidade, e pode não estar motivada a ser capaz de fazer roupas de boneca ou coisas bonitas para si própria. Sente prazer no resultado do artesanato. O aspecto prático e uma apreciação pela qualidade a motivam a fazer suas próprias roupas.

As garotas tipo Atenas usualmente não são filhas-problema, como muitas outras. As cenas de gritaria e lágrimas estão notavelmente ausentes. As mudanças hormonais dificilmente parecem afetar o comportamento ou os modos de tal garota. Ela pode passar seus dias na escola secundária com os rapazes que são intelectualmente iguais a ela. Talvez se inscreva num clube de xadrez, trabalhe no anuário da escola ou compita na feira de ciências. É provável que goste de matemática e sobressaia-se nela, ou dedique seu tempo à química, física ou laboratório de computação.

Socialmente atentas, as garotas tipo Atenas extrovertidas usam seus poderes de observação, observando o que usar, ou quais alianças sociais elas deveriam manter. Comentam sobre suas habilidades de competirem socialmente, de serem populares e não se envolverem emocionalmente.

As mulheres tipo Atenas planejam para o futuro. Muitas pensam consideravelmente naquilo que irão fazer após a escola secundária. Se tal mulher for financeiramente capaz de cursar uma faculdade, pensará sobre as que estão disponíveis para ela, e sabiamente escolherá por si mesma. Até mesmo se sua família não puder ajudá-la a entrar numa faculdade, em geral encontrará um modo de conseguir bolsa de estudo ou ajuda financeira. O equivalente feminino de Horácio Alger é quase sempre a mulher tipo Atenas.

Muitas mulheres tipo Atenas acham a faculdade liberadora. Tendo escolhido uma escola que é certa para si, devido às suas ofertas educacionais e à eficiência do corpo discente, elas mergulham, mais livres para serem elas mesmas do que fora possível no colégio. As mulheres tipo Atenas escolhem escolas co-educacionais por causa de sua compatibilidade com os homens e a alta estima que têm por eles.

O trabalho

A mulher tipo Atenas pretende fazer alguma coisa de si própria. Trabalha arduamente em direção àquele fim, aceita a realidade tal como ela é e se adapta. Portanto, os anos de idade adulta lhe são usualmente produtivos. No mundo do poder e da realização, seu uso da estratégia e do pensamento lógico mostra parentesco com Atenas. No lar, ela se sobressai nas artes domésticas, também domínio de Atenas, usando sua mente prática e olho estético para dirigir uma ordem doméstica eficiente.

Se uma garota tipo Atenas tiver que ir diretamente da escola secundária para o trabalho, muitas vezes ela se prepara para essa necessidade freqüentando cursos de assuntos educacionais e assumindo empregos de verão que apresentem boas oportunidades. As mulheres tipo Atenas não brincam de Cinderela e não esperam ser salvas pelo casamento. Fantasiar que "algum dia meu príncipe virá" é estranho para o estilo da mulher tipo Atenas.

Se se casa e dirige uma família, ela é usualmente uma administradora eficiente. Seja para compras, lavanderia ou governanta, ela tem um sistema que funciona. Na cozinha, por exemplo, tudo está provavelmente no lugar. Ninguém precisa ensinar a mulher tipo Atenas sobre um organograma, pois a organização lhe vem naturalmente. Ela planeja as compras para a semana seguinte e planeja as refeições para fazer ótimo uso da pechincha. A mulher tipo Atenas acha desafiadoras as tarefas de viver dentro de um orçamento e empregar bem o dinheiro.

A mulher tipo Atenas pode ser uma professora extraordinária. Explica claramente e bem. Se o assunto requer informação precisa, ela é capaz de dominá-lo. Sua especialidade deve ser explicar procedimentos complexos que progridem gradualmente. A professora tipo Atenas é provavelmente uma das mais exigentes. É daquelas que não aceitam desculpas e esperam o máximo desempenho. Não se deixa levar por estórias tristes nem dá notas imerecidas. Dá o melhor de si para os alunos que a desafiam intelectualmente. Favorece os alunos que trabalham bem e passa mais tempo com eles do que com os que ficam para trás, ao contrário da maternal professora tipo Deméter, que dá mais de si para aqueles que necessitam de ajuda.

Como artista, a mulher tipo Atenas faz objetos funcionais que agradam esteticamente. Também tem tino comercial e, portanto, lhe interessa mostrar e vender seu trabalho, tanto quanto fazê-lo. Maneja bem as mãos e, qualquer que seja sua habilidade, orgulha-se de dominar a habilidade requerida e do acabamento de seu produto. Pode fazer com prazer variações do mesmo objeto.

A mulher tipo Atenas num setor acadêmico é provavelmente uma pesquisadora capacitada. Com sua maneira lógica de abordar e a atenção para os detalhes, torna-se natural para ela fazer experiências ou coligir dados. Seus campos de interesse são usualmente aqueles que valorizam a clareza do pensamento e o uso da evidência. Ela tende a ser boa em matemática e ciências, e pode partir para o comércio, advocacia, engenharia, ou medicina, profissões tradicionalmente masculinas, ramos em que se sente bastante confortável como uma das poucas mulheres no setor.

Relacionamento com mulheres: distante ou evitado

A mulher tipo Atenas em geral tem falta de amigas íntimas, um padrão que deve ter sido observado na época da puberdade, quando ela não formava elos com os melhores amigos, ou até mesmo antes. Na adolescência muitos amigos compartilham seus medos, segredos misteriosos e saudades, e também a ansiedade sobre a modificação de seus corpos, problemas com os pais e futuro incerto. Interesses pelos rapazes, sexo e drogas são as ansiedades primárias para algumas garotas. Outras estão no meio de revoltas poéticas ou criativas, ou preocupadas com pensamentos a respeito da morte, insanidade, misticismo ou conflito religioso. Todos são tópicos a serem discutidos com amigos que têm interesses semelhantes, não com um observador sem romantismo ou racionalista cético, tal como a jovem Atenas.

Além do mais, na mitologia grega, certa vez Atenas teve uma amiga que era como irmã, chamada Iodama ou Palas. A duas estavam envolvidas num jogo competitivo, terminando mortalmente quando a lança de Atenas acidentalmente atingiu e matou sua amiga. Uma versão da origem do nome "Palas Atenas" é o da homenagem à sua amiga. Como no mito, se a falta de empatia da jovem Atenas não mata seu potencial de amizade com outras jovens, sua necessidade de vencer pode fazê-lo. Na vida real, a mulher amiga pode tornar-se intimidada quando sua companheira tipo Atenas se esquece da importância de seu relacionamento e se concentra no vencer, algumas vezes até mesmo pela decepção, revelando um lado de sua personalidade que mata a amizade.

Uma falta de afinidade com outras mulheres começou na infância com a admiração pelos pais ou afinidade com eles, e/ou com a dessemelhança de personalidade e intelecto entre elas e suas mães. Essa tendência então se junta a uma falta de amizades femininas íntimas. Como conseqüência, as mulheres tipo Atenas não se sentem como irmãs e se exasperam com outras mulheres. Elas não se sentem parecidas nem com as mulheres tradicionais e nem com as feministas, com as quais elas podem talvez se assemelhar, especialmente quando são mulheres de carreira. A "irmandade", portanto, é um conceito estranho a muitas mulheres tipo Atenas.

Na mitologia, Atenas deu o voto decisivo para o patriarcado no processo de Orestes. Nos tempos contemporâneos, tem sido muitas vezes uma mulher tipo Atenas que, ao falar contra a ação afirmativa, a Emenda dos Direitos de Igualdade (ERA) e o direito ao aborto, foi decisiva para vencer a posição feminista. Lembro-me de quão efetiva foi Atenas quando fui uma patrocinadora da *ERA*. A mulher tipo Atenas erguer-se-ia para falar com tal exclamação: "Sou mulher e sou contra a *ERA*!" E na maior parte os do sexo masculino e mormente a silenciosa oposição zombaria por trás dela. A cada momento ela era a equivalente local de Phyllis Schlafly no seu papel de defensora do patriarcal "status quo" e em sua costumeira posição de mulher-colega com quem os homens se sentiam mais à vontade.

A estória de Aracne, a tecelã que foi transformada em aranha por Atenas por ousar tornar públicas as seduções e violações de Zeus, é outro mito com paralelos contemporâneos. Uma estudante ou secretária podem registrar uma queixa de hostilidade sexual contra seu professor ou empregador. Uma filha pode revelar incesto na família e suscitar atenção hostil para o comportamento de seu pai (muitas vezes proeminente). Ou uma paciente pode relatar que seu psiquiatra agiu sem ética tendo relações sexuais com ela. Tal mulher, como Aracne, é uma "qualquer" que põe em perigo o comportamento de um homem poderoso que em particular tira proveito de sua posição dominante para intimidar sexualmente, seduzir ou desarmar as mulheres vulneráveis.

A mulher tipo Atenas está freqüentemente zangada com a mulher que se queixa, mais do que com o homem contra o qual é feita a queixa. Ela pode culpar a vítima feminina por provocar o acontecimento. Ou, mais tipicamente, como a própria deusa, ela fica enraivecida porque a mulher tornaria pública uma ação que submete o homem à crítica.

As feministas reagem com raiva às bem sucedidas carreiras das mulheres Atenas. Estas, de um lado defendem o "status quo", posições patriarcais em decisões políticas envolvendo as mulheres e, por outro lado, parecem obter os maiores benefícios da influência dos movimentos das mulheres na educação, oportunidades e progresso. A primeira mulher a ter acesso ou reconhecimento numa situação dominada pelo sexo masculino, muitas vezes é aquela que as feministas descrevem como a "abelha rainha". Tais mulheres não ajudam suas "irmãs" a progredir. Na verdade, elas podem tornar o progresso geral mais difícil.

Relacionamento com homens: somente os heróis têm vez

A mulher tipo Atenas sente-se atraída pelos homens bem sucedidos. Na faculdade ela tende àquele que é a sumidade no departamento. Nas firmas é atraída para o homem em ascensão e que será um dia o cabeça da corporação. Ela tem cautelosa habilidade de designar de antemão os vencedores. É atraída pelo poder, ou procura-o por si mesmo, muitas vezes com o auxílio de um mentor bem sucedido e mais velho ou, mais tradicionalmente, como companheira, esposa, secretária executiva, ou aliada de um homem ambicioso e capacitado. Para as mulheres tipo Atenas, como o antigo Secretário de Estado Henry Kissinger observou, "o poder é o melhor afrodisíaco".

As mulheres tipo Atenas não têm paciência com pessoas idiotas. Elas são impacientes com os sonhadores, não se impressionam com homens que estão em busca de alguma coisa relativa a qualquer outro mundo e não simpatizam com os homens que têm compaixão demasiada na hora de agir decisivamente. Não consideram como pessoas românticas os poetas que passam fome, nem são fascinadas por eternos adolescentes disfarçados de adultos. Para a mulher tipo Atenas "bom coração", "neurótico", ou "sensível" são adjetivos para descrever "os perdedores". Em relação aos homens, somente os heróis têm vez.

A mulher tipo Atenas usualmente escolhe seu homem. Ela pode fazer isso recusando encontro marcado ou oportunidades de trabalho com homens que não satisfazem seus padrões de sucesso ou potencial para o sucesso; ou pode enfocar a mira num determinado homem, com sutil estratégia para que ele permaneça inconsciente, acreditando que foi ele quem a escolheu. Com o mesmo senso de oportunidade de uma negociadora sensível que conhece seu homem, ela pode ser aquela que traz à baila o assunto do casamento ou de uma aliança de trabalho.

Se escolher tornar-se sua protegida nos negócios ou secretária, encontra oportunidade para impressioná-lo com suas capacidades e rigoroso trabalho. Uma vez na proximidade dele, luta por tornar-se indispensável a ele, papel que, uma vez conquistado, lhe dá igual satisfação emocional e satisfação de trabalho. Ser uma "office-wife" ou segunda mandatária dá à mulher tipo Atenas sentimento de poder e afiliação a um "grande homem" escolhido, a quem ela deve devotar lealdade por toda a vida.

A mulher tipo Atenas adora discutir a estratégia e ser informada do que acontece por trás da cena. Seu conselho e deliberação podem ser bastante perceptivos e úteis, tanto quanto potencialmente desumanos. Ela valoriza os homens que vão atrás do que elas querem, que são fortes e possuem muitos recursos. Para algumas mulheres tipo Atenas, quanto mais parecido ao "astuto Odisseu" seu homem vier a ser, tanto melhor.

Sexualidade

A mulher tipo Atenas tem opinião própria e freqüentemente não está a par de seu corpo. Considera o corpo uma parte utilitária de si mesma, e não toma consciência dele até que ele fique doente ou ferido. Tipicamente, ela não é uma mulher sensual ou "sexy", nem é dada ao flerte ou ao romantismo.

Ela gosta dos homens como amigos ou mentores, e não tanto como amantes. Diferentemente de Ártemis, raramente considera o sexo um esporte ou uma aventura recreativa. Como a mulher tipo Ártemis, ela precisa de Afrodite ou de Hera como arquétipos ativos para que a sexualidade se torne uma expressão de atração erótica ou compromisso emocional. Caso contrário, o sexo é "um aspecto de um acordo" inerente numa ligação particular, ou é um ato calculado. Em qualquer caso, uma vez que resolva ser sexualmente ativa ela aprende habilidosamente como fazer amor.

A mulher tipo Atenas freqüentemente permanece celibatária por longos períodos na sua vida de adulta, enquanto enfoca seus esforços na carreira. Se for uma devota secretária executiva ou assistente administrativa de um grande homem escolhido, ela pode permanecer uma "office-wife" celibatária.

Se a mulher permanece identificada com Atenas, sua atitude com respeito à sexualidade pode ser aproximadamente a mesma que com outras funções corporais — alguma coisa que é feita regularmente e que é bom para ela. É também parte de seu papel como esposa.

Atenas parece bem representada entre as mulheres lésbicas, ao contrário do que se poderia esperar, dado as lealdades patriarcais da mulher tipo Atenas, a afinidade com os heróis e a falta de sentimento fraternal. A mulher tipo Atenas e lésbica tem a tendência de ter uma parceira parecida com ela. Elas podem ser ambas mulheres profissionais, altas realizadoras que começaram como colegas antes de se tornarem amantes.

Em suas ligações, as mulheres tipo Atenas e lésbicas podem admirar as qualidades e o sucesso "heróicos" da outra ou podem ser atraídas para o intelecto da outra. O companheirismo e a lealdade, mais do que a paixão, as mantêm juntas; o sexo entre elas pode decair até desaparecer. É provável que mantenham a natureza homossexual de suas relações oculta dos outros. A ligação delas é muitas vezes duradoura, sobrevivendo às separações causadas pelas exigências da carreira.

Casamento

Quando as mulheres não tinham muita oportunidade de serem bem sucedidas em suas próprias carreiras, muitas mulheres tipo Atenas faziam bons casamentos. Casavam-se com homens que trabalhavam muitíssimo e os respeitavam. Outrora, como hoje, é mais provável que o casamento da mulher tipo Atenas seja mais uma parceria amistosa do que uma união apaixonada.

As chances são de que ela tenha penetrado no interior dele com bastante esmero e que eles sejam bastante compatíveis. Ela é sua aliada e companheira, uma esposa vitalmente interessada em sua carreira ou negócios, que planeja minuciosamente a estratégia com ele sobre como progredirem e trabalhará ao seu lado, se necessário. Como Atenas, que refreou o enraivecido Aquiles quando ele estava para atacar seu chefe Agamêmnon, ela pode também sabiamente impedi-lo de uma ação precipitada ou impulsiva.

Se o marido for mais velho e bem estabelecido na época do casamento, envolvido em negociações muito complicadas e sofisticadas ou técnicas, o principal papel de uma esposa tipo Atenas será o de ser sua aliada social. Sua tarefa então é ser um componente social, para entreter bem e ser seu braço direito ao manter importantes alianças sociais.

Além de aconselhar seu marido ou tratar do entretenimento para o progresso de sua carreira, ele dirige o lar e suas atividades de modo muito competente. Acha fácil acompanhar o curso do orçamento e das tarefas, dada a sua atenção ao detalhe e à maneira prática de abordar. Ela também gera e cria os filhos ou herdeiros como parte da parceria.

A comunicação entre a esposa tipo Atenas e seu marido sobre os acontecimentos é em geral excelente. Mas a comunicação a respeito dos sentimentos pode praticamente não existir, ou porque ele menospreza os sentimentos, como ela, ou porque aprendeu que ela não entende de sentimentos.

As mulheres tipo Hera e as mulheres tipo Atenas são atraídas por homens de poder e autoridade, como Zeus. Contudo, o que elas esperam dele e a natureza da relação que cada uma tem com ele é amplamente diferente. A mulher tipo Hera transforma o homem num deus pessoal, responsável por satisfazê-la — o afeto que ela sente por ele é uma conexão profunda, instintiva. Quando informada de que ele é infiel, sente mágoa no coração e se enraivece com a outra mulher, que assume grande importância aos seus olhos.

Em contraste, a mulher tipo Atenas é praticamente impermeável ao ciúme sexual. Ela vê seu casamento como uma associação mútua vantajosa. Usualmente dá e espera lealdade, que ela pode não equacionar com fidelidade sexual. Também acha difícil acreditar que será substituída por uma atração passageira.

Jacqueline Kennedy Onassis parece ser mulher tipo Atenas. Casou-se com o senador John F. Kennedy, que se tornou presidente dos Estados Unidos. Mais tarde tornou-se esposa de Aristóteles Onassis, reputado como um dos homens mais ricos, desumanos e poderosos do mundo. Sabia-se que ambos tinham aventuras amorosas extraconjugais. Kennedy era cometedor de adultérios, com numerosas ligações, e Onassis tinha um romance bastante divulgado com a cantora de ópera Maria Callas. A menos que Jacqueline Onassis fosse uma atriz consagrada, ela parece não ter sido vingativa com as outras mulheres. Sua aparente falta de ciúme e rancor, mais a escolha de homens poderosos, são características da mulher tipo Atenas. Enquanto o casamento em si não for ameaçado, a mulher tipo Atenas pode racionalizar e aceitar o fato de uma amante.

Às vezes, contudo, a mulher tipo Atenas menospreza grandemente o significado do interesse do seu marido por outra mulher. Em certo ponto ela é cega. Sendo ela própria intocável pela paixão, não pode calcular sua importância para alguém mais. Ademais, ela tem uma falta de empatia ou compaixão pelos sentimentos vulneráveis ou valores espirituais que podem ter um significado especial para seu marido. Esta falta de entendimento pode pegá-la despreparada quando, ao contrário de suas expectativas, seu marido quer se divorciar dela e casar-se com outra mulher.

Quando a decisão do divórcio é tomada pela mulher tipo Atenas, ela é capaz de repelir um marido por quem é "bastante apaixonada" com relativamente pouca emoção ou pesar. Certamente foi essa a impressão dada por uma corretora de valores de trinta e um anos de idade que eu conheci. Ela vivia um casamento no qual ambos tinham suas carreiras, até que o marido, executivo de publicidade, foi despedido. Ele andava de um lado para outro em vez de procurar emprego, e ela cada vez mais infeliz e desrespeitosa para com ele. Depois de um ano ela lhe disse que queria o divórcio. Sua atitude foi semelhante à de um homem de negócios que despede uma pessoa incapaz de executar as responsabilidades do trabalho, ou que substitui o trabalhador quando um homem melhor se apresenta para o trabalho. Ela estava tristemente relutante em lhe dizer e achou a confrontação penosa, ainda que sua conclusão inevitável fosse a de que ele deveria partir. E, uma vez que a desagradável tarefa foi cumprida, ela experimentou um sentimento de alívio.

Quer ela incite o divórcio ou não, a mulher tipo Atenas lida competentemente com a situação. As decisões são geralmente negociadas sem rancor ou amargura. Ela não se sente pessoalmente destruída até mesmo se ele a deixar por alguma outra. Pode permanecer em bom entendimento com o ex-marido, e pode até mesmo continuar uma sociedade comercial.

O casamento em que cada qual tem a sua profissão, onde o marido e a esposa estão seriamente envolvidos nas carreiras, é fenômeno relativamente novo. As mulheres tipo Atenas podem ser mais bem sucedidas do que outras nesse tipo de casamento. Exige-se a mente de uma Atenas para planejar e levar a cabo a logística de ter dois parceiros trabalhadores, com metas a longo prazo e com horários que podem não estar de acordo com um padrão de trabalho das 9 às 5, ao mesmo tempo mantendo o vestuário e a presença social da classe profissional em ascensão social. As mulheres tipo Atenas tendem a ser mais conservadoras quanto aos papéis tradicionais, e são menos prováveis de fazerem exigências igualitárias por questão de princípio. Contudo, a mulher tipo Atenas, num casamento em que cada qual tem sua profissão, usualmente negligencia os assuntos domésticos, contrata auxílio eficiente, dá a impressão de ser uma super-mulher enquanto cuida de sua própria carreira e de seu lar, trabalha como aliada de seu marido e como valorosa confidente.

Filhos

Como mãe, a mulher tipo Atenas não vê a hora de seus filhos chegarem à idade em que ela poderá falar com eles, juntos fazerem projetos, e levá-los a ver o que há para ser visto. Ela é o oposto de uma Deméter "mãe da terra", que instintivamente procura ser mãe, adora carregar os bebês e deseja que eles jamais cresçam. A mulher tipo Atenas, ao contrário, alugaria um ventre se isso fosse possível, contanto que ela pudesse estar certa do parentesco da criança. E ela usa mães substitutas, contratando empregadas e pajens para tomar conta das crianças.

A mãe tipo Atenas brilha quando tem filhos competitivos, extrovertidos e intelectualmente curiosos. Eles são seus nascentes heróis ainda em formação, que aproveitam sua habilidade de ensinar, aconselhar, inspirar e exortá-los a se sobressaírem. Ela está apta a reforçar o comportamento masculino estereotipado em seus filhos, dando-lhes cedo a mensagem de que "homens fortes não choram".

As mães tipo Atenas também se dão bem com as filhas que, como elas, são filhas independentes que compartilham a maneira lógica de abordar de suas mães. Tais mulheres podem ser modelos e mentoras para filhas que são como elas mesmas. Algumas mães tipo Atenas, contudo, têm filhas que são bem diferentes delas mesmas. Tais filhas, por exemplo, podem ser por natureza mais interessadas no que as pessoas sentem do que no como as coisas funcionam, e podem não ser positivas ou intelectuais. Com uma filha tradicional, a mãe tipo Atenas se dá menos bem. Ela pode ser divertida e tolerante para com uma filha que é diferente dela. Ou pode não fazer caso da filha e favorecer um filho. De qualquer modo, a filha sente distância emocional e que não é valorizada pelo modo como ela é.

A mulher tipo Atenas acha difícil lidar com filhos ou filhas que são facilmente tocados pelos sentimentos. A situação é mais difícil, é claro, para as crianças. Se elas aceitam seus padrões, provavelmente vão crescer desvalorizando-se por serem crianças choronas, e por serem hipersensíveis como quando adultas. Sua mente prática também a torna impaciente com a criança sonhadora, que vive a fantasiar.

A mãe tipo Atenas espera que seus filhos façam o que se espera deles, superando os acontecimentos que evocam emoção em suas vidas, e serem "bons soldados", como ela própria.

A meia-idade

Freqüentemente a mulher tipo Atenas acha que a meia-idade é a melhor época de sua vida. Com sua habilidade de ver as coisas como elas são, ela raramente tem ilusões a serem desencantadas. Se tudo sai de acordo com o plano, sua vida desenvolve-se de maneira ordenada.

Na meia-idade, a mulher tipo Atenas usualmente não se apressa em avaliar sua situação. Ela reconsidera todas as opções e depois faz transição positivamente ordenada para a fase seguinte. Se o trabalho for seu interesse fundamental, ela está no meio da carreira, e pode agora ver a sua trajetória: a que altura ela pode se elevar, quão segura é a sua situação, para onde a afinidade com um mentor pode levá-la. Se ela for mãe, como seus filhos já cresceram, provavelmente assumiu projetos aos quais pode devotar mais tempo, uma vez que as crianças precisam menos dela.

Contudo, a meia-idade para a mulher tipo Atenas pode inesperadamente se transformar numa crise. Ela pode se achar no meio de uma crise conjugal que pode agitar sua serenidade e expo-la a sentimentos mais profundos. Freqüentemente as crises do marido fomentam as dela. O casamento amigável, que foi uma aliança bem sucedida para ambos, pode agora se tornar insatisfatório para ele. Ele pode agora sentir a falta de paixão em seu casamento e sentir-se atraído por outra mulher que o excita romântica e eroticamente. Se a mulher permanece verdadeira à sua natureza de Atenas, sua resposta será agüentar sensivelmente. Contudo, na meia-idade outras deusas são mais facilmente ativadas, e pela primeira vez na vida ela pode reagir imprevisivelmente.

A menopausa não é motivo de pesar, porque ela nunca definiu a si mesma em primeiro lugar. Nem a juventude ou a beleza são essenciais para a auto-estima da mulher tipo Atenas, que tem por base sua inteligência, competência e muitas vezes a indispensabilidade. Por essa razão, o tornar-se velha não é uma perda para muitas mulheres tipo Atenas. Ao contrário, por estar mais poderosa, útil ou influente em sua meia-idade do que enquanto na adolescência, sua confiança e bem-estar podem ainda ser acentuados durante esses anos, quando outras mulheres estão ansiosas pelo fato de parecerem mais velhas e menos desejáveis.

A velhice

A mulher tipo Atenas muda muito pouco durante décadas. Ela permanece pela vida afora uma mulher ativa, prática, que põe mão à obra, primeiro no lar e no trabalho, e depois muitas vezes como voluntária na comunidade. Ela é sempre uma patrocinadora de instituições tradicionais, mais provavelmente daquelas positivamente conservadoras. A mulher casada tipo Atenas das classes média e alta é o suporte das obras de caridade voluntárias e das igrejas. Ela ajuda a dirigir auxílios hospitalares, instituições de caridade e Cruz Vermelha, tornando-se mais notável quando fica mais velha.

Quando os filhos crescem e mudam, a mulher tipo Atenas não lamenta o ninho vazio. Agora ela tem tempo para mais projetos, estudos ou trabalhos que ela aprecia. Usualmente suas afinidades com os filhos adultos são afáveis. Porque ela os encorajou a serem independentes e auto-suficientes e nunca foi intrusa nem encorajou a dependência, a maioria de seus filhos e netos não têm problemas com ela. Eles usualmente a respeitam e gostam dela. Embora muitas vezes não demonstre e não exteriorize muito sentimento, mantém o contato familiar e a comunicação sobre os acontecimentos e, ao mesmo tempo, mantém as comemorações familiares e as tradições.

Nos anos mais avançados, muitas mulheres tipo Atenas tornam-se respeitáveis pilares da comunidade. Algumas poucas tornam-se mulheres ocupadas com negócios e são ridicularizadas por fazerem perguntas oportunas nas reuniões de acionistas. Elas não serão desconcertadas pelo contra-senso de outras pessoas ou pelo pensamento confuso, e a persistência delas é especialmente irritante para os homens que exercem autoridade.

Quando a viuvez chega, a mulher tipo Atenas usualmente já a antecipou. A mulher tipo Atenas sabe que a expectativa de sua vida é mais longa do que a de um homem e, porque deve ter-se casado com um homem mais velho do que ela, não é pega desavisada ou despreparada pela viuvez. Ela é a viúva que administra seu próprio dinheiro, que investe na bolsa de valores, que dá continuidade aos negócios da família ou ao seu.

A mulher tipo Atenas viúva ou solteirona freqüentemente mora sozinha, embora mantenha vida ativa e ocupada. Sua qualidade de deusa virgem uma-em-si-mesma é apropriada para ela em seus últimos anos, quando é auto-suficiente e ativa, como quando era jovem.

Dificuldades psicológicas

A mulher tipo Atenas racional nunca perde a cabeça, coração ou autocontrole. Ela vive o meio-termo ideal e não é esmagada pela emoção ou pelos sentimentos irracionais. Muitas das outras deusas (exceto Héstia) desencadearam suas emoções nos outros e causaram sofrimento, ou foram vitimadas e sofreram. As mulheres que são como elas têm da mesma forma potencial para causarem sofrimento ou para sofrerem. Atenas é diferente: é invulnerável, indiferente às emoções irracionais ou opressivas, e suas ações são mais deliberadas que impulsivas. Desde que a mulher que se assemelha a Atenas compartilha seus atributos, ela também não se torna vítima dos outros e nem de suas próprias emoções. Seus problemas originam-se de seus próprios traços de temperamento, por usar a "égide e couraça" psicologicamente. O desenvolvimento unilateral pode desligá-la dos aspectos de si mesma que necessitam crescer.

Identificação com Atenas

Viver "como Atenas" significa viver inteligentemente e agir premeditadamente no mundo. A mulher que age assim leva uma vida unilateral e vive para o seu trabalho. Ainda que aprecie a companhia de outros, tem falta de intensidade emocional, atração erótica, intimidade, paixão ou êxtase. Ela também é poupada do profundo desespero e sofrimento que podem acompanhar as ligações com os outros ou a necessidade deles. A exclusiva identificação com a racional Atenas desliga a mulher de toda a cadeia e intensidade da emoção humana. Seus sentimentos são bem modulados por Atenas, limitados ao meio-termo. Então ela se desliga da empatia com os profundos sentimentos de qualquer outra pessoa, de ser afetada pela arte ou pela música que expressa sentimentos intensos, e de ser persuadida pela experiência mística.

Agindo intelectualmente, a mulher tipo Atenas perde a experiência de realizar-se na íntegra quanto a seu corpo. Ela sabe pouco sobre sensualidade. Atenas mantém a mulher "acima" do nível instintivo, e portanto ela não sente a força total dos instintos maternais, sexuais, ou procriativos.

Para desenvolver-se além de Atenas, a mulher precisa desenvolver outros aspectos de si mesma. Ela pode fazer isso gradualmente, se compreender que Atenas a limita e se for receptiva às perspectivas dos outros. Quando as pessoas falam de emoções e de experiências que são profundamente significativas e desconhecidas dela, ela precisa fazer esforço para imaginar sobre o que estão falando. Precisa reconhecer que suas demandas pela comprovação e seu ceticismo a distanciam dos outros e de seu potencial, até agora não desenvolvido para a profundeza espiritual e emocional.

A mulher tipo Atenas algumas vezes cresce além de Atenas inesperada ou traumaticamente, sob a pressão das circunstâncias que a inundam de sentimentos do inconsciente. Por exemplo, sua filha pode ficar ameaçada por uma doença ou ser ofendida por alguém. Se um instinto protetor surgir de suas profundezas arquetípicas, que é tão feroz quanto ao de uma enfurecida mãe ursa, ela descobre que este aspecto de Ártemis é parte dela. Ou se seu casamento amigável é ameaçado por outra mulher, ela pode ser tomada pelos sentimentos magoados e vingativos de Hera, em vez de permanecer a racional Atenas, vivendo seu dia-a-dia. Ou ela pode tomar uma droga e ficar mergulhada num estado alterado de consciência que causa medo ou a assusta.

O efeito medusa

A mulher tipo Atenas tem habilidade para intimidar os outros e afastar a espontaneidade, a vitalidade e a criatividade das pessoas que não são como ela. Este é seu efeito medusa.

Em seu peitoral, a deusa Atenas usava um símbolo de seu poder — a égide, uma pele de cabra decorada com a cabeça de Górgona, a cabeça da Medusa. Esta era um monstro com serpentes ao invés de cabelo, cuja aparência terrível transformava em pedra qualquer pessoa que olhasse para ela. A Górgona é também um aspecto da mulher tipo Atenas. Metaforicamente, ela também tem o poder de desvitalizar a experiência dos outros, de esfriar a conversa e transformar uma relação num quadro estático. Através de seu enfoque nos fatos e detalhes, sua necessidade de premissas lógicas e racionalidade, ela pode transformar uma conversa numa exposição seca e cheia de detalhes. Ou pode ser devastadoramente insensível e portanto mudar dramaticamente a atmosfera, de profundamente pessoal para superficial e distante. Com sua atitude crítica e perguntas dissecadoras, a mulher tipo Atenas pode não intencional e inconscientemente rebaixar a experiência subjetiva de outra pessoa. Ela pode não ter empatia quanto aos pontos de debate espirituais ou morais que outros consideram de importância vital, intolerante aos problemas que as pessoas têm em seus relacionamentos e crítica de qualquer fraqueza. Tal falta de empatia é destruidora.

Quando a ocasião é meramente social, esse desvitalizante efeito medusa pode simplesmente entediar ou enfurecer. Contudo, quando a mulher tipo Atenas está numa posição de autoridade e julgamento, ela pode se voltar ao total poder da medusa Górgona para amedrontar e petrificar. Por exemplo, ela pode estar conduzindo uma entrevista crucial com sérias conseqüências. Quando uma pessoa é examinada pelo "olhar górgona de Atenas", ele ou ela sente-se sob uma lente de aumento de uma mente analítica, impessoal, cujas perguntas parecem inflexivelmente dirigidas a descobrir falhas. Confrontado o que sente com um intelecto dissecante e um coração de pedra, a pessoa pode sentir-se "transformada em pedra".

Certa vez uma de minhas colegas descreveu a desafortunada experiência de encontrar a medusa Górgona em uma reunião de avaliação de carreira. Ora, essa colega é uma terapeuta que trabalha muito bem com pacientes seriamente perturbados. Intuitivamente capaz de compreender o significado simbólico e as emoções que se acham por trás do comportamento irracional, ela age belamente com os pacientes. Contudo, descrevendo uma entrevista com certa mulher tipo Atenas, ela disse: "Deu um branco em minha mente. Eu estava por um momento literalmente muda, não podia pensar direito ou encontrar palavras... Não me saí nada bem". Mais freqüentemente do que o usual, quando uma pessoa sente-se transformada em pedra pelo olhar perscrutador e julgamental de alguém que tem o poder de destruir o avanço de uma carreira ou possibilidade educacional, esse alguém é um homem que sustenta o arquétipo de Zeus e "usa a égide".

Mas, como as mulheres estão ganhando mais acesso ao poder, a égide pode ser progressivamente usada pelas mulheres. E se estão agindo como Atenas, elas bem podem ter um efeito medusa.

Freqüentemente a mulher tipo Atenas que está provocando o efeito medusa é inconsciente do seu poder negativo. Não é sua intenção intimidar e aterrorizar. Ela está simplesmente fazendo bem seu trabalho, enquanto ela o vê — coligindo os fatos, examinando as premissas, desafiando como o material é estruturado e mantido pela evidência. Mas sem saber ela pode estar cumprindo a observação de Goethe de que nós assassinamos quando dissecamos. Com sua atitude objetiva e questões incisivas, ela despreza esforços para criar comunicação. Portanto ela mata o potencial da verdadeira comunicação, no qual a essência de qualquer assunto, ou a alma da pessoa, pode ser compartilhada.

Às vezes falo com uma paciente que é puramente intelectual na maneira de abordar, que me dá um relatório real de sua vida, um relatório de conhecimentos sem emoção, deixando de lado os sentimentos. Descobri que devo fazer um esforço para permanecer relacionada com ela, lutando para superar o tédio produzido quando não há "vida", nenhuma intensidade de sentimento ligada ao que aconteceu. O que é sem vida nela tem efeito entorpecedor em mim. Quando me sinto "tornando-me pedra", — reconheço imediatamente que este é um problema que ela traz para todo relacionamento. É por isso que sua vida necessita de intimidade e ela está muitas vezes solitária. Quando a mulher está metaforicamente usando a couraça de Atenas com a égide da medusa em seu peito, ela não está mostrando qualquer vulnerabilidade. Suas bem couraçadas (usualmente intelectuais) defesas levantadas e sua autoridade e olhar fixo e crítico mantêm os outros numa distância emocional. Se for assombrada pelo efeito medusa nos outros, a mulher tipo Atenas faria melhor se lembrasse que a couraça da Górgona era alguma coisa que Atenas vestia e que poderia tirar. Da mesma forma, se a mulher tipo Atenas "tira sua couraça e escudo", ela não mais terá o efeito medusa. Seu efeito medusa acaba quando ela não mais se põe a julgar os outros, interiormente clamando autoridade para validar ou invalidar o modo como as outras pessoas sentem ou pensam ou vivem. Quando ela se torna ciente de que tem alguma coisa a aprender com as outras pessoas e a compartilhar com elas, e portanto é envolvida como uma igual, ela terá mudado sua couraça de Górgona e seu efeito medusa.

Astúcia: "faça o que funciona"

A mulher tipo Atenas com um objetivo a alcançar ou um problema a resolver lida quase que exclusivamente com as perguntas: "Como posso fazer isso?" e "Isso funcionará?" Ela pode se tornar astuciosa ou inescrupulosa para alcançar seus objetivos ou derrotar suas rivais.

Essa astúcia era característica da deusa Atenas. Por exemplo, no clímax da confrontação da guerra troiana entre o herói grego Aquiles e o mais notável herói troiano Heitor, Atenas usou decididamente "táticas sujas" para ajudar Aquiles a vencer. Enganou Heitor para ele acreditar que seu irmão estava ao seu lado junto com o porta-lança quando ele se defrontou com Aquiles. Então, depois que tinha atirado sua única lança e se virado para seu "irmão" a fim de obter outra, Heitor descobriu que estava sozinho e reconheceu que seu fim estava próximo.

Não dizia respeito à deusa perguntar: "Isto é íntegro?" ou "Isto é moral?" O que importava é se a coisa era uma estratégia efetiva. O lado sombrio da mulher tipo Atenas está relacionado com esse aspecto de Atenas.

Quando ela avalia o comportamento de outras pessoas, a efetividade é o critério principal. Não é parte de sua natureza pensante estar preocupada com notar valores tais como certo ou errado, bom ou mau. Ela, portanto, tem dificuldade de entender por que as pessoas se sentem insultadas pelo comportamento não ético ou imoral, especialmente quando ele não as afeta pessoalmente. Ela também não compreende por que alguém se incomodaria em perguntar sobre a "legitimidade da coisa", ou sobre os meios usados para alcançar um fim desejado.

Portanto, se ela fosse uma estudante dos anos 70, quando suas colegas iam às ruas em protesto contra a guerra do Vietnã ou a invasão do Cambodja, ou eram insultadas pelas revelações do Watergate, ela provavelmente não estaria envolvida. Outros a teriam considerado indiferente, quando ela — coerente com sua forma de Atenas — nem era tocada pelo contágio com os sentimentos dos outros, nem ficava perturbada em si mesma. Ao contrário, ela estaria na sala de aula ou no laboratório, perseguindo os objetivos de sua carreira.

Caminhos para o crescimento

Crescer além das limitações de uma deusa através do cultivo de outras é possibilidade que todos os tipos de deusa compartilham. Mas a mulher tipo Atenas tem diversas direções específicas que ela pode considerar.

Voltar-se para o interior

A mulher tipo Atenas pode se envolver nos jogos de poder, leis e política, e descobre que está sempre trabalhando, falando de negócios ou trazendo para casa o trabalho do escritório. Ela pode sentir pouco depois que sua mente nunca descansa: "Minha cabeça está sempre funcionando". Quando compreende quão totalmente consumidor é seu trabalho e sente necessidade de mais equilíbrio, Atenas, como deusa das artes, proporciona direção psicológica para afastar a mente dos negócios.

Para Atenas, a mais gratificante de todas as habilidades era a tecelagem. "De todas as atividades que eu possa pensar ela é a mais tranqüilizadora. Entro no ritmo do tear, minha mente fica absorvida e vazia, ao mesmo tempo que minhas mãos ficam ocupadas. No final tenho uma bonita tapeçaria".

Outra mulher tipo Atenas pode achar que costurar a liberta de outros interesses profissionais. Ela acha que fazer suas próprias roupas é ao mesmo tempo prático e criativo. Agrada-lhe usar o melhor material e ter como produto final um casaco ou vestido de qualidade que lhe teria custado dez vezes o que ela pagou pelo material. Ela é infinitamente paciente quando costura e meio seriamente chama a isso de "terapia", porque permite afastá-la dos problemas do trabalho e penetrar num outro estado de mente. Fazer cerâmica é ainda outro modo de estar em contato com esse aspecto de Atenas. Na verdade, qualquer artesanato oferece à mulher tipo Atenas um equilíbrio interior do enfoque exterior.

Recuperar a criança

A deusa Atenas nunca foi criança; nasceu já como adulta. Essa metáfora não está muito longe da verdadeira experiência da mulher tipo Atenas. Desde que se conhece por gente ela se recorda de "desvendar os mistérios" ou "ser esperta a respeito de tudo". Mas uma menina verbal com mente prática muitas vezes perde áreas totais de experiências subjetivas que ela pode eventualmente querer quando adulta. Pode precisar descobrir em si própria a criança que nunca foi, uma criança que pode ficar confusa ou encantada com alguma coisa nova.

Para recuperar a criança, a mulher tipo Atenas deve parar de abordar novas experiências como o faria um "adulto sensato", modo que ela usa desde criança. Ao contrário, precisa abordar a vida como se ela fosse uma criança estarrecida e tudo fosse novo e ainda por ser descoberto. Quando uma criança está fascinada por alguma coisa nova, ela capta tudo. Ao contrário de Atenas, ela não tem uma noção preconcebida do que isso seria, não é cética, e não põe rótulos velhos e familiares na experiência e depois a arquiva. Quando alguém está falando sobre alguma coisa que ela não experimentou, a mulher tipo Atenas deve aprender a ouvir e imaginar o melhor que puder tanto a cena como os sentimentos descritos. Quando está vivendo em momento emocional, ela deve tentar permanecer nele e deixar que os outros a confortem. Para redescobrir sua criança perdida, ela precisa brincar e rir, chorar e ser acariciada.

Descobrir a mãe

Na mitologia, a deusa Atenas era uma filha sem mãe, e sentia orgulho por ter apenas Zeus como pai. Ela não tinha conhecimento de sua mãe Métis, a quem Zeus tinha engolido. Metaforicamente as mulheres tipo Atenas são "órfãs de mãe" de muitos modos; elas precisam descobrir a mãe e valorizá-la, e se permitirem ser mimadas.

A mulher tipo Atenas freqüentemente deprecia sua própria mãe. Ela precisa descobrir as energias de sua mãe, muitas vezes antes que possa valorizar quaisquer semelhanças entre a mãe e ela mesma. Muitas vezes ela necessita de conexão com um arquétipo materno (personificado pela deusa Deméter), uma conexão que ela deve sentir em si própria para experienciar a maternidade e sentir-se mãe profunda e instintivamente. Christine Downing, autora de *The Goddess,* chama a essa tarefa de "a re-lembrança de Atenas", que ela explica como "redescoberta da relação com o feminino, com a mãe, com Métis".[6]

6. Christine Downing, "Dear Grey Eyes: A Revaluation of Pallas Athene", in *The Goddess.* Crossroad, New York, 1981, p. 117.

É útil para a mulher tipo Atenas aprender que os valores femininos matriarcais, que existiram antes que a mitologia grega assumisse a sua forma presente, foram absorvidos pela cultura patriarcal que ainda hoje prevalece. Sua curiosidade intelectual pode conduzi-la da história ou da psicologia em direção às idéias feministas. A partir dessa nova perspectiva, ela pode começar a pensar diferentemente sobre sua própria mãe e outras mulheres, e depois sobre si própria. Desse modo, muitas mulheres tipo Atenas se tornaram feministas. Uma vez que a mulher tipo Atenas mude seu modo de pensar, seu relacionamento com as pessoas também pode mudar.

Bibliografia

DOWNING, Christine, "Dear Grey Eyes: A Revaluation of Pallas Athene", in *The Goddess.* Crossroad, New York, 1981, pp. 99-130.

ELIAS-BUTTON, Karen, "Athene and Medusa", *Anima* 5, nº 2. Spring Equinox, 1979, pp. 118-124.

HILLMAN, James, "On the Necessity of Anormal Psichology: Ananke and Athene", in *Facing the Gods.* Ed. por James Hillman, Spring, Irving, Texas, 1980, pp. 1-38.

KERÈNYI, C., "Metis and Pallas Athene", in *The Gods of the Greeks.* Thames & Hudson, New York, 1979, pp. 118-129 (publicado originalmente em 1951).

KERÈNYI, Karl, *Athene: Virgin and Mother.* Spring, Irving, Texas, 1978.

MAYERSON, Philip, "Athena", in *Classical Mythology in Literature, Art, and Music.* Wiley, New York, 1971, pp. 169-175 e pp. 431-433

OTTO, Walter F., "Athena", in *The Homeric Gods.* Thames & Hudson, New York, em acordo com Pantheon Books, 1979, pp. 43-60.

RUPPRECHT, Carol Schreier, "The Martial Maid and the Challenge of Androgyny". *Spring,* 1974, pp. 269-293.

STEIN, Murray, "Translator's Afterthoughts", in Kerènyi, Karl, *Athene: Virgin and Mother.* Spring, Irving, Texas, 1978, pp. 71-79.

6
Héstia: deusa da lareira e do templo, mulher sábia e solteirona

A deusa Héstia

Héstia era a deusa da lareira, ou, mais especificamente, do fogo queimando numa lareira redonda. É a menos conhecida dos deuses olímpicos. Héstia e sua equivalente romana, Vesta, não foram representadas em forma humana por pintores ou escultores. Ao contrário, esta deusa se fazia representar pela chama viva no centro do lar, do templo e da cidade. O símbolo de Héstia era um círculo. Suas primeiras lareiras eram redondas, assim como seus templos. Nem o lar nem o templo ficavam santificados até que Héstia entrasse. Ela santificava ambos os lugares quando estava lá. Héstia era tanto uma presença espiritual como um fogo sagrado que proporcionava iluminação, calor e aquecimento para o alimento.

Genealogia e mitologia

Héstia era a filha primogênita de Réia e Crono, a irmã mais velha da primeira geração de deuses olímpicos, e a solteirona da segunda. Por direito de primogenitura, era uma das doze deusas olímpicas principais, mas não podia ser encontrada no monte Olimpo, e não fez nenhum protesto quando Dioniso, deus do vinho, cresceu em proeminência e a substituiu como uma das doze. Por não tomar parte nos romances e guerras que então ocupavam a mitologia grega, é a menos conhecida dos principais deuses e deusas gregas. Contudo, foi grandemente honrada, recebendo as melhores ofertas feitas pelos mortais aos deuses.

A breve mitologia de Héstia é esboçada em três hinos homéricos. Ela é descrita como "aquela virgem venerável, Héstia", uma das três que Afrodite é incapaz de dominar, persuadir, seduzir, ou ainda "provocar nela um desejo de prazer".[1]

Afrodite induziu Posídon, deus do mar, e Apolo, deus do sol, a se apaixonarem por Héstia. Ambos a queriam, mas Héstia recusou-os firmemente, prestando solene juramento de que permaneceria virgem para sempre. Então, conforme o "Hino a Afrodite" explica, "Zeus lhe concedeu um bonito privilégio, ao invés de um presente de casamento: ela tem seu lugar no centro da casa para receber o melhor em ofertas. É honrada em todos os templos dos deuses, e é uma deusa venerada por todos os mortais."[2] Os dois hinos homéricos a Héstia são invocações, convidando-a a entrar em casa ou no templo.

Rituais e culto[3]

Ao contrário dos outros deuses e deusas, Héstia não era conhecida através de seus mitos e representações. Ao contrário, a importância de Héstia é encontrada em rituais, simbolizada pelo fogo. Para que uma casa se tornasse um lar, a presença de Héstia era solicitada. Quando um casal se unia, a mãe da noiva acendia uma tocha em sua casa e a transportava diante do casal recentemente casado

1. "The Hymn to Aphrodite I", in *Homeric Hymns*. Spring, Irving, Texas, 1979, p. 70.
2. "The Hymn to Aphrodite I", p. 70.
3. Stephanie Demetrakopoulos, "Hestia, Goddes of the Hearth", *Spring*, 1979, pp. 55-75.

até sua nova casa, para que acendessem a primeira chama em seu lar. Esse ato consagrava o novo lar.

Depois que uma criança nascia, acontecia um segundo ritual. Quando a criança tinha cinco dias de idade, era levada ao redor da lareira para simbolizar sua admissão na família. Então seguia-se um festivo banquete sagrado.

Da mesma forma, cada cidade-estado grega tinha uma lareira comum com um fogo sagrado no edifício principal, onde os convidados se reuniam oficialmente. Cada colônia levava o fogo sagrado de sua cidade natal para acender o fogo da nova cidade.

Portanto, onde quer que um novo casal se aventurasse a estabelecer um novo lar, Héstia vinha com eles com o fogo sagrado, ligando o lar antigo com o novo, talvez simbolizando continuidade e ligação, consciência compartilhada e identidade comum.

Posteriormente, em Roma Héstia foi venerada como a deusa Vesta. Lá o fogo sagrado de Vesta uniu todos os cidadãos de Roma numa família. Em seus templos, o fogo sagrado era cuidado pelas virgens vestais, que eram solicitadas a personificar a virgindade e anonimidade da deusa. Em certo sentido, elas eram representações humanas da deusa; eram imagens vivas de Héstia, transcendendo a escultura ou pintura.

As meninas escolhidas para serem virgens vestais eram levadas ao templo quando eram bem jovens, em geral com menos de seis anos. Vestidas de forma igual, o cabelo aparado como novas iniciadas, o que quer que fosse distinto e individual quanto a elas era apagado. Eram deixadas à distância de outras pessoas, honradas, e esperava-se que vivessem como Héstia, com terríveis conseqüências se não permanecessem virgens.

Uma virgem vestal que tivesse relações sexuais com um homem tinha profanado a deusa. Como punição ela devia ser enterrada viva, sepultada numa área pequena e sem ar no subsolo, com luz, óleo, alimento e um lugar para dormir. A terra acima dela seria então nivelada, como se nada estivesse embaixo. Portanto, a vida de uma virgem vestal como personificação da chama sagrada de Héstia era extinta quando ela parava de personificar a deusa. Era coberta com terra como o carvão que se extingue numa lareira.

Héstia era freqüentemente parceira de Hermes, o deus mensageiro, conhecido pelos romanos como Mercúrio. Ele era uma divindade eloqüente e astuciosa, protetor e guia dos viajantes, deus do discurso e patrono dos homens de negócio e dos ladrões. Sua representação primitiva foi uma pedra em forma de pilar chamada de "herma". Nas casas, a lareira redonda de Héstia ficava no interior, enquanto o pilar fálico de Hermes ficava na entrada. O fogo de Héstia proporcionava calor e santificava a casa, enquanto Hermes permanecia à porta para trazer a fertilidade e manter fora o mal. Nos templos, essas divindades também apareciam ligadas. Em Roma, por exemplo, o santuário de Mercúrio ficava à direita dos degraus que conduziam ao templo de Vesta.

Portanto, nos lares e templos Héstia e Hermes estavam relacionados, mas separados. Cada um desempenhava uma função separada, altamente considerada. Héstia ministrava o santuário, onde as pessoas se uniam numa família, lugar considerado lar. Hermes era o protetor na porta, e o guia e companheiro no mundo, onde a comunicação, o saber se virar e ter boa sorte fazem muita diferença.

O arquétipo Héstia

A presença da deusa Héstia em casa e no templo era fundamental para a vida diária. Como presença arquetípica na personalidade da mulher, Héstia é da mesma forma importante, proporcionando-lhe sentimento de integridade e inteireza.

A deusa virgem

Héstia era a mais velha das três deusas virgens. Ao contrário de Ártemis e Atenas, ela não se aventurava pelo mundo para explorar a selva ou fundar uma cidade. Ficava dentro de casa ou do templo, encerrada dentro da lareira. Exteriormente, a anônima Héstia parecia ter pouco em comum com a ágil Ártemis ou com Atenas, de mente viva e couraça de ouro. Apesar disso, as qualidades essenciais e intangíveis eram compartilhadas por todas as três deusas virgens, embora com diferentes esferas de interesse ou métodos de ação. Cada uma tinha a qualidade de uma-em-si-mesma que caracteriza uma deusa virgem. Nenhuma delas era vitimada pelas divindades masculinas ou pelos mortais. Cada uma tinha habilidade de enfocar aquilo que lhe interessava e de se concentrar nisso, sem ser perturbada pelas necessidades dos outros ou pela necessidade de outros.

Consciência enfocada interiormente

O arquétipo de Héstia compartilha a consciência enfocada com as outras três deusas virgens (em latim a palavra para "lareira" é *focus*). Contudo, a direção interior do foco é diferente. Exteriormente orientadas, Ártemis ou Atenas enfocam alcançar objetivos ou implementar planos. Héstia se concentra em sua experiência interior subjetiva. Por exemplo, ela fica totalmente absorvida quando medita.

O modo de aprender de Héstia é olhar para o interior e sentir intuitivamente o que está se passando. O modo hestiano nos permite entrar em contato com nossos valores trazendo ao foco o que é pessoalmente significativo. Através desse enfoque interior, podemos perceber a essência da situação. Podemos também obter *insight* do temperamento de outras pessoas e ver o padrão ou sentir o significado de suas ações. Essa perspectiva interior proporciona clareza no meio da confusa miríade de detalhes que se apresentam aos nossos cinco sentidos.

A Héstia interior pode também se tornar emocionalmente imparcial ou perceptivamente desatenta aos outros ao seu redor enquanto atende a seus próprios interesses. Esse desligamento é característica de todas as três deusas virgens. Além do mais, acrescentada à sua tendência de retirar-se da companhia dos outros, a unicidade-em-si-mesma de Héstia procura calma tranqüilidade, e isso é mais facilmente encontrado na solidão.

A protetora da lareira

Como deusa da lareira, Héstia é o arquétipo ativo nas mulheres que acham que tomar conta de casa é atividade significativa e não tanto uma tarefa. Com Héstia, proteger a lareira é um meio através do qual a mulher coloca a si mesma e sua casa em ordem. A mulher que adquire um sentimento de harmonia interior conforme executa as tarefas diárias está em comunicação com esse aspecto do arquétipo de Héstia.

Cuidar dos detalhes do lar é uma atividade fundamental, equivalente à meditação. Se ela estiver articulada com seu processo interior, a mulher tipo Héstia pode escrever um livro intitulado *Zen and the Art of Housekeeping.* (Zen e a arte de cuidar da casa). Ela faz as tarefas do lar porque estas em si mesmas lhe importam, e porque lhe agrada fazê-las. Ela obtém paz interior vinda daquilo que está fazendo, como a mulher numa ordem religiosa, para quem toda atividade é feita "para o serviço de Deus". Se Héstia é o arquétipo, quando ela termina suas tarefas sente-se bem interiormente. Ao contrário, Atenas tem um sentimento de realização, e Ártemis fica simplesmente calma quando uma tarefa está terminada, livrando-a de fazer alguma coisa mais.

Quando Héstia está presente, a mulher empreende suas tarefas no lar com sensação de que há bastante tempo. Não fica com o olho no relógio, porque não tem horário nem precisa bater cartão. Conseqüentemente, ela está no que os gregos chamam de tempo *kairós* — ela está "participando no tempo", o que é psicologicamente nutritivo, como quase todas as experiências em que perdemos a noção do tempo. Conforme põe em ordem a lavanderia, lava as louças e limpa a desordem, ela sente uma absorção sem pressa e pacífica em cada tarefa.

As protetoras da lareira permanecem em segundo plano, mantendo o anonimato. São muitas vezes tomadas por garantidas e não são personalidades colunáveis ou famosas.

A protetora do templo

O arquétipo de Héstia desenvolve-se em comunidades religiosas, principalmente nas que cultivam o silêncio. As ordens católicas contemplativas e as religiões orientais cuja prática espiritual se baseia na meditação proporcionam bons ambientes para as mulheres tipo Héstia.

As virgens vestais e as freiras compartilham o padrão arquetípico de Héstia. As jovens que ingressam nos conventos desistem de suas identidades antecedentes. Seus nomes de batismo são mudados e seus sobrenomes não são mais usados. Vestem-se da mesma forma, lutam para serem abnegadas, vivem vidas celibatárias, e dedicam a vida ao serviço religioso.

Como as religiões orientais atraem cada vez mais os ocidentais, as mulheres que personificam Héstia podem ser encontradas em locais de retiro religioso e conventos. Ambos os lugares dão enfoque interior fundamental à oração e à meditação. Dão enfoque secundário à proteção da comunidade ou à direção da casa, que é feita com a atitude de que também esta tarefa é uma forma de culto.

Em muitos templos as Héstias são também mulheres anônimas que discretamente participam da devoção diária e dos rituais de direção da casa de suas comunidades religiosas. Mulheres notáveis membros dessas comunidades combinam Héstia com outros fortes arquétipos. Por exemplo, a mística santa Teresa de Ávila, notável por seus arrebatadores escritos, combinava um aspecto de Afrodite com Héstia. Madre Teresa, que recebeu o Prêmio Nobel da Paz, parece uma combinação da maternal Deméter com Héstia. As madres superioras que são espiritualmente motivadas, administradoras efetivas têm usualmente traços de Atenas junto com os de Héstia.

Os aspectos da casa e do templo de Héstia vêm juntos quando os rituais religiosos são observados no lar. Héstia poderia ser vislumbrada, por exemplo, quando se observa a mulher judaica preparar o *Seder*. Enquanto põe a mesa ela fica envolvida num trabalho sagrado, um rito tão significativo quanto o intercâmbio silencioso entre um coroinha e o sacerdote durante a missa católica.

A sábia anciã

Como mulher mais velha da primeira geração de deuses olímpicos e solteirona da segunda geração, Héstia ocupou a posição de honrada anciã. Ela permaneceu acima ou fora das intrigas e rivalidades de seus parentes e evitou ser apanhada em paixões de momento. Quando esse arquétipo está presente na mulher, os acontecimentos não têm o mesmo impacto nela como em outras pessoas.

Com Héstia como presença interior, a mulher não fica "ligada" às pessoas, às conseqüências, posses, prestígio ou poder. Sente-se completa como é. Seu *ego* não está em jogo. Pelo fato de sua identidade não ser importante ela não fica ligada às circunstâncias externas. Ela portanto não se torna exultante ou arrasada pelo que acontece. Ela tem

> A liberdade interior dos desejos corriqueiros,
> A libertação da ação e do sofrimento,
> A libertação da compulsão interior e exterior,
> Por uma graça de senso, uma luz branca tranqüila
> e em movimento.
>
> T.S. Eliot, *The Four Quartets*[4]

O desligamento de Héstia dá a esse arquétipo uma qualidade de "mulher sábia". Ela é como uma pessoa idosa que tudo viu, e passou por isso com seu espírito não abafado e com o temperamento moderado pela experiência.

A deusa Héstia era honrada nos templos de todas as outras deusas. Quando Héstia compartilha o "templo" ou a personalidade com outras deusas/arquétipos, ela estabelece sua sábia perspectiva em seus objetivos e propósitos. A mulher tipo Hera, portanto, que reage com sofrimento ao descobrir a infidelidade de seu companheiro, não é tão vulnerável se ela também tiver Héstia como um arquétipo. Os excessos de todos os outros arquétipos são também melhorados pelo conselho sábio de Héstia, uma presença sentida que comunica uma verdade ou oferece *insight* espiritual.

4. T. S. Eliot, *Four Quartets.* Harcourt Brace Jovanovich, New York (sem data; originalmente publicado em 1943), p. 16.

O si-mesmo: centralização interior, iluminação espiritual e significado

Héstia é um arquétipo de centralização interior. Ela é "ponto tranqüilo" que dá significado à atividade, o ponto de referência interior que permite à mulher permanecer firme no meio da confusão, desordem ou afobação do dia-a-dia. Com Héstia em sua personalidade, a vida de uma mulher tem significado.

A lareira redonda de Héstia com um fogo sagrado no centro é uma forma de mandala, uma imagem usada na meditação e que é um símbolo de integridade ou de totalidade. Sobre o simbolismo da mandala, Jung escreve:

> Seu tema básico é a premonição de um centro da personalidade, uma espécie de ponto central no interior da psique, com o qual todas as coisas estão relacionadas, pelo qual tudo é ordenado, e que é em si mesmo uma fonte de energia. A energia do ponto central se manifesta como quase irresistível compulsão e necessidade de se tornar o que alguém é, exatamente como todo organismo é impelido a assumir a forma que é característica de sua natureza, não importando quais as circunstâncias. Tal centro não é sentido ou pensado como o ego, mas, se alguém puder expressá-lo, como o si-mesmo.[5]

O si-mesmo é o que nós experienciamos interiormente quando sentimos afinidade com a unicidade que nos liga à essência de cada coisa fora de nós. Nesse nível espiritual, a "conexão" e o "desligamento" são, paradoxalmente, o mesmo. Quando nós nos sentimos em contato com uma força interior de calor e luz, metaforicamente aquecidos e iluminados, por um fogo espiritual, o "fogo" aquece aqueles que amamos em nossos lares e nos mantém em contato com os outros que estão distantes.

5. C. G. Jung "Concerning Mandala Symbolism", CW, vol. 9, parte I, p. 35.

O fogo sagrado de Héstia era encontrado na lareira da família e no interior dos templos. A deusa e o fogo eram um, unindo famílias com famílias e cidades-estado com colônias. Héstia era o elo de conexão espiritual entre todos eles. Quando este arquétipo proporciona centração espiritual e conexão lógica com os outros, ele é uma expressão do si-mesmo.

Héstia e Hermes: dualidade arquetípica

O pilar e o anel em forma de círculo representam os princípios masculino e feminino. Na Grécia antiga o pilar era o "herma" que ficava do lado de fora da casa representando Hermes, enquanto a lareira redonda no interior simbolizava Héstia. Na Índia e em outras partes do leste, o pilar e o círculo ficam "copulados". O *lingam,* ou símbolo fálico, penetra o *yoni* ou anel feminino, o qual se estende sobre ele como num jogo infantil de arremesso de argolas. Lá o pilar e o círculo juntavam-se, enquanto os gregos e os romanos conservavam esses mesmos dois símbolos de Hermes e Héstia relacionados, mas à parte. Para enfatizar mais essa separação, Héstia é uma deusa virgem que nunca será penetrada, como também a mais velha deusa olímpica. Ela é tia solteirona de Hermes, considerado como o mais jovem deus olímpico — uma união altamente improvável.

Desde os tempos gregos as culturas ocidentais têm enfatizado a dualidade, uma divisão ou diferenciação entre masculino e feminino, mente e corpo, logos e eros, ativo e receptivo, que depois se tornaram valores superiores e inferiores, respectivamente. Quando Héstia e Hermes eram ambos honrados nos lares e templos, os valores femininos de Héstia eram os mais importantes, e ela recebia as mais altas honras. Na época havia uma dualidade complementar. Héstia desde então foi desvalorizada e esquecida. Seus fogos sagrados não são mais cuidados e o que ela representa não é mais honrado.

Quando os valores femininos de Héstia são esquecidos e desonrados, a importância do santuário interior, interiorização para encontrar significado e paz, e da família como santuário e fonte de calor ficam diminuídos ou são perdidos. Além disso, o sentimento de uma ligação básica com os outros desaparece, como desaparece também a necessidade dos cidadãos de uma cidade, país ou da terra se ligarem por um elo espiritual comum.

Héstia e Hermes: misticamente relacionados

Num nível místico, os arquétipos de Héstia e de Hermes se relacionam através da imagem do fogo sagrado no centro. Hermes-Mercúrio era o espírito alquímico Mercúrio, imaginado como fogo elementar. Tal fogo era considerado a fonte do conhecimento místico, simbolicamente localizado no centro da Terra.

Héstia e Hermes representam idéias arquetípicas do espírito e da alma. Hermes é o espírito que põe fogo na alma. Nesse contexto, Hermes é como o vento que sopra a brasa no centro da lareira, fazendo-a acender-se. Do mesmo modo, as idéias podem excitar sentimentos profundos, ou as palavras podem tornar consciente o que foi inarticuladamente conhecido e iluminado o que foi obscuramente percebido.

Cultivando Héstia

Héstia pode ser encontrada na calma solidão e sentimento de ordem que advêm da "manutenção contemplativa da casa". Desse modo, a mulher pode ficar totalmente absorvida em cada tarefa, sem pressa de fazêla e com tempo para apreciar a harmonia resultante. Até a mais não-hestiana dona de casa pode usualmente rememorar tempos em que ela era governada por esse arquétipo. Por exemplo, tomar um dia para limpar um guarda-roupa pode envolver pôr fora de uso e guardar roupas, lembrando e antecipando eventos, pondo em ordem ambos, tanto os pertences como a si mesma. No final, a dona de casa fica com o guarda-roupa organizado, que reflete quem ela é e um dia bem aproveitado. Ou a mulher pode experimentar Héstia no prazer e satisfação de lidar com fotografias velhas, separando, colocando legendas e pondo-as num álbum.

As mulheres que não são do tipo Héstia podem decidir passar o tempo "com Héstia" — o aspecto interior, quieto, centrado de si mesmas. Para fazer isso, elas devem conquistar e achar espaço, especialmente se forem mulheres dirigidas para os outros, cujas vidas transbordam de atividades e relacionamentos, que não só se orgulham, mas também se queixam do fato de que "nunca têm um momento de paz".

Convidar Héstia para tomar parte das tarefas diárias da casa, quando ela usualmente não está presente, começa com o intento de mudar uma atitude hestiana. Depois de se decidir por uma tarefa a mulher deve proporcionar amplo tempo para ela. Por exemplo, dedicar-se à lavanderia é uma tarefa repetitiva para muitas mulheres que se apressam e se sentem disputadas. Adotando o modo de Héstia, a mulher pode dar boas-vindas à oportunidade de dobrar roupas como tempo empregado para aquietar sua mente. Para Héstia estar presente, a mulher precisa enfocar uma tarefa de cada vez,uma área ou um compartimento por vez, o que quer que sinta facilmente viável no tempo disponível. Ela deve se tornar tão absorvida na tarefa como se estivesse realizando a cerimônia do chá japonês, com senso de serenidade em cada movimento. Somente aí uma penetrante calma interior substituirá o palavreado oco da mente. Os padrões a serem alcançados precisam ser os próprios das mulheres, o modo como é feito de acordo com o que faz sentido para ela. Nisso ela é uma deusa virgem e não uma empregada das necessidades ou critérios de outro, nem oprimida pelo relógio.

A meditação ativa e reforça esse arquétipo introvertido, enfocado interiormente. Uma vez iniciada, a meditação sempre se torna uma prática do dia-a-dia porque proporciona sentimento de inteireza e centralização, fonte interior de paz e iluminação, de acesso a Héstia.

Para algumas mulheres, a poesia emerge quando a presença de Héstia é sentida. May Sarton, autora e poetisa, diz que, para ela, escrever "é possível somente quando estou em estado de graça, quando os canais profundos são abertos, quando estou não somente profun-damente ativa mas também equilibrada; então a poesia vem como uma dádiva além da minha vontade". [6] Ela está escrevendo uma experiência do arquétipo do si-mesmo, que ela sempre sente além do ego e do esforço, uma dádiva da graça.

Encontrando Héstia através da solidão não escolhida

Quase todo mundo experimenta períodos de solidão não escolhida durante suas vidas. Tais períodos começam em geral com perda, mágoa, solidão e vontade de estar com outras pessoas. Por exemplo, o marido da escritora independente Ardis Whitman deu um rápido abraço na esposa, saiu batendo a porta, foi acometido por um ataque cardíaco e nunca mais voltou para casa. Sete anos mais tarde ela escreveu sobre as inesperadas recompensas da solidão. Suas palavras evocam sentimentos associados com Héstia:

> Como a primeira tênue luz solar depois da chuva, há um insuficiente e contudo crescente calor que é tão inerente à não escolhida solidão quanto a própria tristeza o é. É aquecido pela memória... e também por um crescente senti-

6. May Sarton, *Journal of a Solitude.* Norton, New York, 1973, pp. 44-45.

mento de nossa própria identidade. Quando vivemos cercados pelas pessoas, um pouco da paixão e *insight* que nos são naturais perdem-se pela peneira da conversa fiada. Nos momentos mais arriscados você acredita que o que está acontecendo é o último trabalho humano — a formação da alma. O poder da vida vem de dentro. Vá lá! Ore, medite. Almeje aqueles lugares luminosos em si mesma.[7]

A mulher tipo Héstia

A mulher tipo Héstia compartilha os atributos da deusa sendo uma pessoa quieta e reservada, cuja presença cria uma atmosfera de calor e de ordem pacífica. Ela é em geral uma pessoa introvertida que aprecia a solidão. Visitei recentemente certa mulher tipo Héstia no lar, e senti imediatamente a conexão entre a sua personalidade, o ambiente e a deusa da lareira. A casa estava limpa, alegre e ordenada. Flores adornavam a mesa, e o pão feito recentemente estava fresco. Algo intangível transformou a casa como que num santuário, um lugar cheio de paz, lembrando-me do Zen Mountain Center, em Tessajara, Califórnia, onde o mundo exterior se afasta e uma calma interminável pervade todas as coisas.

A infância

A jovem Héstia se parece muito com a jovem Perséfone: ambas são crianças agradáveis e bem comportadas. Até mesmo a terrível idade dos dois anos passa sem ondas de teimosia ou afirmação para qualquer uma delas. Há, contudo, sutis diferenças entre essas duas garotas. Perséfone segue o exemplo das outras e é ávida por agradar. Héstia pode fazer o que os outros lhe dizem e parece ser não menos condescendente, mas quando a deixam proceder como bem entende ela fica contente e

7. Ardis Whitman, "Secret Joys of Solitude". *Reader's Digest* 122, nº 732, abril de 1983, p. 132.

brinca sem direção. A pequena Héstia tem uma qualidade calma, auto-suficiente. Se ela se fere ou fica desnorteada é provável que vá para seu quarto encontrar conforto na solidão, como também para a sua mãe. Algumas vezes as pessoas são atraídas por uma presença interior que ela comunica, uma qualidade de "velha alma" sobre a jovem filha que evidencia sabedoria e tranqüilidade.

Uma garota tipo Héstia faz pouco para atrair a atenção para si própria ou para evocar fortes reações vindas dos outros. Quando mantém seu quarto em ordem, ela pode ser elogiada por isso. Quando se isola pode ser incitada a se unir com a família ou sair pelo mundo.

Os pais

A deusa Héstia era a filha primogênita de Réia e Crono, a primeira a ser engolida por Crono, e a última a ser vomitada. Portanto ela passou a maior parte do tempo, mais do que qualquer de suas irmãs, cativa nas escuras e opressivas entranhas de seu pai, e foi a única a ficar lá sozinha. Sua infância dificilmente foi feliz. Crono era um pai cruel e não tinha sentimentos calorosos para com seus filhos. Réia era ineficaz e sem poder, e nada fez para pôr fim ao tratamento áspero para com os filhos, até que nascesse o último. De todos os filhos, Héstia foi a mais forte para lutar e vencer, de todos os modos que ela pôde usar.

Algumas mulheres tipo Héstia que tenho visto em minha prática tiveram um começo de vida que se equipara ao da deusa — pais abusivos e tirânicos, e mãe ineficazes, muitas vezes deprimidas. Muitas viviam psicologicamente sem depender de ninguém durante toda a infância, em lares onde a necessidade das crianças não eram levadas em conta e onde qualquer expressão individual era "engolida" pela necessidade de dominar que o pai tem.

Nesse tipo de meio ambiente muitas crianças seguem o exemplo de seus pais: os mais fortes, especialmente os meninos, podem abusar ou tiranizar os mais jovens e menores, ou podem fugir de casa ou gostar de ficar na rua. Entre as filhas, a irmã, sem autoridade mas maternal, pode seguir um padrão tipo Deméter e tentar tomar conta de suas irmãs mais novas, ou pode seguir um padrão tipo Hera e prender-se a um namorado tão logo tenha idade suficiente.

É provável, contudo, que uma filha tipo Héstia se retraia emocionalmente e se retire para o próprio íntimo, confortando-se no meio de uma vida familiar penosa, conflituosa ou num meio ambiente escolar que pareça estranho a ela. Sente-se muitas vezes tão alienada ou isolada de suas irmãs quanto de seus pais, e é de fato diferente deles. Ela tenta não ser notada, tem uma passividade exterior e um sentimento interior de certeza de que é diferente dos que a cercam. É discreta em todas as situações e cultiva a solidão no meio dos outros. Por isso ela se torna virtualmente "sem persona", como a deusa.

Em contraste, uma filha tipo Héstia de classe média que tem pais apoiadores pode não demonstrar ser como Héstia. Da escola maternal em diante, ela é ajudada a "livrar-se do acanhamento ou timidez", que é como os outros muitas vezes rotulam sua intimidade. Ela, portanto, se desenvolve com uma *persona* socialmente adaptável, um modo de ser agradável e sociável. Ela é encorajada a sair-se bem na escola, a participar de tudo, desde o balé até o futebol feminino, a ser maternal em relação às criancinhas, e partir para os compromissos sociais quando estiver na escola secundária. Contudo, apesar do modo como se apresenta no exterior, ela é interiormente verdadeira para com Héstia; ela tem as qualidades da independência e do desapego, e uma serenidade emocional que vem pelo fato de ser centrada.

A adolescente tipo Héstia se ausenta dos dramas sociais, das grandes paixões e de contrair alianças com seus iguais. Nisso ela se assemelha à deusa Héstia, que não participava das intrigas românticas ou das guerras que ocupavam os outros deuses olímpicos. Como resultado, ela pode se tornar isolada socialmente, permanecendo na periferia da atividade, uma não-participante que aparenta aos outros ser auto-suficiente e isolada por escolha própria. Ou, se desenvolveu outras facetas de sua personalidade, ela pode ter amigos e estar envolvida em atividades escolares e sociais. Suas amigas gostam de sua calma simpatia, embora algumas vezes se exasperem com ela por não tomar partido numa controvérsia ou por desejarem que ela fosse mais competitiva.

A adolescência pode ser uma época de aprofundamento de convicções religiosas para Héstia. Isso pode conduzi-la ao conflito direto com seus pais, se ela quiser seguir uma vocação religiosa. Embora algumas famílias católicas fiquem contentíssimas quando uma filha é chamada para ser freira, muitas outras ficam assustadas se ela leva sua fé tão a sério. Mais recentemente as Héstias são atraídas por várias religiões orientais que têm florescido nos Estados Unidos desde os anos 70. Quando as filhas tipo Héstia são atraídas para os locais de retiro, cantam em línguas estrangeiras, e assumem nomes novos, muitos pais reagem com alarme e enganosamente admitem que será fácil fazer com que suas calmas e dóceis filhas tipo Héstia mudem suas convicções. Ao contrário, com a certeza e enfoque na deusa virgem, as filhas tipo Héstia usualmente fazem o que lhes importa, em vez de concordar com os desejos dos pais.

A mulher tipo Héstia que vai para a faculdade muitas vezes aprecia o anonimato de uma grande universidade e a oportunidade de ter um espaço próprio. É improvável que uma mulher que seja unicamente do tipo Héstia tenha uma razão pessoal para ingressar na faculdade; contudo, por causa do desafio intelectual, procurar um marido ou preparar-se para uma profissão não interessa a Héstia. Para essas motivações outras deusas precisam estar presentes. Muitas mulheres tipo Héstia que freqüentam a faculdade fazem isso porque outros arquétipos são também importantes, ou porque os outros esperam que elas façam isso.

Trabalho

A competição no trabalho não recompensa a mulher tipo Héstia. Nela faltam ambição e ímpeto; ela não quer reconhecimento, não valoriza o poder, e as estratégias para progredir são estranhas para ela. Como resultado, é provável que a mulher tipo Héstia seja encontrada num emprego tradicional de mulher num escritório, onde ou ela não é vista e não lhe dão valor, ou apreciada como "uma jóia" que trabalha de maneira perseverante e segura, que fica fora da política do escritório e da conversa fiada, e proporciona um ambiente de ordem e entusiasmo. A mulher tipo Héstia adora fazer o cafezinho e dar um toque feminino no escritório.

As mulheres tipo Héstia podem se destacar em profissões em que se requer calma e paciência. Por exemplo, a modelo favorita de um fotógrafo é a mulher tipo Héstia, porque há algo de introspectivo em seus olhos, uma graciosidade desenvolta e uma tranqüilidade que faz lembrar um "gato senhor de si", completamente absorvido em sua pose.

Muitas mulheres tipo Héstia também trabalham bem do outro lado da objetiva. A paciência e a calma de Héstia são qualidades que gratificam um fotógrafo que deve esperar pelo momento certo, pelo gesto expressivo, ou por uma combinação espontânea. Héstia pode se associar com outros arquétipos na mulher, acrescentando uma qualidade hestiana a seu trabalho. Por exemplo, a melhor professora de escola maternal de que já ouvi falar parece ser uma combinação de maternal Deméter com Héstia. Suas colegas se admiram com a ordem subjacente que ela sem esforço parece criar ao seu redor: "ela nunca está desgastada. Talvez as crianças obtenham serenidade dela. Tudo o que sei é que de certa forma ela transforma uma sala cheia de crianças que competem para receber atenção num grupo vívido e animado. Nunca parece apressada. Coloca sua atenção total aqui, um abraço lá, sugere um jogo ou um livro, e as crianças sossegam."

Relacionamento com mulheres

As mulheres tipo Héstia freqüentemente têm alguns poucos amigos que apreciam estar com elas de tempo em tempo. As probabilidades são de que essas mulheres tenham em si qualidades de Héstia e se responsabilizem por suas amigas tipo Héstia como um santuário onde seu próprio lado hestiano pode se expressar. A mulher tipo Héstia não se engajará em conversa fiada nem em discussões intelectuais ou políticas. Seu dom é ouvir com coração compassivo, permanecendo centrada no meio de qualquer perturbação que uma amiga lhe traga, proporcionando um lugar caloroso ao lado de sua lareira.

Sexualidade

Quando a mulher tem Héstia como arquétipo dominante, a sexualidade não é muito importante para ela. De maneira interessante, isso parece verdadeiro até mesmo se ela for orgásmica. As mulheres tipo Héstia e igualmente seus maridos têm descrito quão dormente é a sexualidade para eles até que a relação sexual seja iniciada. Então, disse um marido, "ela é desenfreadamente responsiva." Certa mulher tipo Héstia estava casada com um homem que procurava sexo "uma vez por mês quando ativo, e uma vez cada dois meses caso contrário". Ela descobriu que era orgásmica até mesmo com tão pouco desempenho. Apreciava o sexo "quando ele acontecia" e "ficava perfeitamente contente" em sua ausência. Em tais mulheres, o padrão de Héstia prevalece. A sexualidade de Afrodite é acessível quando evocada durante as relações sexuais, mas de outro modo permanece ausente.

A mulher tipo Héstia não orgásmica vê a sexualidade como "bonita e apaixonada experiência" que ela aprecia proporcionar a seu marido: "é bom quando ele me penetra. Eu me sinto mais íntima dele e contente por ele." Para seu marido, o sexo com ela é "como vir para casa" ou "um santuário".

A mulher tipo Héstia num relacionamento lésbico segue o mesmo padrão. O sexo não é muito importante. Se sua parceira também é mais receptiva do que sexualmente ativa, e cada uma espera que a outra inicie o sexo, seu relacionamento pode durar meses ou até mesmo anos sem qualquer expressão sexual.

Casamento

A mulher tipo Héstia adapta-se à idéia fora de moda de "boa esposa". Ela toma conta de casa muito bem. Não é ambiciosa para si própria ou para seu marido, portanto nunca compete com ele nem o censura. Ela não é namoradeira nem promíscua. Embora a fidelidade dele não seja de importância crucial como o é para Hera, ela é fiel como Hera. Não há tentação de ser desleal, contanto que não seja afetada por Afrodite.

A mulher tipo Héstia pode parecer mulher dependente, vivendo confortavelmente fora do papel principal.

Sua aparência pode ser enganosa, contudo, porque ela mantém autonomia interior. Um aspecto seu permanece tranqüilamente o de uma deusa virgem uma-em-si-mesma. Ela não precisa de um homem para sentir-se emocionalmente completa. Sem ele, sua vida seria diferente, mas não perderia seu significado ou propósito.

A "descrição ocupacional" das mulheres casadas tradicionais parece diferir, dependendo de qual deusa esteja mais ativa. A ênfase de Hera está na "esposa", a de Deméter está na "mãe", a de Atenas em manter uma família eficiente e que tudo corra sem acidentes, o que faz jus à sua designação de dona-de-casa. Héstia registraria sua ocupação como "dona-de-casa".

Relacionamento com homens

As mulheres tipo Héstia atraem os homens que se sentem atraídos pelas mulheres quietas, não agressivas e auto-suficientes, que serão boas esposas. Tais homens vêem a si próprios no papel tradicional de cabeça do lar e arrimo da família. Os homens que querem mulheres "sexy", mulheres que os protegerão maternalmente ou os inspirarão, ou que serão suas parceiras flexíveis terão que procurá-las em outro lugar.

Freqüentemente a mulher tipo Héstia atrai homens que vêem as mulheres ou como madonas ou como prostitutas. Esses homens classificam as mulheres como "boas" se elas são inexperientes sexualmente, desinteressadas pelo sexo, e portanto "santas". E as classificam como "más" ou "perdidas" se elas são atraídas pelos homens e sexualmente sensíveis. Essa espécie de homens casa-se com as primeiras e tem romances com as últimas. Casada com essa classe de homem, a mulher tipo Héstia poderia permanecer ignorante quanto aos prazeres da sexualidade porque seu marido não quer uma esposa sexualmente sensível e com desejos próprios.

Muitos casamentos tradicionais bem sucedidos são uniões de um marido tipo Hermes, um homem de negócios-viajante-transmissor-empresário, agilmente negociando com o mundo exterior, com uma esposa tipo Héstia, que mantém aceso o fogo do lar. Muitas vezes esse arranjo funciona muito bem para ambos. Cada um encontra grande satisfação naquilo que ele e ela estão fazendo pessoalmente e essa satisfação indiretamente mantém as atividades de um e outro. Ele aprecia não lhe dizer respeito tomar a frente da casa, porque ela cuida muito bem da mesma, não está fazendo isso por ele, e sempre lhe proporciona um lar caloroso e cheio de paz entre suas correrias pelo mundo. Ele gosta da combinação de pessoa caseira e espírito independente que ela tem.

Ela, por sua vez, aprecia a autonomia de decidir como será sua casa e gosta do amparo econômico que lhe permite tempo e espaço para fazer aquilo que lhe importa. O marido tipo Hermes está por natureza sempre de um lado para outro, criando novos propósitos, fazendo transações, tentando novos caminhos, acreditando em sua própria perspicácia e instintos, e em geral confiando principalmente em si mesmo no mundo. Ele não precisa nem quer uma esposa tipo Hera ou Atenas para ajudar a proporcionar-lhe uma imagem ou estratégia. Portanto, ele muitas vezes não espera que sua esposa o acompanhe em viagens de negócios ou suporte coquetéis, o que se adequa bastante bem à sua esposa tipo Héstia.

Ela prefere se entreter no lar, onde proporciona a atmosfera e prepara a casa para os encontros, prepara o alimento e permanece em segundo plano, enquanto seu marido mais extrovertido pode assumir o comando da conversa e relacionar-se diretamente com os convidados. As horas de trabalho despendidas no preparo podem ser reconhecidas, e o valor de sua contribuição para a agradabilidade de uma noite pode permanecer não apreciado. Como a deusa, parece ser um destino da mulher tipo Héstia permanecer anônima, embora ela seja central.

Filhos

A mulher tipo Héstia pode ser excelente mãe, especialmente se tiver alguma Deméter em sua psique: Pode ser um pouco demais desligada quando fica voltada para o interior, e seu amor pode ser uma sombra por demais impessoal e não demonstrado. Mas usualmente cuida das crianças com amor e atenção. Não tem grandes ambições para seus filhos e portanto permite-lhes que sejam eles próprios. Cuida bem deles, como coisa habitual, e proporciona um caloroso e seguro ambiente familiar. Os filhos de Héstia não têm que se desprender ou se rebelar. Como adultos em terapia eles não têm maiores problemas em relação às mães para ser resolvidos. Quanto a ajudar seus filhos a enfrentarem nuanças sociais ou situações competitivas, ela não é de grande ajuda. O mesmo é verdadeiro quanto ao estimular ambições ou carreira.

A meia-idade

Na meia-idade, o curso de vida da mulher tipo Héstia parece determinado. Se ela for casada, é uma dona-de-casa que está satisfeita com seu papel. Se não se casou, deve ter a aura de "solteirona" ou de "velha", porque não se importa com seu estado civil de solteirona e não está à procura de laçar um homem. Se está trabalhando em seu escritório ou vivendo num convento ou local de retiro religioso, ela é uma peça importante lá, e tranqüilamente faz a sua parte.

A meia-idade pode ser o tempo em que a mulher tipo Héstia entra formalmente num convento ou casa de retiro, muda seu nome e devota sua vida a uma trajetória espiritual. Para ela é uma transição natural, um compromisso aprofundado a uma devoção já praticada. Para os parentes, a decisão pode ser totalmente inesperada, porque a quieta Héstia nunca revelou a eles a importância desse aspecto de sua vida.

A velhice

Há sempre alguma coisa "antiga e sábia" sobre a mulher tipo Héstia. Ela tem a capacidade de envelhecer graciosamente. Ela se sente bem vivendo sozinha, e deve ter feito isso durante a vida inteira. No papel arquetípico de tia solteirona, ela pode ser chamada por outros membros da família para ajudar quando necessário.

As duas maiores crises emocionais que as mulheres tradicionais enfrentam são a do ninho vazio e a da viuvez. Mas ainda que muitas mulheres tipo Héstia sejam esposas e mães, elas não têm necessidade profunda de estar em qualquer papel. Conseqüentemente, a perda desses papéis não resulta em depressão para Héstia, como para as mulheres tipo Deméter e Hera. Enfrentar o mundo exterior é o que é difícil para as mulheres tipo Héstia. Se se tornam "donas-de-casa desalojadas", através do divórcio ou viuvez, e não estão prevenidas economicamente, ficam em geral mal preparadas pela natureza e pela experiência para saírem e serem bem sucedidas no mundo. Então podem unir-se à condição social dos pobres educados.

A mulher tipo Héstia idosa pode ter que ganhar a vida com dificuldade na Previdência Social, mas está longe do empobrecimento de espírito. Muitas vezes vive sozinha seus últimos anos, sem nenhuma queixa quanto à vida e sem medo da morte.

As dificuldades psicológicas

Como arquétipo de sabedoria interior, não há negativismo em Héstia. Portanto não é de se surpreender que Héstia não apresente os usuais padrões potenciais de patologia. Não esteve envolvida com outras divindades e pessoas mortais, padrão de desligamento que pode causar à mulher ficar sozinha ou isolada. Contudo, as principais dificuldades para as mulheres tipo Héstia estão relacionadas com o que estava faltando a Héstia. De todos os deuses e deusas do monte Olimpo, ela não era representada em forma humana, e não tinha uma imagem ou *persona*. Não ficou envolvida em intrigas românticas ou em conflitos, e precisa de prática e habilidade para se impor nessas áreas.

Identificação com Héstia

Viver "como Héstia" significa ser modesta, anônima, uma pessoa sem importância que, apesar de tudo, tem uma posição central no lar. Muitas mulheres tipo Héstia conhecem as desvantagens desse papel. Seu trabalho não é freqüentemente reconhecido e seus sentimentos não são levados em consideração. A mulher tipo Héstia caracteristicamente carece de afirmação e não fala com franqueza se se sente desconsiderada ou desvalorizada. O trabalho de casa, que pode ser uma fonte de calmo prazer e ordem interior, perde seu significado se tão logo feito os outros rompem a ordem e produzem desordem. A Héstia protetora da lareira pode tornar-se "queimada", quando tem a impressão de que seus esforços não têm significado e são ineficazes para ela.

A identificação com uma Héstia emocionalmente desligada sufoca a expressão direta dos sentimentos de uma mulher. A mulher tipo Héstia expressa indiretamente seu amor e interesse pelos outros através de atos amáveis. O ditado "as águas paradas são as mais profundas" descreve os sentimentos introvertidos de Héstia, que se encontram abaixo da superfície. Porque a mulher tipo

Héstia é retraída, as pessoas que são muito importantes para ela podem não ter conhecimento disso. A solidão, que Héstia valoriza, pode tornar-se triste se as pessoas pelas quais ela tem profunda afeição não tiverem consciência de como ela se sente e a deixarem sozinha. Também é triste quando alguém que quer ser amado pela mulher tipo Héstia é amado por ela, mas nunca tem toda certeza disso. Seu entusiasmo parece impessoal e desligado, pois não é expresso por palavras ou abraços e pode não ser especificamente dirigido à pessoa que ela ama. Para desenvolver-se além de Héstia, a mulher deve aprender a expressar seus sentimentos, de tal forma que as pessoas que são especiais para ela saibam disso.

Desvalorização de Héstia

Dentro de um convento ou de uma instituição de casamento, quando ambos existiam como compromisso de vida, havia lugar seguro para o espírito de Héstia se desenvolver. Mas, sem a segurança e a estabilidade das instituições, a mulher tipo Héstia pode ficar numa incontestável desvantagem. Ela se sente como tartaruga sem o casco, aguardando para competir numa corrida de ratos. Por natureza, Héstia não pertence a organizações nem é socialmente ambiciosa, não é movida por causas políticas e não tem ambição. Ela não está pelo mundo afora tentando deixar suas pegadas nele, nem se preocupa com isso. Desse modo, facilmente ela não é notada, ou então é desvalorizada pelos arrivistas e árbitros sociais, que medem as pessoas pelos padrões palpáveis e acham que ela não os possui.

A desvalorização tem efeito negativo na auto-estima da mulher tipo Héstia. Ela pode se sentir fora do passo, desajustada, e incompetente para adotar os padrões dos outros e aplicá-los a si própria.

Caminhos para o crescimento

As dificuldades da mulher tipo Héstia surgem quando ela se aventura fora do santuário da casa ou do templo para caminhar pelo mundo. Como pessoa introvertida confrontada com o passo mais rápido e muitas vezes competitivo dos outros, ela ficará fora da corrida até desenvolver outros aspectos de sua personalidade.

Modelando uma "persona" socialmente adaptável

A palavra *persona* (que significa "máscara", em latim) referia-se antigamente às máscaras usadas no palco para identificar imediatamente o papel que o ator ia representar. Na psicologia junguiana, a *persona* é a máscara da adaptação social que a pessoa apresenta ao mundo. É o modo como nos apresentamos aos outros e como somos vistos por eles. A pessoa com uma *persona* em bom funcionamento é como uma mulher com um grande guarda-roupa, de onde ela pode escolher alguma coisa para usar, apropriada à ocasião, à sua personalidade, posição e idade. Como nós nos comportamos, o que dizemos, como interagimos com os outros, como nos identificamos, tudo são partes de nossa *persona*.

A mulher tipo Héstia é por natureza desinteressada no que diz respeito à posição social da *persona*, no quem é quem e no como causar uma impressão boa ou apropriada. A menos que ela se retire num convento e nunca se aventure fora novamente, ela terá que interagir com os outros, ter uma pequena conversa, e ser entrevistada e avaliada, como todos os demais numa cultura competitiva. Ela não se aproxima dessas habilidades naturalmente, e deve aprendê-las. Muitas vezes o processo é muito penoso. Ao ter que ir a uma grande concentração, ela se sente inadequada, desajeitada e tímida; sente-se sem uma *persona* adequada, como se não tivesse "nada para usar". Essa aflição se reflete em sonhos maus, em que ela se encontra despida ou apenas parcialmente vestida. Às vezes, em metafórica correspondência a seu sonho, ela se apresenta demasiadamente despida — revela muito e é muito honesta, permitindo que as pessoas vejam aquilo que outras na mesma situação manteriam encoberto.

A mulher tipo Héstia que deve se apresentar para uma entrevista ou avaliação deve moldar uma *persona* conscientemente, pondo tanto pensamento nela quanto colocaria num resumo (o que poderia ser considerado uma *persona* "no papel"). Precisa ter um quadro tão claro quanto possa de "quem" se supõe que ela seja em cada cenário determinado, e deve estar preparada para experimentar certo número de *personas* até que descubra um estilo que será considerado natural para ela, uma vez que o tenha "usado" bastante.

Adquirindo afirmação através de Ártemis, Atenas, ou de um "animus"

Além de uma *persona,* a mulher tipo Héstia precisa adquirir habilidade para ser afirmativa; precisa ter um aspecto ativo em sua personalidade se for interagir com outros ou cuidar de si mesma no mundo. A deusa Héstia não brigou pelo poder nem competiu pelas maçãs de ouro. Permaneceu fora dos relacionamentos, evitou o monte Olimpo, não esteve no cenário da guerra de Tróia, nem foi responsável, salvou, puniu ou veio em auxílio de quaisquer mortais. Ao contrário da deusa, a mulher tipo Héstia é uma pessoa entre as pessoas, e deve aventurar-se para fora de casa ou do templo, e está mal preparada para a experiência, a não ser que outros aspectos de sua psique possam ajudá-la a ser ativa, expressiva ou positiva. Ártemis e Atenas, os arquétipos femininos ativos, podem proporcionar acesso a essas habilidades, assim como o *animus* na mulher, o aspecto masculino de sua personalidade.

As qualidades de Ártemis ou de Atenas podem ter-se desenvolvido se a mulher tipo Héstia participou de atividades competitivas, acampamentos de verão, grupos de mulheres, esportes ao ar livre, ou se tiveram êxito na escola. Uma garota que é arquetipicamente Héstia descobre cedo na vida que deve se adaptar a estar no meio das pessoas e encontrar perspectivas extrovertidas. No processo ela pode evocar e cultivar outros arquétipos. Como resultado ela pode incorporar as qualidades de Ártemis e de Atenas em sua personalidade.

A mulher tipo Héstia pode sentir que a essência de seu ser — a Héstia feminina, caseira, quieta no seu interior — permanece não afetada pelas experiências exteriores. Pode sentir, ao contrário, que no processo de se adaptar a um mundo competitivo e social ela desenvolve uma atitude ou *animus* masculino. Um *animus* bem desenvolvido é como um macho interior a quem ela pode invocar para falar por ela quando precisa ser clara e positiva. Embora ele seja competente, ele se sente "estranho" (ou "não eu") para com ela.

O relacionamento da mulher tipo Héstia com seu *animus* é muitas vezes como o relacionamento interior Héstia-Hermes, igualando seu significado e colocação nos lares gregos. Héstia era representada pela lareira redonda no centro do lar, enquanto o "herma" ou pilar que representava Hermes ficava do lado de fora. Hermes era tanto o deus protetor que ficava à entrada como o deus que acompanhava os viajantes. Quando Héstia e Hermes são igualmente aspectos de uma mulher, Héstia pode proporcionar um modo de ser interior particular enquanto seu *animus* tipo Hermes proporciona um modo exterior de lidar efetivamente com o mundo

A mulher que sente que o *animus* tipo Hermes em si está intervindo com o mundo tem a impressão de ter um aspecto masculino em si mesma, que ela usa quando se aventura pelo mundo, e que através dele ela pode ser positiva e clara. O *animus* também faz a tarefa de sentinela, guardando sua privacidade e mantendo afastadas as intromissões indesejáveis Com um *animus* tipo Hermes ela pode ser bastante efetiva e sagaz, capaz de cuidar-se em situações competitivas. Contudo, quando o *animus* é responsável pelo positivismo de uma mulher, ele não está sempre presente e disponível. Por exemplo, ela pode atender o telefone, esperando uma amiga e, ao contrário, pode ouvir uma vendedora agressiva que faz perguntas intrusas ou uma insistente pessoa caridosa esperando que ela ofereça espontaneamente seu tempo. Então seu *animus* é pego de surpresa e ela se atrapalha de modo ineficiente.

Susan Griffin, teatróloga vencedora do prêmio Emmy, poetisa e autora de *Woman and Nature,* acha que a aliança Hermes-Héstia explica dois lados muito dessemelhantes dela. Em casa é uma presença suave, uma Héstia que trabalha indolentemente ao redor de sua cozinha e torna seu lar um ancoradouro. Esta Susan Griffin muito reservada contrasta com a clara, aguçada e politicamente esperta ex-editora de *Ramparts* que, no aspecto público, pode ser "mercurial", ao mesmo tempo esperta e volátil.

Permanecendo firme ao próprio centro: permanecendo fiel a Héstia

Apolo e Posídon tentaram violar a virgindade de Héstia, sua integridade de uma-em-si-mesma. Em vez de render-se aos desejos deles, contudo, ela prestou um juramento de castidade eterna. Aquilo a que Héstia resistiu ao rejeitar Apolo e Posídon é metaforicamente significativo, correspondendo às forças intelectuais e emocionais que podem afastar a mulher de seu centro.

Héstia representa o si-mesmo, um centro espiritual intuitivamente conhecido da personalidade de uma mulher que traz significado para a sua vida. Essa centralização de Héstia pode ser anulada se ela "ceder a Apolo". Apolo era o deus do sol e apolíneo se equaciona com o logos, a vida intelectual, a supremacia da lógica e da razão. Se Apolo persuade uma mulher a desistir de sua virgindade hestiana ela subordinará sua experiência interior intuitivamente sentida ao olhar perscrutador da indagação científica. O que ela sente mas não pode expressar em palavras fica, portanto, invalidado; o que ela conhece como mulher interiormente sábia não é levado em conta, a menos que seja sustentado por firme prova. Quando é permitido ao ceticismo científico "masculino" penetrar na experiência espiritual e exigir "prova", a invasão invariavelmente viola o sentido de integridade e significado de uma mulher.

Por outro lado, se a mulher tipo Héstia é "dominada por Posídon", ela fica desarmada pelo deus do mar. Posídon representa o perigo de ser inundado por sentimentos oceânicos ou por conteúdos que jorram do inconsciente. Quando essa inundação a põe em perigo, ela pode sonhar que uma enorme onda a está derrotando. À luz do dia, a preocupação com uma situação emocional pode impedi-la de sentir-se centrada. Se a perturbação conduz à depressão, a influência aquática de Posídon pode temporariamente "apagar o fogo do centro da lareira de Héstia".

Quando ameaçada por Apolo ou Posídon, a mulher tipo Héstia precisa buscar sua unicidade-em-si-mesma na solidão. Em quieta tranqüilidade ela pode uma vez mais encontrar intuitivamente seu caminho de volta para o centro.

Bibliografia

BRADWAY, Katherine, "Hestia and Athena in the Analysis of Women". *Inward Light* 151, 1978, nº 91, pp. 28-42.

DEMETRAKOPOULOS, Stephanie, "Hestia, Goddess of the Hearth". *Spring,* 1979, pp. 55-75. Este artigo foi a minha fonte principal para a mitologia e os rituais de Héstia.

"The Hymn to Hestia" e "The Second Hymn to Hestia". In *Homeric Hymns,* Spring, Irving, Texas, 1979, pp. 140-141.

JUNG, C. G., "The Spirit Mercurius: Part 2, nº 3. Mercurius as Fire". CW, vol. 13, pp. 209-210.

JUNG, C. G., "The Spirit Mercurius: Part 2, nº 8. Mercurius and Hermes". CW, vol. 13, pp. 230-234.

KIRKSEY, Barbara, "Hestia: A Background of Psychological Focusing". In *Facing the Gods,* org. por James Hillman, Spring, Irving, Texas, 1980, pp. 101-113.

KOLTUV, Barbara Black, "Hestia/Vesta". *Quadrant* 10, inverno de 1977, pp. 58-65.

LUKE, Helen M., "Goddess of the Hearth". In *Woman: Earth and Spirit,* Crossroad, New York, 1981, pp. 41-50.

MAYERSON, Philip, "Hestia (Vesta)". In *Classical Mythology in Literature, Art, and Music,* Wiley, New York, 1971, pp. 115-116.

MAYERSON, Philip, "Hermes (Mercury)". In *Classical Mythology in Literature, Art, and Music,* Wiley, New York, 1971, pp. 210-226.

7
As deusas vulneráveis: Hera, Deméter e Perséfone

As três deusas vulneráveis são Hera, deusa do casamento, Deméter, deusa do cereal, e Perséfone, conhecida como Coré, ou jovem, e como rainha do inferno. Essas três deusas personificam arquétipos que representam os papéis tradicionais das mulheres — esposa, mãe e filha. Elas são as deusas orientadas para o relacionamento, cujas identidades e bem-estar dependem de um relacionamento significativo. Expressam as necessidades de afiliação das mulheres.

Em suas mitologias, essas três deusas foram estupradas, raptadas, dominadas ou humilhadas pelos deuses. Cada uma sofreu quando uma ligação foi rompida ou desonrada. Cada uma experienciou a impotência, e cada uma reagiu a seu modo — Hera com raiva e ciúme, Deméter e Perséfone com depressão. Cada uma demonstrou sintomas que se assemelham psicologicamente a doenças. As mulheres nas quais essas deusas existem como arquétipos são do mesmo modo vulneráveis. O conhecimento de Hera, Deméter e Perséfone pode proporcionar às mulheres *insights* rumo à natureza de suas necessidades de relacionamentos e rumo ao padrão de sua reação à perda.

Quando Hera, Deméter e Perséfone são arquétipos dominantes, a atração motivacional é o relacionamento, mais do que o empreendimento, a autonomia ou uma nova experiência. O enfoque da atenção é nos outros, não num objetivo exterior ou estado interior. Conseqüentemente, as mulheres identificadas com essas deusas são atenciosas e receptivas com os outros. São motivadas pelas recompensas do relacionamento — aprovação, amor, atenção — e pela necessidade do arquétipo: casar (Hera), alimentar (Deméter) ou ser dependente (Perséfone enquanto Coré). Para essas mulheres, cumprir os papéis tradicionais das mulheres pode ser pessoalmente significativo.

Qualidade da consciência: como luz difusamente radiante

Cada uma das três categorias de deusa tem uma qualidade característica de consciência. A qualidade associada com os arquétipos das deusas vulneráveis é a da "percepção difusa". Irene Claremont de Castillejo, analista junguiana, descreveu esse tipo de percepção em seu livro *Knowing Woman* como "atitude de aceitação, conhecimento da unidade de toda a vida, e prontidão para o relacionamento".[1] Essa qualidade da consciência exemplifica as pessoas, de ambos os sexos, orientadas para o relacionamento.

Penso nessa qualidade de consciência como análoga à luz da lâmpada de uma sala de estar, que ilumina e lança uma quente incandescência a tudo o que está dentro de seu raio. É uma atenciosidade generalizada que permite a uma pessoa perceber sensíveis nuanças, uma receptividade ao tom emocional numa situação, uma percepção dos sons de fundo como também tudo o que se encontre no centro da atenção no primeiro plano. A percepção difusa explica a consciência perscrutadora que

1. Irene Claremont de Castillejo, *Knowing Woman*. Putnam's (para a C. G. Jung Foundation for Analytical Psychology), New York, 1973, p. 15.

permite a um pai ouvir uma criança choramingar por entre os rumores da conversa, ou que possibilita à esposa saber que seu marido está contrariado, sentindo-se mal ou sob pressão quando ele entra em casa, algumas vezes até mesmo antes que ela tenha consciência disso. Essa espécie de consciência receptiva e difusa pode levar à abrangência ou à *gestalt* de uma situação. Em contraste, a "consciência enfocada", característica de Ártemis, Atenas e Héstia — as três deusas virgens — se concentra num elemento com a exclusão de tudo o mais.

Quando tive dois filhos que ainda há pouco usavam fraldas aprendi como o comportamento das mães pode ser modificado pelos filhos a fim de mantê-las num estado de percepção difusa. A maior parte do tempo em que estava ao redor de meus filhos, eu permanecia sintonizada com eles, num estado mental receptivo em que minha mente não estava focalizada. Descobri que quando eu mudava de modos e me concentrava atentamente em algo diferente deles, eles invariavelmente me interrompiam.

Por exemplo, se eles estivessem calmamente brincando juntos na sala ao lado, e eu me ocupasse em limpar a pia, pôr em ordem as roupas ou até mesmo fazer alguma leitura leve, havia chances de que eu poderia continuar fazendo a atividade "desatenta" por algum tempo. Mas se decidisse tirar proveito da sossegada hora de folga, para ler o jornal ou estudar alguma coisa que me exigisse atenção enfocada, parecia que um ou dois minutos mais tarde pequeninos pés sempre entravam correndo para interromper. Parecia que as crianças tinham percepção extra-sensorial de quando meu estado mental atento-a-elas e explorador-de-detalhes era substituído pela atenção enfocada, que os "dessintonizava". Tentar enfocar entre contínuas interrupções é frustrante. O efeito imediato era desencorajar a consciência enfocada, e portanto modificar meu comportamento mental.

Quando começava a compreender a situação, tentava uma experiência que você também poderia tentar. Espere por uma dessas épocas calmas quando um pré-escolar está contente e acordado fazendo alguma coisa sem você. Note que ele pode ocupar-se com alguma coisa que não requer concentração. Depois verifique o relógio e mude da consciência difusa para a consciência enfocada em algum outro tipo de tarefa. Observe quanto tempo você pode enfocar nessa tarefa antes que a criança o interrompa.

Não apenas as criancinhas reagem dessa maneira quando a mulher importante de suas vidas as tira de sintonia para dar enfoque a algo que lhe diz respeito. Minhas pacientes mulheres também têm descrito incidentes incontatáveis com outras pessoas. Por exemplo, quando a mulher orientada para o relacionamento se matricula num curso ou retorna à faculdade como estudante graduada, uma inevitável fonte de atrito entre ela e os que com ela convivem — marido, amante, filhos mais velhos — são suas intromissões e interrupções quando ela estuda. Ela própria muitas vezes tem problema ao se concentrar em seu trabalho: o estado de mente receptivo e difuso, que permite à mulher atender aos outros, também lhes permite que a distraiam facilmente.

E quando ela se concentra, o homem de sua vida pode inconscientemente reagir a seu trabalho, como se este fosse um rival que a afasta dele. Sua reação é à perda de sua atenção, que até então era parte do meio ambiente familiar. Ele pode estar reagindo à ausência temporária de Hera ou de Deméter na mulher, e esta pode não estar respondendo a ele como de costume.

É como se uma tépida luz não vista tenha sido desligada, fazendo-o sentir de modo vagamente ansioso e inseguro, que alguma coisa está errada. E as coisas ficam pior depois das intromissões dele "por nenhum bom motivo", porque a resposta usual a interrupções do enfoque é a irritação. Portanto, é provável que ela reaja com contrariedade ou raiva, fundamentando assim os sentimentos de rejeição. Cada casal que eu conheço — onde o homem realmente apóia as aspirações acadêmicas ou a carreira da mulher, e onde ele é realmente amado e importante para ela — tem achado útil reconhecer esse padrão gerador de atrito. Tão logo ele não se ressinta pessoalmente que ela mude da consciência difusa para a consciência enfocada, o padrão de suas interrupções injustificadas e sua conseqüente raiva e ressentimento se transformam, e a tensão se dissolve.

Vulnerabilidade, vitimação e consciência difusa

As deusas vulneráveis foram vitimadas. Hera foi humilhada e abusada por seu marido Zeus, que não levou em conta sua necessidade de fidelidade. O elo de Deméter com sua filha foi ignorado, como também o seu sofrimento quando Perséfone foi raptada e mantida prisioneira no mundo das trevas. Deméter e Perséfone foram ambas estupradas. Como as mulheres humanas em situações em que se tornam indefesas, todas as três deusas vulneráveis mostravam sintomas psiquiátricos.

As mulheres que se assemelham interiormente a essas três deusas e que têm a percepção difusa como modo de consciência são também suscetíveis de vitimação. Em contraste, as deusas associadas com a capacidade de definir limites e apontar para objetivos (Ártemis), ou de pensar através dos problemas e planejar estratégias (Atenas), que requerem consciência enfocada, são as deusas virgens e invulneráveis. As mulheres que com elas se identificam são menos prováveis de serem vítimas.

Para evitar ser vitimada, a mulher precisa parecer enfocada e confiante. Deve caminhar rapidamente, como se estivesse com pressa de chegar em algum lugar, pois mostrar-se sem objetivo ou distraída convida a aborrecimentos. Embora a mulher receptiva e acessível ajude a tornar os relacionamentos e os lares calorosos, levar essas mesmas qualidades pelo mundo afora pode conduzir a intrusões indesejáveis. Qualquer mulher que se encontre sozinha, esperando por alguém ou sentada sozinha num restaurante ou numa sala de espera, pode esperar ser abordada por homens que presumem que qualquer mulher desacompanhada seja "caça" permitida para conversa ou atenção. Se ela for receptiva e afável, então sua afabilidade pode provocar suposições de que ela seja um objeto sexual prontamente disponível. Pode receber propostas sexuais inesperadas e tornar-se vítima de tormento sexual ou de raiva quando recusa. Dois fatores a predispõem à vitimação: a interpretação errônea da receptividade ou da afabilidade como convite ao sexo, e a suposição geral de que qualquer mulher solitária pode ser abordada e está potencialmente disponível. Outro fator que contribui é a suposição social de que as mulheres são propriedades. Essa suposição proíbe os homens de fazer comentários, falar com, ou até mesmo "perdoar" a mulher acompanhada, enquanto eles são livres para agir de outro modo.

As mulheres que são como Deméter e Perséfone, que se sentem vulneráveis ou desprotegidas, muitas vezes têm sonhos de ansiedade. Podem sonhar que homens estão penetrando em seus quartos ou casas, ou que homens sorrateiros ou agressivos as estão pondo em perigo ou seguindo-as. Algumas vezes os homens hostis em seus sonhos são familiares: homens de cuja crítica elas têm medo, homens que as intimidam por ameaças físicas abusivas ou por explosões de raiva. Se na infância a mulher sentiu-se desprotegida ou foi verdadeiramente abusada, as figuras que a atacam nos sonhos são muitas vezes da infância, ou elas ocuparam espaço nos meios familiares da infância.

Nem todas as mulheres que são orientadas para o relacionamento, mulheres do tipo da deusa vulnerável, têm sonhos de vítima. Como as fases das próprias deusas, as mulheres que se assemelham a essas deusas podem passar por um período de vida durante o qual sentem-se seguras e fora de perigo. Sua vida onírica pode ser da mesma forma agradável. Contudo, algumas mulheres têm sonhos de vítima em boas épocas, como que para lembrá-las de sua vulnerabilidade. Em qualquer caso, os sonhos das mulheres vulneráveis são cheios de pessoas e freqüentemente acontecem dentro de edifícios. Tais sonhos evocam tanto memórias de vínculos emocionais passados como descrevem relacionamentos presentes em termos simbólicos.

Padrões de vida e comportamento

Cada uma das três deusas vulneráveis tem em sua mitologia uma fase feliz e realizada; uma fase durante a qual ela foi vitimada, sofreu e foi sintomática; e uma fase de restauração ou transformação. Cada uma representa um estágio na vida da mulher através do qual ela pode passar rapidamente ou no qual pode permanecer por certo espaço de tempo.

A mulher que descobre ser como Hera, Deméter ou Perséfone pode aprender mais sobre si própria, sobre suas forças, suscetibilidades e potencialidades negativas, compreendendo os paralelos que existem entre ela e essas deusas arquetípicas. Se pode aprender a predizer seus próprios problemas, pode se livrar de algum sofrimento. Por exemplo, a mulher tipo Hera pode evitar muito sofrimento ao não se permitir ser impelida insensatamente ou prematuramente para o casamento. Precisa aprender como julgar o temperamento e a capacidade de amar antes de se casar, porque seu destino será determinado por seu marido. Da mesma forma, a mulher tipo Deméter deve ser clara quanto às circunstâncias em que tornaria grávida e deve tomar precauções antes, porque a deusa nela presente — sentida como um instinto maternal compulsivo — não tem nada a ver com as conseqüências. E uma jovem mulher Perséfone faria bem em se mudar do lar para a faculdade ou trabalho, de tal forma que tenha oportunidade de crescer para além da submissa filhinha da mamãe.

Desenvolvendo-se além das deusas vulneráveis

Embora as deusas vulneráveis não personifiquem qualidades que conduzem à realização, a mulher na qual esses arquétipos vivem pode crescer para além deles. Ela pode descobrir suas qualidades de Atenas ou de Ártemis, ou descobrir que competência e competição no mundo vêm através do desenvolvimento do que a ela parece o aspecto masculino de si mesma. E pode explorar dimensões espirituais e sensuais associadas com Héstia, deusa da lareira, e com Afrodite, deusa do amor.

Os três capítulos seguintes aprofundam as mitologias e características de Hera, Deméter e Perséfone. Cada capítulo descreve os padrões arquetípicos que uma deusa personifica, e cada um mostra como uma deusa não só influencia a vida das mulheres nas quais ela vive, mas também afeta os outros que estão relacionados com tais mulheres, como cônjuges, pais, amigos, amantes ou filhos.

Toda mulher que já sentiu ímpeto de se casar, ou teve um filho, ou sentiu que estava esperando que alguma coisa acontecesse para mudar sua vida — o que inclui exatamente todas as mulheres — descobrir-se-á aparentada com uma das deusas vulneráveis em algum ponto de sua vida.

8
Hera: deusa do casamento, do compromisso e esposa

A deusa Hera

Imponente e real, a bela Hera, a quem os romanos conheciam como Juno, era a deusa do matrimônio. Era a cônjuge de Zeus (Júpiter), o deus supremo dos olímpicos, que governava sobre os céus e a terra. Pensa-se que o seu nome signifique "Grande Senhora", a forma feminina da palavra grega *herói.* Os poetas gregos referiam-se a ela como "olhos de vaca", para elogiar seus olhos grandes e belos. Seus símbolos eram a vaca, a via-láctea, o lírio e a iridescente pena da cauda do pavão, que continha olhos, simbolizando a cautela de Hera. A vaca sagrada era uma imagem associada com as deusas da Grande Mãe como provedora de alimentação, enquanto a via-láctea — nossa galáxia, do grego *gala,* "leite da mãe" — reflete a crença, anterior às divindades olímpicas, de que a via-láctea veio dos seios da Grande Deusa como Rainha do Céu. Isso depois tornou-se parte da mitologia de Hera: quando o leite jorrou de seus seios, a via-láctea foi formada. As gotas que caíram no chão tornaram-se lírios, flores simbolizando outra crença pré-helênica no poder de autofertilização dos órgãos genitais femininos. Os símbolos de Hera (e seus conflitos com Zeus) refletem o poder que ela outrora deteve como uma Grande Deusa cuja veneração precedeu Zeus. Na mitologia grega Hera tinha dois aspectos contrastantes: era solenemente reverenciada e venerada em rituais como poderosa deusa do casamento, e foi difamada por Homero como víbora vingativa, briguenta e ciumenta.

Genealogia e mitologia

Hera era filha de Réia e Crono. Foi engolida por seu pai assim que nasceu, como seus quatro outros irmãos. Quando emergiu de seu cativeiro de dentro de Crono, já era jovem. A jovem foi deixada aos cuidados de duas divindades da natureza, que eram os equivalentes de idosos pais de criação de alta classe.

Hera cresceu para ser uma deusa adorável. Atraiu Zeus, que até então tinha conquistado Crono e os Titãs, tornando-se o deus supremo. Não importava que ele fosse seu irmão — os deuses olímpicos tinham suas próprias leis ou falta delas, quando se tratava de relacionamentos. Para se tornar íntimo da jovem virginal, Zeus se metamorfoseou num pequeno pássaro, arrepiado e patético, do qual Hera teve pena. Para aquecer a criatura arrepiada, Hera o manteve junto ao peito. Então Zeus mudou seu disfarce, reassumiu sua aparência varonil e tentou violentá-la. Seus esforços não foram bem sucedidos. Ela resistiu às suas tentativas amorosas até que ele prometeu casar-se com ela. Dizem que a lua-de-mel que se seguiu durou trezentos anos.

Quando a lua-de-mel terminou, estava de fato terminada. Zeus retornou aos seus promíscuos modos pré-nupciais (ele teve seis companheiras diferentes e muita descendência antes de casar-se com Hera). Zeus era continuamente infiel, provocando ciúme vingativo em sua esposa traída. A raiva de Hera não era direcionada a seu marido infiel; dirigia-se "à outra mulher" que, na maioria das vezes, tinha sido seduzida, estuprada ou enganada por Zeus; ou se dirigia às crianças concebidas por Zeus, ou ainda aos inocentes espectadores.

Há numerosas estórias da ira de Hera. Quando Zeus levou Egina a uma ilha para violentá-la, Hera deixou solto um dragão monstruoso, que destruiu muito da população. E quando se tornou enraivecida pelo nascimento de Dioniso, ela enlouqueceu seus pais-de-criação num esforço mal sucedido de destruí-lo.

Calisto foi outro desafortunado pego no fogo cruzado entre Zeus e Hera. Zeus enganou Calisto assumindo a aparência de Ártemis, deusa da caça, e depois a seduziu. Hera reagiu a esse acontecimento transformando Calisto num urso e o filho de Calisto a teria assassinado sem saber. Mas Zeus colocou ambos, mãe e filho, no céu como as constelações de Ursa Maior e Ursa Menor.

Hera foi humilhada pelos muitos romances de Zeus. Ele desonrou seu casamento, que era sagrado para ela, e além disso lhe causou pesar, favorecendo os filhos dele com outras mulheres. Para acrescentar insulto à injúria, ele mesmo deu à luz sua filha Atenas, deusa da sabedoria, demonstrando que não precisava de sua esposa nem mesmo para essa função.

Hera teve diversos filhos. Numa reação de pagar na mesma moeda o nascimento de Atenas, Hera decidiu ser sozinha mãe de um filho, e concebeu Hefesto, deus da forja. Quando ele nasceu com um pé torto — uma criança defeituosa, diferente da perfeita Atenas — Hera o rejeitou e o jogou fora do monte Olimpo.

Hera foi também, segundo dizem alguns, a única a gerar Tifão, um monstro desumano, destruidor, "horrível e nocivo". E Ares, deus da guerra, era o filho de Hera e Zeus (Zeus desprezava Ares por perder o controle no ponto culminante da batalha). Hera também teve duas filhas pálidas: Hebe, adolescente copeira, e Ilítia, deusa do parto, que compartilhou seu papel com Ártemis (as mulheres em parto apelavam a ela como Ártemis Ilítia).

Hera em geral reagia a cada nova humilhação com uma ação. Mas a raiva e a vingança não eram suas únicas respostas. Em outros momentos, ela se retirava. Os mitos falam das peregrinações de Hera aos limites da terra e do mar, durante as quais ela se envolvia na mais profunda escuridão, separando-se de Zeus e dos outros deuses olímpicos. Num mito, Hera voltou às montanhas onde tinha passado os dias felizes da sua juventude. Quando Zeus viu que ela não pretendia voltar, tentou despertar seu ciúme anunciando que estava para se casar com uma princesa local. Então programou uma cerimônia simulada com a estátua de uma mulher. Esta brincadeira divertiu Hera, que o perdoou e voltou ao monte Olimpo.

Embora a mitologia grega enfatize a humilhação e a índole vingativa de Hera, em sua veneração, por contraste, ela era grandemente honrada.

Em seus rituais Hera tinha três epítetos e três santuários correspondentes, onde era venerada durante o ano. Na primavera, ela era Hera *Partenos* (a jovem Hera, ou a virgem Hera). Era celebrada como Hera *Teleia* no verão e no outono (Hera, a perfeita, ou Hera, a realizadora), e tornava-se Hera *Chera* (Hera, a viúva) no inverno.[1]

Esses três aspectos de Hera representam os três estados da vida de uma mulher, simbolicamente revividos em vários rituais. Na primavera uma imagem representando Hera era imersa num banho, restaurando simbolicamente sua virgindade. No verão, ela alcançava a perfeição num ritual de casamento. No inverno, outro ritual enfatizava tanto a disputa como a separação de Zeus, cujo ritual precedeu a fase de Hera, a viúva, durante a qual ela ficava no esconderijo.

1. Murray Stein, "Hera: Bound and Unbound". *Spring,* 1977, p. 108.

O arquétipo de Hera

Como deusa do casamento, Hera foi reverenciada e injuriada, honrada e humilhada. Ela, mais do que qualquer outra deusa, tem atributos marcadamente positivos e negativos. O mesmo é verdadeiro para o arquétipo de Hera, uma força intensamente poderosa para a alegria ou a dor na personalidade de uma mulher.

A esposa

O arquétipo de Hera, primeiro e antes de tudo, representa o desejo ardente de ser esposa. A mulher como forte arquétipo de Hera sente-se fundamentalmente incompleta sem um companheiro. É motivada para o casamento por um instinto "concedido por uma deusa". Seu desgosto de estar sem companheiro pode ser experiência interior tão profunda e ofensiva como o fato de não ter filhos para a mulher cujo impulso mais forte é ter bebê.

Como psiquiatra, estou bastante conscientizada do sofrimento de uma mulher tipo Hera quando ela não tem nenhum homem significativo em sua vida. Muitas mulheres têm compartilhado comigo seu pesar. Uma advogada disse soluçando: "Tenho trinta e nove anos e não tenho um marido! Tenho tanta vergonha!" Uma enfermeira atraente, divorciada, de trinta e dois anos, disse pesarosamente: "Sinto-me como se tivesse uma grande cavidade em minha psique, ou talvez seja uma ferida que nunca cicatriza inteiramente. Meu Deus, estou abandonada a mim mesma. Saio o suficiente, suponho, mas nenhum dos homens que encontro quer me levar a sério".

Quando a mulher com necessidade compulsiva de ser companheira se torna envolvida num relacionamento comprometido, muito do desejo ardente criado pelo arquétipo de Hera de ser esposa se torna presente. Mas ela sente ainda desejo premente pelo próprio casamento.

Precisa do prestígio, respeito e honra que o casamento tem para ela, e quer ser reconhecida como "senhora Fulana de tal". Ela não quer simplesmente viver junto, mesmo numa época em que tais arranjos não são estigmatizados. Então ela pressiona por reconhecimento externo; acha o casamento na grande igreja infinitamente preferível a voar para o Reno ou descer ao City Hall.

Quando Hera é seu arquétipo, a noiva pode sentir-se como deusa no dia do casamento. Para ela o casamento iminente evoca a antecipação da realização e da integridade, que a enche de alegria. Esta é a noiva radiante, repleta de Hera.

A ex-primeira dama dos EUA, Nancy Reagan personifica o arquétipo da esposa. A senhora Reagan deixou claro que ser a esposa de Ronald Reagan é a sua mais importante prioridade. Quando descreve a importância de seu casamento, fala para todas as mulheres que personificam Hera em casamento feliz:

> No que me diz respeito, nunca vivi realmente até que encontrei Ronnie. Oh, sei que essa não é a moda popular hoje em dia. Supõe-se que você seja totalmente independente, tendo seu marido ao redor como algo conveniente. Mas não posso deixar de me sentir assim. Ronnie é a razão de eu viver feliz. Sem ele, sou realmente infeliz e não tenho nenhum outro propósito ou direção na vida.[2]

Nossa cultura até muito recentemente ecoava o ponto de vista de Nancy Reagan: "casar-se" era considerado a realização principal de uma mulher. Até agora, quando a educação e os objetivos da carreira são importantes, muitas mulheres não podem escapar de se sentirem pressionadas pelas expectativas culturais de "se estabelecerem e se casarem". Dessa forma, o arquétipo de

2. Nancy Reagan, *Quest,* 1982. As mesmas coisas contadas por Nancy Reagan em *Nancy,* com Bill Libby, Berkley, New York, 1981.

Hera recebe enorme apoio. Além do mais, certa mentalidade de "Arca de Noé" prevalece. Espera-se que as pessoas venham aos pares, como sapatos ou meias. Com isso como norma social, as mulheres solteiras ficam destinadas a sentir que estão perdendo o barco. Então o arquétipo de Hera torna-se reforçado tanto pelas conseqüências negativas quando ela não se harmoniza com Hera, quanto pela validação positiva quando se harmoniza. A evidência de que Hera não deveria ser unicamente a criação de uma cultura patriarcal — uma cultura que desvaloriza a mulher até que esta seja escolhida por um homem (quanto mais poderoso o homem, melhor) — é sugerida por uma tendência semelhante em muitas mulheres lésbicas. Muitas lésbicas sentem ímpeto de ter companheira, a mesma necessidade por fidelidade, a mesma expectativa de que a realização virá através de sua companheira, e o mesmo desejo premente por cerimônia ritual que proporcionará reconhecimento exterior de estar acasalada. Com certeza, a mulher lésbica que personifica Hera não responde à pressão cultural ou às expectativas familiares, pois ambas tentam condenar o relacionamento, em vez de sustentá-lo.

Capacidade para o compromisso

O arquétipo de Hera proporciona capacidade de se estabelecer elo, de ser leal e fiel, de suportar e passar pelas dificuldades com companheiro. Quando Hera é a força motivadora, o compromisso da mulher não é condicional. Uma vez casada, propõe-se a permanecer assim, "para melhor ou para pior".

Sem Hera, a mulher pode passar por uma série de relacionamentos de curta duração, mudando quando surgem as inevitáveis dificuldades ou quando a mágica inicial do enamorar-se gradualmente se enfraquece. Ela pode não se casar e pode sentir-se completamente bem quanto a seu estado de solteirona. Ou pode passar pelos impulsos — a grande igreja para o casamento e tudo o mais — embora não se sinta ligada, do modo vital de Hera, ao homem com quem se casou.

Quando as mulheres se casam sem Hera, "alguma coisa fica faltando". Essas foram as palavras exatas usadas por uma de minhas pacientes, fotógrafa de quarenta e cinco anos de idade que perdeu profunda conexão com seu marido: "Gosto dele e tenho sido boa esposa", disse. "Contudo, freqüentemente penso que viver por conta própria se adaptaria melhor a mim. Se as mulheres flertam com ele quando estou ao redor, ele algumas vezes as encoraja — para meu benefício, penso eu. Ele espera que eu reaja com ciúmes e então fica contrariado porque não fico contrariada. Suponho que ele suspeite que não é essencial para mim — o que é verdade. Bem no fundo, não sou esposa realmente devotada, embora meu comportamento como esposa esteja além da crítica." Tristemente para ambos, até mesmo depois de vinte anos de casamento, Hera não se tornou arquétipo ativo.

O matrimônio sagrado

Dois dos três significados do casamento são a satisfação de uma necessidade interior de ser cônjuge e um reconhecimento exterior entre o marido e a esposa. O arquétipo do matrimônio também é expresso num terceiro nível: místico, como luta pela totalidade através de "matrimônio sagrado". As cerimônias religiosas do casamento, que enfatizam a natureza sagrada do mesmo e o caracterizam como união espiritual ou sacramento através do qual a graça pode ser canalizada, são reconstituições atuais dos sagrados rituais de Hera.

Um *insight* desse aspecto sagrado do arquétipo de Hera veio a mim por experiência direta. Fui criada como protestante moderada. Nenhum mistério ou magia acompanhava nossos rituais religiosos. O sacramento da comunhão era uma comemoração que usava suco de uva de Welch. Assim, foi igualmente inesperado e profundamente incitador para mim descobrir que a cerimônia de meu casamento na catedral de São Francisco foi uma impressionante experiência interior. Senti que estava participando de um poderoso ritual que invocava o sagrado. Tive o sentimento de experienciar algo além da realidade costumeira, alguma coisa sobrenatural, o que é característico de uma experiência arquetípica. Enquanto declarava meus votos, senti como se estivesse participando dos rituais sagrados.

Quando o matrimônio sagrado ocorre num sonho, há uma troca semelhante de intensidade. O que é lembrado é a numinosidade da experiência. As pessoas freqüentemente usam metáforas do campo elétrico ou de energia para explicar o que sentiram quando se ligavam com a pessoa que era companheiro sagrado em seus sonhos. Simbolizando uma união intrapsíquica entre o masculino e o feminino, o sonho é experiência de totalidade. Quando a sonhadora é abraçada por seu companheiro sagrado, há uma mistura de sentimento erótico, satisfação e união. O sonho é "numinoso", isto é, tem efeito emocional inexprimível, misterioso e divino na sonhadora. A sonhadora desperta agitada e alterada: "Foi sonho mais real para mim do que me senti quando despertei. Nunca o esquecerei. Quando ele me segurou, eu me senti maravilhosamente. Era como encontro místico. Não posso explicar: havia profundo senso de paz ao mesmo tempo que era eletrizante. Esse sonho foi o principal acontecimento de minha vida."

Nessa experiência puramente interior do matrimônio sagrado, a sonhadora se experiencia como a perfeita ou completa Hera. Isso muitas vezes tem um calmo efeito no ímpeto de ser companheira e na necessidade de ser casada.

A mulher desprezada: o padrão negativo de Hera

A deusa Hera não expressava raiva contra Zeus devido a suas infidelidades públicas. Canalizava como raiva vingativa, dirigida à outra mulher ou às crianças geradas por Zeus, a dor que sentia ao ser rejeitada por ele e ao ser humilhada por seus romances. O arquétipo de Hera predispõe a mulher a transferir a culpa do seu companheiro — do qual é emocionalmente dependente — para os outros. E as mulheres tipo Hera reagem à perda e à dor mais com raiva e atividade do que com depressão, como é típico de Deméter e Perséfone. Em meu trabalho analítico, descobri que a vingança é truque mental, que faz com que a mulher tipo Hera se sinta poderosa e não tanto rejeitada.

Jean Harris é personificação contemporânea da rejeitada Hera. A arrogante diretora da exclusiva Madeira School era condenada por assassinar seu amante de longo tempo, o fomentador da Dieta Scarsdale, doutor Herman Tarnover. Sabia-se que Harris era conhecida por ter-se envolvido em ira ciumenta pela preferência de Tarnover por uma rival mais jovem, a quem ela julgava com menos civilidade, educação e classe do que ela. Foi condenada por assassínio depois que seu ódio sem disfarce em direção à outra mulher foi revelado, numa longa carta escrita para Tarnover exatamente antes de sua morte. Ela escreveu:

> Você foi a coisa mais importante, o ser humano mais importante de minha vida. Você me mantém em controle, ameaçando-me de expulsão, uma ameaça fácil com a qual você sabe que eu não poderia conviver e, portanto, permaneço em casa sozinha enquanto você faz amor com alguém que me destruiu quase totalmente. Tenho sido humilhada publicamente repetidas vezes.[3]

3. Diana Trilling, *Mrs. Harris: The Death of the Scarsdale Diet Doctor.* Harcourt Brace Jovanovich, New York, 1981.

Apesar de seus dons e prestígios, Harris estava convencida de que era imprestável sem Tarnover. Sustentou resolutamente que o assassínio foi acidental. Dita como Hera, que nunca considerou Zeus responsável por seus namoros, esta afirmação poderia ser realmente verdadeira, porque Harris nunca imaginou viver sem ele.

Cultivando Hera

A necessidade de ser como Hera vem como realização para algumas mulheres no início da meia-idade; por essa época já tiveram uma série de relacionamentos ou ficaram tão enfocadas em suas carreiras que o casamento não se tornou prioridade. Até esse ponto, elas atenderam à inclinação de Afrodite de mudar de um relacionamento para outro, ou à tendência de Perséfone de evitar compromissos, ou ao enfoque de Ártemis e de Atenas no alcance dos objetivos. Ou a deusa esteve em campos opostos, e o ímpeto de Hera por ser companheira foi frustrado pela escolha dos homens que a mulher fez, escolha influenciada por outras deusas.

Quando a ligação como companheira não é forte instinto, ela precisa ser conscientemente cultivada. Isso em geral é possível somente quando a mulher vê a necessidade de estabelecer um compromisso e tem vontade de mantê-lo, e quando existe oportunidade para ela agir assim. Se ela ama um homem que necessita ou requer sua fidelidade, ela deve escolher entre a monogamia ou ele. Deve decidir refrear a promiscuidade de Afrodite, ou a independência de Ártemis e favorecer Hera. A decisão consciente de ser esposa tipo Hera pode reforçar a conexão de mulher com o arquétipo.

Se o envolvimento com homens não casadouros impede que uma mulher se torne esposa, esta precisa ficar desencantada com o tipo de homens pelos quais tem sido atraída e com o tratamento que deles recebeu. Precisa também reavaliar sua atitude em relação aos homens que têm valores tradicionais, porque ela pode ter ficado preconcebida em relação a esses homens que querem casar e constituir família. Quando sua imagem de um homem desejável muda para se adequar a um tipo de homem com o qual possa estabelecer compromisso, então pode se tornar possível a necessidade que Hera tem de ser esposa.

A mulher tipo Hera

A Hera moderna é facilmente reconhecível. Como noiva radiante, andando pela nave central da igreja em direção ao noivo que a espera, ela é a alegre Hera, antecipando sua satisfação. Como esposa traída, que descobre que seu marido está tendo um caso e fica enraivecida com a outra mulher, ela é Hera, a víbora. A mulher tipo Hera é personificada por número incontável de mulheres que foram "a Esposa" tipicamente virginal antes do casamento ou pelo menos até o noivado, e depois a esposa leal por décadas, até que se torna a viúva vivendo pela Segurança Social.

A mulher tipo Hera tem prazer em fazer do marido o centro de sua vida. Todo mundo sabe que ele aparece primeiro. Os filhos da mulher tipo Hera compreendem bem a ordem de seu universo: o melhor é sempre guardado para ele. As outras pessoas rapidamente compreendem também o que se passa: ela as coloca "na fila de espera" até consultar o marido.

Muitas mulheres moldadas de acordo com Hera têm qualidade matronal e são notadas por todos como "muito bem casadas". E muitas outras mulheres têm Hera como um dos diversos aspectos de sua personalidade. Superficialmente elas podem não parecer mulheres tipo Hera, mas quando se familiarizam com ela reconhecem logo que Hera é figura interior muito familiar.

A infância

Aos quatro ou cinco anos, a pequena Hera pode ser encontrada brincando de casinha e dizendo: "Você é o pai, e vai para o trabalho", enquanto acompanha seu companheiro de brinquedo à porta. Apressando-se como "pessoa adulta", ela varre o chão e põe jantar composto de salada de erva e tortas de barro sobre a mesa, antecipando o ponto culminante do dia de Hera, que é quando ele chega em casa e senta-se para jantar. Em contraste, a jovem Deméter, para quem ser mãe é o acontecimento principal, empurra sua boneca num carrinho e passa horas vestindo, alimentando, e pondo seu "bebê" no berço.

Mas lá pelos seis ou sete anos, quando os sexos se separam em seus próprios grupos de folguedos e muitas garotinhas pensam que muitos menininhos são "cruz credo", encontrar meninos para "brincar de casinha" torna-se quase impossível. Aqui e ali, até mesmo no primeiro ano, alguma formação de pares acontece, mas para a maioria o traço seguinte de Hera vem mais tarde, quando as crianças "namoram seriamente".

Os pais

Os pais de Hera foram Crono e Réia — um pai distante que engoliu seus filhos, ameaçado pela possibilidade de que um o destronasse, e uma mãe sem poder para proteger seus filhos dele. Crono e Réia nos proporcionam quadro negativo e exagerado de casamento patriarcal: o marido é homem poderoso e dominador, que não tolera competição vinda de seus filhos nem permite que a esposa tenha quaisquer novos interesses. A esposa resiste passivamente, guardando segredo e usando trapaça. Hera foi a única de seus irmãos engolidos que teve dois pares de pais. Uma vez libertada de seu pai, foi elevada a uma situação idílica, com duas divindades da natureza como pais adotivos.

O tema dos dois conjuntos de pais — ou dois modelos de casamento — é familiar para muitas mulheres tipo Hera. No meio de uma situação familiar não tão ideal que torna outras crianças pessimistas ou cínicas quanto ao casamento, uma jovem tipo Hera sustenta uma imagem idealizada do casamento, e o procura para si própria como um caminho fora de uma situação familiar má. Em circunstâncias mais felizes, uma filha tipo Hera vê no casamento duradouro de seus pais o que ela quer para si própria.

Adolescência e juventude

A adolescente tipo Hera fica mais contente se estiver num relacionamento firme. É a garota que usa orgulhosamente o anel de seu namorado numa correntinha ao redor do pescoço, sonhando acordada sobre um casamento de pompa, e que fica ensaiando seu nome, escrevendo em seu caderno: "Sra. Bob Smith", "Sra. Robert Smith", "Sra. Robert Edwin Smith".

Ter um namorado firme é algo decisivamente importante para ela. Se freqüenta uma escola secundária consciente do seu *status*, uma rica escola secundária suburbana, então importa que ele seja membro do grêmio, jogador de futebol da equipe principal, membro do clube mais prestigiado. Se ela estiver numa escola do centro, o que constitui *status* pode variar, mas o padrão é o mesmo. Ela procura estar unida com um jovem de alto *status* e almeja segurança emocional que deriva do relacionamento. Se ela é membro de um casal conceituado, programa saídas de parceiros e festas, e lá das alturas da olímpica deusa Hera despreza as coitadinhas desacompanhadas.

Algumas mulheres se casam enquanto na escola secundária ou logo após, para que possam "brincar de casinha" tão logo quanto possível. Mas muitos romances de escola secundária terminam, e o término desse primeiro relacionamento sério é em geral também a primeira séria ferida emocional para uma jovem mulher tipo Hera.

Hera encara a faculdade como o tempo e o lugar para encontrar um companheiro. Se ela for brilhante e capaz, muitas vezes se sai bem na faculdade, apenas para desapontar os professores que admitiram que ela levou sua habilidade a sério. Para a mulher tipo Hera a educação em si não é importante. Pode apenas fazer parte de sua esperada formação social.

Desde que o casamento é a razão pela qual ela veio para a faculdade, sua ansiedade cresce com o passar do tempo se um marido não aparece. Como aluna de faculdade no meio da década de 50, eu relembro as mulheres tipo Hera não compromissadas que, como alunas do terceiro ano de estudo, tornaram-se cada vez mais ansiosas, e como bacharelandas não compromissadas tinham um ar de desespero, achando-se condenadas a serem solteironas. Perguntas indelicadas dos parentes que indagavam: "Quando é que você vai se casar?" eram excessivamente dolorosas, pois a mulher tipo Hera sente um vazio interior e necessita de significado que se amplia com as expectativas dos outros que também enfatizam o casamento.

Trabalho

Para a mulher tipo Hera o trabalho é um aspecto secundário da vida, exatamente como o ir à faculdade. Qualquer que seja sua formação, carreira, profissão ou título, quando Hera é uma forte força na psique de uma mulher, seu trabalho é algo que ela faz, mais do que um aspecto importante de quem é ela.

A mulher tipo Hera pode ser muito boa no que faz e alcançar reconhecimento e progresso. Se não for casada, contudo, nada disso parece valer muito para ela. Naquele padrão que conta ela fracassou a seus próprios olhos, independentemente de suas realizações.

Outras deusas em geral estão presentes na mulher que se sai bem no mundo do trabalho. Contudo, se Hera for o padrão dominante ela não sente que seu trabalho é importante. Se for casada, subordinará naturalmente sua carreira à de seu marido e estabelecerá seu horário de trabalho e chances de promoção às necessidades dele. Apenas aparentemente ter-se-ia a impressão de que a mulher tipo Hera vivesse um casamento de dupla-carreira: sua carreira é realmente seu casamento.

Nessa etapa da vida de carreiras duplas, onde dois cheques de pagamento são muitas vezes necessários, muitas esposas trabalhadoras são mulheres tipo Hera. Contudo, a mulher tipo Hera sempre diz: "Para onde você for eu irei". Ela não proporá uma separação geográfica temporária, com um ou outro viajando para estarem juntos nos finais de semana. Nem insistirá em que sua carreira seja tão importante quanto a dele. Para isso, outra deusa deve agir.

Relacionamento com mulheres:
a espécie desvalorizada

A mulher tipo Hera usualmente não atribui muita importância às amizades e geralmente não tem melhor amiga. Prefere estar com seu marido e programar coisas com ele. Se tem uma amizade íntima e duradoura com uma mulher, outras deusas são responsáveis.

Se ela for solteira, sente que encontrar pretendentes aceitáveis é de primeira importância. Pode formar par com outra mulher para irem a lugares, tais como bares, onde a mulher sozinha não se sentiria confortável. Mas, uma vez que esteja num relacionamento firme, tem pouco tempo para suas amigas solteiras e usualmente as abandona.

Se solicitada para sair com um homem, a mulher tipo Hera mantém naturalmente um hábito social, comum entre certas mulheres, de cancelar previamente planos feitos de verem outras mulheres amigas. Uma vez casada, esse acordo estende-se ao cancelamento de amizades com mulheres.

A mulher tipo Hera casada refere-se a outras mulheres casadas como metade de um casal. Ou ela encontra mulheres descomprometidas ameaçando-a potencialmente, caso seu marido lhes dê a menor atenção, ou as despreza como mulheres que não têm homens. Depois do casamento ela torna todo o social como parte de um casal. Quando a mulher casada programa coisas com outras mulheres, a atividade é caracteristicamente relacionada à profissão de seu marido ou de suas atividades. As assistentes de mulheres institucionalizam essa tendência. Em tais organizações, a posição do marido usualmente determina a posição eletiva de sua esposa. Ao votar em oficiais de tal organização, as mulheres tipo Hera inevitavelmente consideram o status do marido da mulher.

Para a mulher tipo Hera, quando o contacto com outras mulheres é feito num contexto de casais, o elo entre as mulheres muitas vezes é provavelmente mais uma aliança amigável do que uma amizade pessoal. Contudo, a mulher tipo Hera facilmente abandona a "amiga" divorciada ou viúva, muitas vezes depois de anos de freqüente socialização, quando a amiga não mais está acompanhada. As mulheres tipo Hera abandonam-se uma à outra, reforçando sua convicção interior de que a mulher não é nada sem um marido. Muitas viúvas têm mudado para climas mais ensolarados, não pelo tempo, mas por raiva e orgulho, ao descobrir que não mais havia um lugar para elas em seu círculo de amigas íntimas de tempos passados.

Relacionamento com homens: expectativas de realização

Quando a deusa Hera era venerada nos templos gregos e o casamento de Zeus e Hera era ritualmente celebrado, Zeus era chamado *Zeus Teleios,* significando "Zeus, provedor de realização". A mulher contemporânea tipo Hera coloca no marido a expectativa arquetípica de que ele a preencherá.

A mulher tipo Hera é atraída por um homem competente, cheio de sucesso, definição que usualmente depende de sua classe social e da família. Artistas na miséria, poetas sensíveis, e gênios escolares não constituem seu gênero. As mulheres tipo Hera não ficam fascinadas por homens que sofrem por causa de sua arte ou princípios políticos.

Algumas vezes, contudo, as mulheres tipo Hera parecem particularmente sensíveis à combinação que venceu a própria Hera. Zeus primeiramente tornou-se íntimo de Hera, metamorfoseando-se num pássaro arrepiado antes de se revelar como o deus supremo. Muito freqüentemente a mulher tipo Hera esposa essa combinação de pobre pequena criatura necessitada de entusiasmo, que ela proporciona, e de grande homem poderoso. Muitos homens que são altamente bem sucedidos no mundo têm, como Zeus, um elemento juvenil atraente e emocionalmente imaturo que pode tocar a mulher tipo Hera quando combinado com o poder que ela acha tão atraente. Ele pode não ter amigos íntimos, pode não estar a par da dor particular dos outros, e pode não ter desenvolvido capacidade de empatia.

A imaturidade emocional do homem também é responsável por sua busca de variedade mais do que de profundidade com as mulheres; e por sua conseqüente tendência de ter romances, que a mulher tipo Hera não pode tolerar. Ele pode ser homem de negócios que aprecia uma deliciosa noitada quando sai da cidade a serviço. Aprecia a conquista e o excitamento do sexo pela primeira vez com uma nova mulher, supondo que o que sua mulher não vê não a ferirá. Odeia falar sobre seus relacionamentos ou ter confrontações sobre seu comportamento — por isso a mulher tipo Hera evita ambas as coisas.

Se a mulher tipo Hera casa-se com um homem que se torna namorador e mentiroso como Zeus, e ela o leva a sério — positivamente característica das mulheres tipo Hera que querem ser reasseguradas — então ela será repetidamente ferida. Muitas mulheres tipo Hera são colocadas em situações desvantajosas porque têm dificuldade de avaliar a índole subjacente ou de compreender padrões de comportamento. Quando formam opinião sobre as pessoas, tais mulheres percebem mais a aparência do que as possibilidades, como olhar uma casa para venda e ver exatamente o que há, não o que costumava ser ou poderia tornar-se. Finalmente, o desapontamento e a dor da mulher tipo Hera são proporcionais à discrepância entre suas expectativas arquetípicas de realização e a realidade, e a brecha pode ser grande.

Sexualidade

A mulher tipo Hera supõe que sexualidade e casamento vêm juntos. Desse modo, pode ter permanecido virginal até ficar comprometida ou casada. Inexperiente antes do casamento, ela depende de seu marido para despertá-la sexualmente. Se ele não o fizer, ela terá apesar de tudo relações sexuais como parte profundamente sentida de seu papel de esposa. A idéia de sexo submisso provavelmente surgiu com as mulheres tipo Hera.

Não é incomum que a mulher tipo Hera não seja

orgásmica no começo de seu casamento. Se essa situação permanece imutável ou não pelos anos afora depende de o arquétipo de Afrodite ser ativado no casamento.

Casamento

A mulher tipo Hera considera o dia de seu casamento o mais significativo de sua vida. Nesse dia ela adquire um nome novo. Nunca mantém seu próprio nome, pois ela o considera estritamente seu "nome de solteira". Agora ela se torna a esposa, o que preenche um impulso que ela sente desde quando se possa lembrar.

O modo de viver da média dos americanos é o cenário no qual muitas mulheres tipo Hera prosperam. Marido e esposa passam fins de semana e férias juntos. O marido sai para o trabalho e vem para casa jantar em horário regular. Os amigos dele são homens, com os quais pode passar o tempo. Ele respeita sua mulher, espera que ela faça bem seu trabalho como esposa, e supõe que esteja casado por toda a vida. A rotina, o estarem juntos na vida social e os papéis que cada um mantém contribuem para a estabilidade do casamento e para a satisfação que ele proporciona à sua mulher tipo Hera.

A vida empresarial é outro cenário que pode agradar a mulher tipo Hera. Ela pode ser promovida junto com o marido ou deslocar-se geograficamente e subir mais um degrau e deixar para trás aqueles cuja ascensão não foi tão rápida. É fácil para ela deslocar-se com ele porque a ligação com o marido é sua principal fonte de significado, e porque seus relacionamentos com os outros são fracos. Em contraste, as mulheres com fortes elos de amizade sofrem perda e solidão a cada mudança, como acontece com as mulheres cujo trabalho próprio é importante e que devem começar tudo de novo a cada deslocamento.

O estado de felicidade da mulher tipo Hera depende da devoção de seu marido para com ela, da importância que ele dá ao casamento e da apreciação que dela faz como sua esposa. Mas ela sente-se atraída por homens bem sucedidos, muitos dos quais são bem sucedidos porque devotados ao trabalho e casados com o emprego. Contudo, ela pode achar que é infeliz, apesar de ser casada e até mesmo se nunca surge uma infidelidade sexual. O casamento pode não ser satisfatório para a mulher tipo Hera quando este não é muito importante para o marido.

Um marido contemporâneo tipo Zeus muitas vezes usa o casamento como um aspecto de sua fachada social. Ele se casou com uma mulher de sua própria classe social ou mais alta, e pode aparecer com ela ao seu lado quando isso for necessário. Esse arranjo pode ser um casamento utilitário para ele e um desastre pessoal para ela. Se qualquer outro arquétipo fosse dominante nela, ela poderia ser capaz de aceitar um casamento com forma e sem muito conteúdo. Mas a mulher tipo Hera sofre com a falta de envolvimento. Ele muitas vezes fica absorvido por outros interesses, usualmente envolvendo poder, tais como transações comerciais e alianças políticas, e não compartilha seus principais interesses com ela. A esposa, conseqüentemente, sente um vazio emocional na alma.

Ela pode tentar compensar ou enterrar esse sentimento de vazio por uma lufa-lufa de atividade social, querendo apresentar a imagem pública do casal perfeito. Esse quadro se adapta a um número de casais socialmente proeminentes que comparecem a tais acontecimentos, como na noite de estréia da ópera ou nos bailes beneficentes. Mas a união que os caracteriza em público falta na vida particular. Tais casamentos utilitários não se limitam a uma classe particular. Podem ser encontrados em todos os níveis sociais.

Independentemente das insatisfações com o casamento, a mulher tipo Hera é a menos provável, de todos os tipos de deusa, de procurar divórcio. Como a deusa Hera, que foi humilhada e abusada, a mulher tipo Hera pode suportar maus tratos. Em seu coração ela se sente casada. Acha o divórcio inconcebível, até mesmo quando acontece com ela.

Se o marido quiser deixá-la por alguma outra e contar-lhe isso, a mulher tipo Hera resiste profundamente ao ouvir o que ele está dizendo. O casamento é uma experiência arquetípica para ela — em sua mente ela será sempre esposa. Até mesmo depois do divórcio a mulher tipo Hera pode ainda pensar em si como casada e sofrer novamente cada vez que se lembrar de que não é mais. Essa reação cria problemas para os outros e sofrimento para si mesma.

Ela pode passar muitas horas psiquiátricas lutando com dificuldades que podem ser atribuídas ao controle arquetípico que o casamento (ou Hera) tem sobre a mulher mesmo depois da dissolução do casamento. Em minha prática, tenho visto o efeito de Hera envolvido em tudo. Por exemplo, a paciente pode ser uma mulher tipo Hera divorciada, oscilando entre a dor e a raiva, sentindo que ainda é a esposa legítima. Ou o paciente pode ser o ex-marido, que se sente hostilizado pelas chamadas diárias de sua esposa. Ou a paciente pode ser a ressentida nova esposa, zangada com a intromissão da ex-esposa na vida deles ou pela confusão criada pela ex-esposa, caso esta insista em usar o nome do ex-marido em contas correntes e outros documentos.

Filhos

A mulher tipo Hera usualmente tem filhos porque esta função é parte de seu papel como esposa. Mas não terá muito instinto materno, a menos que Deméter também seja um arquétipo importante. Nem apreciará fazer as coisas com as crianças, a menos que Ártemis e Atenas também estejam presentes.

Se a mulher tipo Hera tem filhos e não pode formar um elo arquetípico mãe-filho, seus filhos sentirão o fracasso dela como necessidade de amor e de proteção. Até mesmo se for esposa e mãe o tempo todo e fisicamente muito presente em suas vidas, eles sentirão falta de intimidade e algum abandono emocional.

Quandó a mulher tipo Hera deve decidir entre o marido e os filhos, ela usualmente sacrificará os melhores interesses dos filhos para conservar o marido. Em minha prática freqüentemente vejo adultos que foram criados em famílias de estrutura tradicional, onde o pai era o cabeça do lar, ganha-pão e tirano sem importância. Tais pacientes conheciam a mãe como auxiliadora e nutridora, mas ela nunca agia como intermediária entre o marido e os filhos. Estes estavam sempre em conflito com o pai, não importando quão irracional ou incontrolável ele se tornasse.

Em suas análises, tais pacientes primeiro sentiram que a dificuldade com o pai estava em primeiro plano enquanto relembram os aspectos dolorosos de sua infância. Algumas vezes sentiram necessidade de confrontar seus pais no presente e, se possível, conseguir algum reconhecimento ou desculpa pelos acontecimentos do passado. Nesse ponto, o papel representado por suas mães vem à consciência.

Certa paciente, uma profissional já quase aos quarenta anos, que tinha batalhado com seu pai por toda a sua adolescência, disse: "Nada do que já fiz foi suficientemente bom. Aos olhos dele eu era louca por pensar nisso ou muito incompetente para fazer isso. O que quer que 'isso' fosse, ele me depreciava. Zombou do que era importante para mim, e diversas vezes até mesmo destruiu alguma coisa que eu valorizava". Agora ela queria algum reconhecimento dele por suas realizações, pois tinha um grau profissional e uma carreira. Queria também que ele soubesse quão prejudicial tinha sido seu comportamento.

Certo dia chamou os pais, que sempre estavam juntos. Como de costume, eles estavam em extensões de telefone separadas (ela jamais pode se lembrar de ter falado com um sem o outro). Dirigiu seus comentários a ele, dizendo especialmente que tinha "algo importante" para contar-lhe, e que queria que ele ouvisse sem interrompê-la. Pormenorizou ressentimentos passados sem ficar abalada ou zangada. Ele a surpreendeu por fazer o que ela pediu: simplesmente ouvir. Sua mãe, porém, reagiu como se a filha estivesse sendo abusiva: "Você não tem direito de falar desse modo com seu pai!" Quando a mãe interferiu dessa forma, ela proporcionou à sua filha um *insight* sobre o papel que sua mãe tinha desempenhado o tempo todo.

A reação da mãe era típica de Hera. Sua lealdade era para com o marido. Quão audaciosamente uma filha o confronta! Ele Zeus, o governador absoluto. Quão audaciosamente uma filha o faz se sentir mal! Ele é tão vulnerável quanto o pássaro arrepiado necessitando do calor e proteção de Hera.

A meia-idade

Serem os anos da meia-idade realizadores ou não depende da mulher tipo Hera ser casada, e com quem se casou. Esses são os melhores anos para as mulheres tipo Hera que vivem casamentos estáveis com homens que alcançaram certo sucesso e posição e apreciam suas esposas. Em contraste, a mulher tipo Hera solteira, divorciada ou viúva é infeliz.

Na meia-idade, o casamento freqüentemente passa por um estresse, com o qual a mulher tipo Hera usualmente não lida bem. Quando seu casamento está em desordem, a mulher tipo Hera freqüentemente torna a situação pior por sua possessividade e ciúme. Se pela primeira vez em sua vida de casada ela sabe ou suspeita da importância de outra mulher, uma vindicatividade nunca vista antes pode surgir em toda sua fealdade, ameaçando o casamento que é tão importante para ela.

A velhice

Para a mulher tipo Hera que passou de jovem Hera para a perfeita Hera, tornar-se uma viúva Hera é o pior período de sua vida. Milhões de mulheres que vivem mais que seus maridos estão nessa posição. Ao ficar viúvas, as mulheres tipo Hera não apenas perdem seus maridos, mas também seu papel de esposa, que proporcionava um senso de significado e de identidade. Sentem-se insignificantes.

Quando ocorre a morte do marido, a mulher tipo Hera que não desenvolveu outros aspectos de si mesma pode ir de uma depressão de luto a uma depressão crônica, sem rumo e desolada. Essa reação é a conseqüência de sua atitude e ação anteriores limitadas. A mulher tipo Hera em geral não é especialmente íntima de seus filhos, pois sempre colocou o marido em primeiro lugar. Não tem bons amigos, pois dirigiu sua vida social de modo a fazer tudo como membro de um casal. E, como observamos antes, ela pode encontrar-se fora do relacionamento com seu círculo social, exatamente como ela própria tendia a abandonar outras mulheres solteiras.

A qualidade de vida da mulher tipo Hera viúva depende da presença de outras deusas e de como foi financeiramente provida. Algumas mulheres tipo Hera nunca se recuperaram da perda de seus maridos.

As mulheres tipo Hera afortunadas entram na velhice com seus maridos, celebrando juntos as bodas de ouro. Estão entre as mulheres abençoadas. Foram capazes de satisfazer o arquétipo particular que dá significado às suas vidas.

As dificuldades psicológicas

Hera é uma influência inegável na vida de muitas mulheres. Algumas outras deusas podem ser menos realizadoras quando positivamente manifestadas na vida, mas todas são também menos destrutivas do que Hera em seus aspectos negativos. Desse modo, é especialmente importante para a mulher tipo Hera compreender as dificuldades de tratar do arquétipo, porque Hera pode ser uma força obsessiva.

Identificação com Hera

Viver "como Hera" é para uma mulher o mesmo que identificar-se com o papel de esposa. Se o papel proporcionará significado e satisfação ou resultará em dor e raiva depende da qualidade do casamento e da fidelidade do homem.

Quando seu ímpeto instintivo não é satisfeito, conseguir um homem é a preocupação principal da mulher tipo Hera, e não ter um companheiro é a fonte principal de pesar. Enquanto procura seu companheiro, está sempre comprometida com a escola ou o trabalho, tem amigos, e vai a lugares, esperando durante todo o tempo encontrar um marido.

Uma vez casada, a mulher tipo Hera muitas vezes limita sua vida e adapta-se ao seu papel e aos interesses do marido. Se ele necessitar de seu apoio econômico enquanto termina os estudos, ela irá trabalhar. Se necessitar de uma esposa com horário integral, ela abandonará o trabalho ou não completará sua formação. Se ele também trabalhar, ela estará disposta a fixar residência novamente se ele quiser mudar. Muitas vezes não mantém amizades feitas antes do casamento e os interesses que ela teve antes de encontrar seu marido.

O homem que se casa com a mulher tipo Hera pode descobrir que depois do casamento ela não é mais a mulher com quem ele se casou. Antes de se comprometer para convir ao papel de esposa, tinha interesses mais amplos. Até mesmo o sexo pré-nupcial pode ter sido muito melhor. A mudança na sexualidade não é incomum e pode datar da noite do casamento. A influência de todas as outras deusas pode diminuir dramaticamente quando a mulher tipo Hera se casa.

As mulheres tipo Hera também desabrocham depois do casamento. A noiva radiante torna-se a esposa feliz. Se o marido for um devotado Zeus que a ama, o casamento será um centro profundamente significativo de sua vida. Outros aspectos da deusa podem também encontrar expressão, embora sempre secundária em relação ao seu papel como esposa.

Se a mulher tipo Hera restringe ou não suas atividades depois do casamento e limita seu papel a ser Hera depende da força do arquétipo, de quão desenvolvidas eram outras facetas de sua personalidade antes do casamento; depende também do apoio ou falta daquilo que seu marido lhe dá para crescer além de Hera. Maridos possessivos e ciumentos que esperam que a esposa se conforme às suas exigências agem de comum acordo com o arquétipo de Hera para reduzir uma mulher a ser somente Hera.

Expectativas desapontadas

Quando a mulher se identifica com Hera, ela muitas vezes presume que ela e o marido serão transformados pelo casamento, esperando inconscientemente que o marido se transforme em *Zeus Teleios,* ou o Zeus que realiza. Depois da cerimônia, ela pode ficar profunda e irracionalmente desapontada e sentir que ele a enganou, como se tivesse implicitamente prometido alguma coisa que não pudesse entregar. De fato, contudo, o culpado não era ele, mas a expectativa arquetípica do *Zeus Teleios* que ela projetava nele.

Muitas mulheres tipo Hera projetam uma imagem de marido idealizado num homem e depois tornam-se críticas e zangadas quando este não vive de acordo com suas expectativas. Tal mulher pode tornar-se então "geniosa" (a visão de Homero da deusa Hera), impelindo-o a mudar. Outro tipo de mulher pode ver o homem mais claramente em primeiro lugar, não esperar que o casamento o transforme, ou pode ser capaz de deixá-lo.

Presa entre o arquétipo e a cultura

As mulheres tipo Hera podem tanto ser impulsionadas ao casamento quanto ficar presas por forças arquetípicas e culturais agindo juntas. O arquétipo é mantido pela mística feminina ou "realização através de outros" como Betty Friedan descreveu. Ambas as forças prometem implicitamente o final do conto de fada: "e viveram felizes para sempre". Uma vez casada, a mulher tipo Hera, mais do que qualquer outro tipo de mulher, sente-se ligada — para melhor ou para pior. Quando é "para o pior", o arquétipo de Hera, muitas vezes com o apoio da cultura, opõe-se à sua saída de um mau casamento. As crenças religiosas e expectativas familiares podem "conspirar" para manter a mulher ligada a um alcoólatra ou a um espancador de esposa.

Oprimida ou opressora

É claro que, dadas as conseqüências da identificação com Hera, esse arquétipo pode oprimir as mulheres. A mulher tipo Hera solteira pode sentir que é incompleta e um fracasso, ou pode ser impelida a um mau casamento.

A mulher casada pode ser incapaz de deixar um mau casamento e se tornar negativamente afetada. Pode transformar-se numa mulher insatisfeita que se sente amargurada quando seu marido fracassa ao tentar viver à altura das expectativas de Hera. Ou pode transformar-se numa esposa rancorosa, ferida e ciumenta se seu marido for infiel ou se ela imagina que ele o seja. Ou pode ser incapaz de sair de um casamento que lhe seja excessivamente prejudicial.

A deusa Hera sofre mais do que qualquer outra deusa, exceto Deméter, cujo sofrimento foi de espécie diferente. Mas ela também perseguiu outras vingativamente e, portanto, foi a mais destrutiva de todas as deusas. Como expresso pelas mulheres modernas, a opressividade de Hera varia do ter uma atitude julgamentosa com respeito aos outros ao se comportar de um modo premeditadamente destrutivo.

As mulheres tipo Hera julgam as outras mulheres e as punem — usualmente excluindo-as ou ostracizando-as com seus filhos — por não viverem segundo os padrões de Hera. Tais mulheres são os árbitros sociais. São especialmente hostis a Afrodite. Toda vez que podem, excluem as mulheres atraentes, sensuais, ao redor das quais os homens se congregam, mulheres divorciadas e mulheres solteiras sexualmente ativas — todas as que podem ser atraentes para seus companheiros e que estão portanto ameaçando. Mas seu julgamento também se expande com referência às mulheres que não estão ameaçando pessoalmente — por exemplo, são mais críticas do que solidárias em relação às mães solteiras dependentes da Previdência Social e ao que diz respeito às vítimas de estupro. Para Hera, o único papel verdadeiramente aceitável é o de esposa de homem bem sucedido.

Muito depois que comecei a me considerar feminista, descobri dentro de mim um padrão inconsciente de

Hera de desvalorizar outras mulheres quando estava em um evento com meu marido. O "click" do reconhecimento veio quando compreendi que buscava a companhia dos casais quando estava em reuniões com ele, evitando "as mulheres descompromissadas", que eu apreciava muito quando estava sozinha. Quando descobri esse padrão particular de Hera, fiquei envergonhada de meu comportamento não feminista. Ao mesmo tempo, fiquei humilhada ao compreender que tinha anteriormente me sentido superior às mulheres tipo Hera, quando na verdade um aspecto negativo de Hera era também um de meus aspectos. Depois disso, fiz uma escolha minuciosa de com quem passar o tempo. E depois que descobri que tinha alguma coisa em comum com a "esposa do senhor fulano de tal", que eu tinha previamente repelido, perdi também uma atitude julgamentosa da qual foi bom livrar-me.

A síndrome de Medéia

O termo "síndrome de Medéia" descreve apropriadamente a vingativa mulher tipo Hera que se sente traída e descartada e que vai ao extremo para se vingar. O mito de Medéia é uma metáfora que descreve a capacidade de a mulher tipo Hera pôr seu compromisso antes de qualquer outra coisa, e sua capacidade de se vingar quando descobre que seu compromisso não vale nada aos olhos dele.

Na mitologia grega, Medéia era a mulher mortal que assassinou seus próprios filhos para vingar-se de seu marido por abandoná-la. Ela é o "caso clínico" de uma mulher que estava possuída pelo aspecto destrutivo de Hera.

Medéia era a filha sacerdotisa do rei da Cólquida. O velocino de ouro, que Jasão e os argonautas procuravam, pertencia a esse reinado. Jasão precisaria de ajuda para levá-lo, pois o velocino estava guardado. Hera e Atenas, suas deusas protetoras, persuadiram Afrodite a fazer com que Medéia se apaixonasse por Jasão e o ajudasse a roubar o velocino de ouro. Jasão pediu a Medéia para ajudá-lo; prometeu que se casaria com ela e garantiu estar com ela "até que a morte os separasse". Então, por paixão e lealdade a Jasão, Medéia o ajudou a roubar o velocino. Por fazer isso, ela traiu seu pai e seu país, e causou a morte de seu irmão.

Jasão e Medéia estabeleceram-se em Corinto e tiveram dois filhos. Como estrangeira, a posição de Medéia ficou como a de uma esposa de casamento consensual. Então o oportunista Jasão aproveitou o pretexto para casar-se com Glauce, a filha de Creonte, rei de Corinto. Como condição para o casamento, Jasão concordou que Medéia e seus filhos fossem exilados.

Ferida por sua perfídia e humilhada pelo fato de terem conduzido ao nada todos os seus sacrifícios e crimes por ele, Medéia tornou-se homicida. Primeiramente deu à sua rival um roupão envenenado. Quando Glauce o vestiu, o efeito foi semelhante ao de um agasalho de galatina incendiária, que queimou e destruiu sua natureza humana. A seguir, Medéia esteve em conflito entre seu amor pelas crianças e seu desejo de vingança. A fúria e o orgulho venceram, e para vingar-se de Jasão ela assassinou seus filhos.

Medéia comportou-se monstruosamente, mas foi claramente a vítima de seu amor por Jasão. Enquanto algumas mulheres poderiam tornar-se deprimidas e até mesmo suicidas após serem rejeitadas e tratadas com desprezo, Medéia ativamente tramou e pôs em prática a vingança. Seu relacionamento com Jasão era o centro de sua vida. Tudo o que fez foi conseqüência de amá-lo ou perdê-lo. Medéia foi atormentada, possuída e impelida à loucura por sua necessidade de ser a companheira de Jasão. Sua patologia originou-se da intensidade do instinto de Hera e de ser contrariada.

Embora as reencenações literais do mito de Medéia sejam raras, num nível metafórico elas são razoavelmente comuns. Quando uma mulher torna-se ligada a um homem através da dupla intervenção de Hera e Afrodite, como aconteceu com Medéia, então seu instinto de unir-se e sua paixão por ele forçam-na a colocar esse relacionamento acima de todas as coisas. Ela deixará sua família, trairá seus valores, e "matará" laços familiares se necessário. Muitas mulheres como Medéia acreditam em promessas matrimoniais de devoção eterna e fazem tremendos sacrifícios pelo marido, apenas para serem usadas e deixadas por Jasões inescrupulosos e ambiciosos.

Quando um casal vive o drama de Medéia e Jasão, ela pode literalmente não queimar e despedaçar a outra mulher pela qual ele a abandona, mas muitas vezes ela fantasia ou tenta o emocional equivalente. Por exemplo, "Medéia" pode tentar destruir a reputação da outra mulher com mentiras ou até mesmo literalmente tentar prejudicá-la.

E se, novamente comparando o mito de Medéia e de Jasão, sua vingança for maior que seu amor pelos filhos e pelo que é melhor para eles, ela pode tentar destruir seu relacionamento com ele. Pode levar as crianças embora, de tal forma que ele não possa vê-las. Ou pode transformar suas visitas aos filhos em acontecimentos igualmente tão traumáticos que ele desista de seus esforços para permanecer relacionado a eles.

Observe que fiel a Hera no seu aspecto mais destrutivo, Medéia não assassinou Jasão. Da mesma forma, a hostil e rejeitada Hera muitas vezes prejudica os outros em vez de prejudicar o homem que a abandonou. Ela prejudica especialmente seus filhos.

Caminhos para o crescimento

Reconhecer a influência de Hera e compreender suas suscetibilidades é o primeiro passo para o crescimento além dela. Muitas mulheres podem olhar para trás, para os relacionamentos anteriores e compreender, em retrospecto, que estavam muito desejosas de se casarem. Tivesse prevalecido "Hera" e tivesse ela tido oportunidade, tal mulher teria se casado com seu namorado firme de escola secundária, ou com um daqueles de romance de verão, ou, pelo que interessa, com quaisquer homens que ela não conhecesse muito bem.

Quando a mulher está sob a influência de Hera, é provável que se case com o primeiro homem responsável que a pedir em casamento, ou com qualquer homem aceitável com quem ela saia, sem parar para considerar o que seria melhor para si mesma. Faria bem em resistir ao casamento até que soubesse o bastante sobre seu futuro esposo. Que espécie de temperamento ele tem? Quão emocionalmente maturo ele é? Até que ponto está pronto para se estabelecer? Qual a importância da fidelidade para ele? O que ela realmente sente por ele como pessoa? Quão compatíveis são eles? Responder a estas perguntas honestamente é crítico para a felicidade futura da mulher tipo Hera. Uma vez casada, ela será dependente do caráter do homem com quem se casa e de sua capacidade de amá-la. Ele decidirá quem será ela, se uma Hera realizada ou uma Hera raivosa e desiludida.

Expandindo-se além de Hera

Enquanto um bom casamento é a principal fonte de significado na vida da mulher tipo Hera, limitar-se a ser esposa significa que ela pode limitar seu crescimento e sua habilidade de adaptar-se caso a morte ou o divórcio conduza esse papel ao fim. Ela pode inconscientemente submeter-se à opinião de seu marido quanto à escolha de suas atividades e amigos, e pode permitir-lhe decidir como viverá sua vida. Contudo ela pode tornar-se ciente de seu padrão e compreender que tem negligenciado outras facetas de si mesma, as quais podem enriquecer tanto sua própria vida quanto seu casamento.

Num casamento tradicional, o marido e a mulher são metades de um todo, e cada um preenche um papel determinado culturalmente. Essa especialização de tarefas desencoraja a inteireza no interior de cada pessoa. O que quer que a cultura considere "masculino" não é desenvolvido na mulher. A mulher tipo Hera facilmente herda esse padrão. Ela poderia ainda ter orgulho desarrazoado por não saber nada sobre carros ou sobre números, ou por não saber como lidar com as pessoas no mundo dos negócios, porque seu marido faz todas essas tarefas para ambos. Portanto, se permitida a agir assim, Hera restringe também a competência da mulher. Mas a mulher pode parar de reagir e começar a refletir sobre o padrão de seu casamento. Ela pode observar que está voltada para um papel que, na melhor das hipóteses, a limita e que, na pior delas, ainda lhe é destrutivo. Essa conscientização é o primeiro passo que torna possível a ela resistir a Hera e crescer além desse padrão. A mulher tipo Hera deve consciente e repetidamente alinhar-se com outras deusas que lhe permitam crescer além de seu papel como esposa.

Casamento como experiência de crescimento

A mulher tipo Hera insegura é altamente suscetível ao ciúme. Com muito pouca provocação ela suspeita de infidelidade e sente-se desconsiderada e humilhada em público pela falta de atenção do marido. Se suas reações não são justificadas, ela o afasta com suas acusações, ou tenta fazê-lo mais sensível ao efeito que ele produz nela.

E o casamento se deteriora, confirmando seus medos, ou ambos, marido e mulher, crescem mais intimamente juntos.

Por exemplo, seu marido pode aprender a responder com compaixão à sua necessidade de saber onde ele está, em vez de responder com ressentimento e negando informação. Se ele puder ser sensível assim, sua confiança crescerá. Um marido disse: "Agora eu a faço saber quando me esperar, e se há um impedimento eu lhe telefono, ao invés de deixá-la à misericórdia dos demônios ciumentos que atormentam sua imaginação". A mulher tipo Hera deve decidir repetidamente em quem confiar, se na Hera interiormente suspeitosa ou em seu marido. Para crescer, ela deve resistir a Hera e dar ao marido crédito para apoio e fidelidade.

Transformar a raiva e a dor em trabalho criativo: a solução de Hefesto

Quando a mulher vive um mau casamento ou deve lutar para livrar-se de ser vingativa, vitimada pela própria Hera, uma solução possível é sugerida pelo mito do filho de Hera, Hefesto, deus da forja. Ele simboliza uma força interior em potencial, que a própria deusa rejeitou, mas que ainda está disponível para as mulheres tipo Hera. Hera favoreceu seu outro filho, Ares, deus da guerra. "Tal mãe, tal filho" — a fúria incontrolável de Ares no campo de batalha espelhava o caráter vingativo e fora de controle de Hera.

Hefesto, conhecido como Vulcano pelos romanos, tinha sua forja no interior de um vulcão. Simbolicamente, ele representa a possibilidade de que a fúria vulcânica possa ser contida e transformada em energia criativa para fazer armaduras e trabalho de arte.

A mulher tipo Hera rejeitada e raivosa pode escolher entre ser consumida pela raiva ou conter seus impulsos hostis e refletir em suas chances disponíveis. Se notar que está se tornando inválida e limitada pela raiva ou ciúme, poderia canalizar sua raiva para o trabalho. Poderia literalmente seguir o exemplo de Hefesto, cuja esposa Afrodite lhe era repetidamente infiel, e tornar-se artesão. Poderia trabalhar com argila, queimando o que ela faz na fornalha, e no processo tornar-se ela própria modificada, metaforicamente transformada pelo fogo de suas emoções em artesã em vez de ser consumida ou destruída. Ou pode canalizar a intensidade de seus sentimentos para a pintura ou escrita. Trabalho de qualquer espécie, mental ou manual, pode servir como meio de sublimar a raiva. E a sublimação é muito mais saudável do que permitir à raiva alimentar-se de si mesma e destruí-la.

Admitir a possibilidade de reconciliação: realidade versus mito

A mulher tipo Hera precisa saber que, uma vez que um homem a abandonou, ela terá dificuldade em acreditar na perda. Nesse tipo de situação, ela tem dificuldade em aceitar a realidade e é mais provável acreditar num final mítico — que ele, como Zeus, sentirá saudades dela e voltará. A mulher tipo Hera não tem recursos para menosprezar a evidência, precisa aceitar a realidade em vez de negá-la. Somente quando ela parar de esperar pela eventual reconciliação é que pode sentir pesar, recobrar o equilíbrio e prosseguir em sua vida.

Muitas mulheres tipo Hera esperam que o marido que as deixou por outra mulher possa voltar. Num mito sobre Hera, essa reconciliação ocorre, mas só quando ela for capaz de deixar Zeus. No mito, como observado antes, Zeus foi para o retiro dela na montanha e participou de uma cerimônia de casamento, simulando casar-se com uma estátua disfarçada de mulher. Hera divertiu-se com a cena, e seguiu-se a reconciliação.

Muitos elementos psicológicos importantes estão presentes aqui. Antes de mais nada, para estar reconciliada, Hera deixou mais do que Zeus. Deixou também suas esperanças de que ele poderia mudar, e deixou o papel da Hera vitimada e vingativa. Zeus, por sua vez, descobriu que Hera era verdadeiramente importante para ele e transmitiu essa mensagem a ela. Talvez só então Hera pôde divertir-se — porque finalmente reconheceu que realmente nenhuma mulher importava a ele desde o princípio. Cada um de seus romances, como o da estátua, tinha sido um símbolo para ele, e não um relacionamento importante.

A vida às vezes imita esse imaginário final feliz, mas não é o comum. A mulher pode ver que a separação não mudou o coração de seu marido, que ele não retornou, mas que, ao contrário, está obviamente profundamente envolvido com alguém mais, ou está bem por estar distante dela. Então ela precisa considerar a realidade, e só então poderá prosseguir na vida.

Reciclar-se

A possibilidade de completar um ciclo e começar outra vez é coisa inerente ao mito de Hera. Como observamos anteriormente, no ciclo de veneração anual a deusa era Hera a jovem na primavera, Hera a realizada no verão e no outono, e Hera a viúva no inverno. Toda primavera ela estava voltada para a virgindade , e o ciclo começava novamente. Ao compreender essa possibilidade arquetípica, a mulher tipo Hera num mau casamento pode "enviuvar-se" emocionalmente, deixando um relacionamento que só oferece vazio, abuso ou infidelidade. Ela pode então começar de novo, e desta vez pode escolher sabiamente. Em seu novo casamento, o ímpeto de ser esposa pode ser realizado de modo positivo.

O ciclo pode também ser vivido como experiência interior se a mulher renunciar à necessidade de ser esposa ou à expectativa de que se realizará através de seu papel de esposa. Uma avó viúva, por exemplo, sonhou que tinha começado a menstruar novamente, dez anos após sua menopausa, e compreendeu que o sonho era uma exata afirmação simbólica. Sentindo-se completa e no princípio de uma nova fase de sua vida, tornava-se psicologicamente mais uma vez a jovem.

Bibliografia

DOWNING, Christine, "Coming to Terms with Hera". *Quadrant* 12, nº 2, inverno de 1979.

KERÈNYI, C., "Zeus and Hera" e "Hera, Ares and Hephaistos". In *The Gods of the Greeks.* Thames & Hudson, New York, 1979, pp. 95-98, 150-160 (originalmente publicado em 1951).

KERÈNYI, C., *Zeus and Hera: Archetypal Image of Father, Husband and Wife.* Bollingen Series 65. Princeton University Press, Princeton, New Jersey, 1975.

KERÈNYI, Karl, "The Murderess - Medea". In *Goddesses of Sun and Moon.* Spring, Irving, Texas, 1979, pp. 20-40.

MAYERSON, Philip, "Hera (Juno)". In *Classical Mythology in Literature, Art, and Music.* Wiley. New York, 1971, pp. 94-98.

STEIN, Murray, "Hera: Bound and Unbound". *Spring,* 1977, pp. 105-119. Este artigo foi a minha mais importante fonte para o arquétipo de Hera. O artigo de Stein associa o instinto de casamento com Hera, e descreve suas três fases.

ZABRISKIE, Philip, "Goddesses in Our Midst". *Quadrant*, outono de 1974, pp. 37-39.

9
Deméter: deusa do cereal, nutridora e mãe

A deusa Deméter

Deméter, deusa do cereal, presidia abundantes colheitas. Os romanos a conheciam como Ceres — com a qual nossa palavra *cereal* se relaciona. Ela foi descrita no "Hino a Deméter", de Homero, como "aquela impressionante deusa, com seu cabelo bonito... e sua espada de ouro",[1] provavelmente uma licença poética para o feixe de trigo amadurecido, que era seu símbolo principal. Era retratada como bonita mulher de cabelo dourado e vestida com roupão azul, ou, mais comumente na escultura, como figura matronal, sentada.

Parte do nome de Deméter, *méter*, parece significar "mãe", mas não é totalmente claro ao que se refere o "de" ou, a princípio, "da". Era venerada como uma deusa mãe, especialmente como mãe do cereal e mãe da jovem Perséfone, a romana Prosérpina.

A vida de Perséfone começou da mesma maneira sombria que a de Hera. Era a segunda filha de Réia e Crono, e foi a segunda a ser engolida por ele. Deméter foi a quarta esposa real de Zeus (Júpiter), que também era seu irmão. Precedeu Hera, que era a número sete e a

1. "Hymn to Demeter", in *The Homeric Hymns*. Spring, Irving, Texas, 1979, p. 89.

última. Dessa união veio a única filha de Zeus e Deméter, Perséfone, com quem Deméter estava ligada no mito e culto.

A história de Deméter e Perséfone, lindamente contada no longo "Hino a Deméter", concentra-se ao redor da reação de Deméter ao rapto de Perséfone pelo irmão de Deméter, Hades, deus do Inferno. Esse mito tornou-se a base dos Mistérios de Elêusis, os mais sagrados e importantes rituais religiosos da Grécia antiga por mais de duzentos anos.[2] Essa veneração chegou ao fim do século V d.C., com a destruição do santuário de Elêusis pelos bárbaros invasores.

O rapto de Perséfone

Perséfone estava colhendo flores no prado com suas companheiras, quando foi atraída por um narciso surpreendentemente bonito. Ao estender a mão para pegá-lo, o solo fendeu-se diante dela. Das profundezas da terra emergiu Hades em sua carruagem de ouro puxada por cavalos pretos. Apoderou-se dela e afundou de volta para o abismo de forma tão rápida quanto tinha vindo. Perséfone lutou e gritou pela ajuda de Zeus, mas não veio nenhum auxílio.

Deméter ouviu o eco dos gritos de Perséfone e apressou-se por encontrá-la. Procurou sua filha raptada nove dias e nove noites, por terra e por mar. Em sua busca frenética não parou para comer, dormir ou banhar-se.

Outro mito acrescenta que quando Deméter estava procurando sem resultado por sua filha raptada, ela foi vista e desejada por Posídon (Netuno), deus do mar, que a perseguiu. Tentou evitá-lo, metamorfoseando-se

2. C. Kerènyi, *Eleusis: Archetypal Image of Mother and Daughter*. Schocken Books, New York, publicado em acordo com Princeton University Press, 1977. Previamente editado na Bollinger Series, 1967.

numa égua e unindo-se com uma tropa de cavalos. Posídon, não sendo tolo diante do disfarce, transformou-se em cavalo reprodutor, encontrou-a no meio da tropa, e a estuprou.

Ao raiar o décimo dia Deméter encontrou Hécate, deusa da lua escura e das encruzilhadas, que lhe sugeriu que poderiam ir juntas a Hélio, deus do sol, divindade da natureza que compartilha esse título com Apolo. Hélio contou-lhes que Hades tinha raptado Perséfone e a levara ao mundo das trevas para ser sua noiva contra a vontade. Além disso, disse que o rapto e a violação de Perséfone tinham sido aprovados por Zeus. Falou a Deméter que parasse de chorar e aceitasse o que tinha acontecido; Hades, afinal de contas, "não era um genro sem valor".

Deméter recusou o conselho. Ela agora sentia o ultraje e a traição de Zeus, como também mágoa. Retirou-se do monte Olimpo, disfarçou-se de mulher velha e vagou sem ser reconhecida pelas cidades e campos. Um dia ela se aproximou de Elêusis, sentou-se perto do poço, e foi encontrada pelas filhas de Céleo, governador de Elêusis. Algo do seu porte e beleza atraiu-as a ela. Quando Deméter lhes contou que estava procurando trabalho como babá, elas a levaram para casa, à sua mãe Metanira, pois tinham um irmãozinho temporão, muito amado, chamado Demofonte.

Sob os cuidados de Deméter, Demofonte cresceu como um deus. Ela o alimentou com ambrosia e secretamente o colocou num fogo que o teria tornado imortal não tivesse Metanira entrado em cena e gritado de medo por seu filho. Deméter reagiu com fúria, censurou Metanira por sua estupidez, e revelou sua verdadeira identidade. Ao dizer que ela era Deméter, a deusa mudou em tamanho e forma e revelou sua beleza divina. Seu cabelo dourado caiu pelas costas, e seu perfume e esplendor encheram a casa de luz.

Imediatamente Deméter ordenou que fosse construído um templo em sua honra. Lá ela se instalou e permaneceu sozinha, inativa com seu pesar por sua filha raptada, e recusou entrar em ação. Como conseqüência nada podia nascer. A carestia ameaçou destruir a raça humana, destituindo os deuses e as deusas olímpicos de suas ofertas e sacrifícios.

Finalmente Zeus ficou sabendo. Primeiramente enviou sua mensageira Íris, para implorar a Deméter que voltasse. Depois, uma vez que Deméter permanecia impassível, cada divindade olímpica veio por sua vez, trazendo dádivas e honras. A cada uma, a furiosa Deméter fez saber que não poria os pés no monte Olimpo nem permitiria que nada crescesse, até que Perséfone fosse devolvida a ela.

Finalmente Zeus respondeu. Enviou Hermes, o deus mensageiro, até Hades, ordenando-lhe que trouxesse Perséfone de volta para que "quando sua mãe a visse com seus próprios olhos, abandonasse sua raiva". Hermes foi para o mundo das trevas e encontrou Hades sentado num divã próximo à deprimida Perséfone.

Ao ouvir que estava livre para partir, Perséfone alegrou-se e pulou de alegria para acompanhar Hermes. Mas primeiro Hades lhe deu algumas doces sementes de romã, e ela comeu.

Hermes tomou emprestada a carruagem de Hades para levar Perséfone para casa. Os cavalos seguiram rapidamente do mundo das trevas para o mundo superior, parando em frente ao templo onde Deméter esperava. Ao vê-los, Deméter veio correndo, com os braços estendidos para abraçar a filha, que correu com igual alegria para os braços da mãe. Então Deméter ansiosamente quis saber se Perséfone tinha comido alguma coisa no mundo das trevas. Caso não tivesse, Perséfone teria sido completamente devolvida a ela. Contudo, porque tinha comido as sementes de romã, passaria dois terços do ano com Deméter e o restante do ano no mundo das trevas com Hades.

Depois que mãe e filha se reuniram, Deméter devolveu a fertilidade e o crescimento à terra. Proporcionou então os Mistérios Eleusianos. Essas eram cerimônias religiosas impressionantes, que os iniciandos eram proibidos de revelar. Através dos mistérios, as pessoas encontravam uma razão para viver com alegria e morrer sem ter medo da morte.

O arquétipo de Deméter

Deméter é o arquétipo materno. Representa o instinto maternal desempenhado na gravidez ou através da nutrição física, psicológica ou espiritual dos outros. Esse poderoso arquétipo pode ditar o rumo que tomará a vida de uma mulher, pode ter um impacto nos outros, e pode predispô-la à depressão, caso a sua necessidade de alimentar seja rejeitada ou frustrada.

A mãe

O arquétipo da mãe era representado no monte Olimpo por Deméter, cujos papéis mais importantes foram o de mãe (de Perséfone), de fornecedora de alimentação (como deusa do cereal) e de alimento espiritual (os mistérios eleusianos). Embora outras deusas também fossem mães (Hera e Afrodite), a filha era o relacionamento mais significativo para ela. Foi também a mais nutridora de todas as deusas.

A mulher com um forte arquétipo de Deméter deseja ardentemente ser mãe. Uma vez que se torna mãe, acha isso um papel realizador. Quando Deméter é o arquétipo mais forte na psique de uma mulher, ser mãe é o papel mais importante e funcional de sua vida. A imagem de mãe e filho, muito freqüentemente representada na arte ocidental como a madona e a criança, corresponde a um quadro interior que a comove profundamente.

O arquétipo da mãe motiva as mulheres a nutrirem os outros, a serem generosas no dar, e a encontrarem satisfação como alguém que zela e provê a subsistência. Dessa forma, o aspecto educativo de Deméter pode ser expresso através das profissões de ajuda — ensino, enfermagem, aconselhamento, em qualquer emprego no qual ajudar os outros é parte do papel — e em qualquer relacionamento no qual possa ser uma pessoa que educa. O arquétipo não está restrito ao ser mãe.

Instinto materno

No nível biológico Deméter representa o instinto materno — o desejo de tornar-se grávida e ter um bebê — que algumas mulheres desejaram-no tanto quanto possam se lembrar.

O arquétipo de Deméter é uma força impulsiva no sentido de tornar-se grávida. A mulher pode estar bastante consciente de quão forte é o instinto e pode ser capaz de decidir quando realizará esse desejo profundo. Mas, se inconscientemente motivada por Deméter, pode tornar-se grávida "acidentalmente".

O que acontece depois que se descobre uma gravidez indesejada indica quão forte é o arquétipo numa determinada mulher. Quando um aborto provocado é claramente o curso de ação mais sensível ou responsável, a mulher que não pertence ao tipo Deméter pode providenciar para ter o aborto e sentir-se consolada posteriormente. E daí para frente tomará grande cuidado para não se engravidar acidentalmente outra vez. Ao contrário, quando Deméter é uma forte influência o aborto pode ser do maior interesse para a mulher, mas esta pode achar-se incapaz de praticá-lo. O aborto é contrário ao seu profundo imperativo interior de ter uma criança. Como conseqüência, ela pode ter o bebê em vez de praticar o aborto, alterando portanto o curso de sua vida.

Se ela realmente decide praticar aborto, sentirá conflito e perturbação durante e depois do processo de escolha e da sua realização. Sentirá mais pesar que alívio, ou uma mistura desses sentimentos. Finalmente, pensar-se-ia que, ao passar por tanta infelicidade, esse tipo de mulher teria como certo que isso não aconteceria novamente. Mas freqüentemente o oposto é verdadeiro: ela passa por ciclos de gravidez, perturbação, aborto e depressão, porque o ímpeto de tornar-se grávida, uma vez contrariado, torna-se ainda mais forte.

O instinto de Deméter não está restrito a ser mãe biológica ou somente alimentar seus próprios filhos. Ser mãe de criação ou ama seca permite a muitas mulheres continuar expressando o amor maternal depois que seus filhos crescerem ou saírem de casa. A própria deusa representou esse papel com Demofonte. Emilie Applegate, mulher de San Diego que mereceu consideração como mãe de criação especial, personifica esse aspecto de Deméter.[3] Ela cuida de bebês mexicanos tão desnutridos ou doentes que sua sobrevivência encontra-se ameaçada. Ela os leva para casa, onde eles se tornam parte de sua própria família de três filhos e uma filha adotiva. É descrita como "Mama Segunda", uma segunda mãe. Applegate, como as mais famosas De Bolts, que têm crianças que sofrem de incapacidade física ou mental de muitas raças, tem plenitude de instinto maternal e habilidade de nutrir e de encorajar o crescimento, aspecto típico de Deméter.

Provedora de alimento

Alimentar os outros é outra satisfação para a mulher tipo Deméter. Ela acha tremendamente satisfatório ama-

3. Susan Issacs, "Baby Savior", in *Parents Magazine,* Setembro de 1981, pp. 81-85.

mentar seu próprio filho. Dá-lhe prazer proporcionar fartas refeições para a família e os convidados. Se eles apreciam seu alimento, ela curte o sentimento ardoroso de ser uma boa mãe, em vez de curti-lo como um mestre cuca, à "la Atenas". Se trabalha num escritório, aprecia servir café aos outros, em marcante contraste com a mulher tipo Ártemis, que se sente humilhada e recusa fazer isso, a menos que os homens também revezem com ela.

Como deusa do cereal, Deméter proporcionou à humanidade a habilidade de cultivar colheitas e foi responsável pela fertilidade da natureza. Da mesma forma, as mulheres que mudam para o campo para cultivar seu próprio alimento, assar pães, enlatar frutas e compartilhar seu rendimento com os outros, estão expressando o aspecto de mãe natureza de Deméter.

A mãe persistente

A persistência materna é outro atributo de Deméter. Tais mães recusam desistir quando o bem-estar dos filhos está envolvido. Muitas classes de educação especial para crianças incapacitadas existem porque uma mãe tipo Deméter lutou para conseguir o que seu filho necessitava. E as mães argentinas de filhos e filhas desaparecidos que foram raptados pela polícia militar também eram como Deméter em sua persistência. Chamadas as "Madres de la Plaza de Mayo", as mães da praça de Maio, recusavam resignar-se com a perda de seus filhos e continuavam a protestar contra a ditadura, embora fosse perigoso agir assim. A teimosia, paciência e perseverança são qualidades de Deméter que, como Zeus descobriu pesarosamente, podem eventualmente influenciar um homem poderoso ou uma instituição.

A mãe generosa

Em sua mitologia Deméter foi a deusa mais generosa. Proporcionou agricultura e colheitas à humanidade, ajudou a engrandecer Demofonte, e o teria tornado imortal, e proporcionou os Mistérios Eleusianos. Essas expressões de generosidade são todas encontradas nas mulheres tipo Deméter. Algumas proporcionam naturalmente alimento real e cuidado físico, outras proporcionam apoio emocional e psicológico, e outras ainda fornecem alimentação espiritual. Muitas mulheres, líderes religiosas famosas, têm as qualidades de Deméter e são vistas por seus seguidores como figuras maternas: a beneficiária santa do Prêmio Nobel da Paz, madre Teresa de Calcutá; Mary Baker Eddy, que fundou a religião da Ciência Cristã; a mulher a quem se costuma referir simplesmente como "a Mãe", líder espiritual da casa de retiro Aurobindo, na Índia.

Esses três níveis de oferta também se igualam ao que as mulheres tipo Deméter dão aos seus próprios filhos. Primeiramente seus filhos dependem de suas mães para tomar conta de suas necessidades físicas. Depois voltam-se a suas mães para apoio emocional e compreensão. E, finalmente, podem voltar-se para suas mães à procura de sabedoria espiritual, pois eles enfrentam desapontamento e pesar, ou procuram encontrar algum significado na vida.

A mãe angustiada: suscetibilidade à depressão

Quando o arquétipo de Deméter é uma forte força e a mulher não pode realizá-lo, ela pode sofrer de uma depressão característica do "ninho vazio e da solidão". A mulher que almeja ter um filho pode ser estéril, ou o filho pode morrer ou sair de casa. Ou seu trabalho como mãe substituta pode terminar, e ela pode sentir saudades de seus clientes ou alunos. Depois, mais do que enraivecer ou lutar ativamente por aqueles que ela se sente responsável, modo como reage Hera, a mulher tipo Deméter tende a mergulhar em depressão. Ela sente pesar, e sua vida fica afetada por falta de significado e vazia.

A doutora Pauline Bart, professora de Sociologia da Universidade de Illinois, escreveu um artigo sobre as mulheres tipo Deméter deprimidas, intitulado "Mother Portnoy's Complaint".[4] Bart estudou as fichas de mais de quinhentas mulheres que foram hospitalizadas pela primeira vez entre as idades de quarenta e cinqüenta e nove anos. Descobriu que as mães superprotetoras e excessivamente envolvidas, quando perderam seu papel maternal tornaram-se as mais deprimidas.

Antes de suas enfermidades, essas mulheres eram tipos de "super-mãe", com uma história que falava de sacrifícios. Citações dessas mulheres deprimidas revelaram seu investimento para prover a subsistência de outros e o vazio que sentiram quando seus filhos partiram. Certa mulher disse: "Naturalmente, como mãe você não quer que sua filha deixe o lar. Quero dizer do vazio que ficou." Outra comentou: "Fui uma mulher tão ativa. Tinha uma casa grande e minha família. Minha filha dizia: Mamãe não servia oito pratos, servia dez". Ao lhes ser perguntado qual era seu maior orgulho, todas essas mulheres respondiam: "Meus filhos". Nenhuma delas mencionou qualquer outra coisa própria. Quando perderam seus papéis maternais, a vida perdeu o significado.

Quando a mulher na adiantada meia-idade torna-se deprimida, zangada ou desapontada porque os filhos adultos estão emocional ou fisicamente distantes, torna-se uma pesarosa Deméter. Está obcecada por seu sentimento de perda e restringe seus interesses. Seu crescimento psicológico pára. "Possuída" pelo aspecto pesaroso do arquétipo de Deméter, ela foi praticamente indistinguível de outras mulheres que sofrem da mesma forma.

4. Pauline Bart, "Mother Portnoy's Complaints", in *Trans-Action,* novembro-dezembro de 1970, pp. 69-74.

Tais pacientes deprimidas mostram sintomas muito semelhantes: suas expressões faciais deprimidas; o modo como se sentam, ficam de pé, caminham e suspiram; o modo como expressam dor e fazem outros se sentirem defensivos, culpados, zangados e indefesos.

A mãe destruidora

Quando a pesarosa Deméter parou de atuar, nada mais se desenvolveu, e a carestia ameaçou destruir a humanidade. Da mesma forma, o aspecto destruidor de Deméter é expresso ao negar o que outra pessoa necessita, em contraste com Hera e Ártemis, que são ativamente destruidoras em sua raiva. Uma nova mãe gravemente deprimida e não atuante pode ser uma ameaça de vida para seu filho: o pessoal do pronto socorro ou um pediatra podem diagnosticar "deficiência no desenvolvimento". O bebê não ganhou peso, está apático e pode ser aparentemente emaciado. A deficiência no desenvolvimento aparece quando a mãe recusa o contato emocional e físico com o filho, tanto quanto a nutrição necessária.

As mães que recusam falar com os filhos durante dias, ou até mesmo por períodos mais longos, ou que isolam seus pequeninos, infligem danos psicológicos através dessa forma de recusa. Tais mães estão em geral seriamente deprimidas e hostis.

Muito mais comum do que essas formas extremas de recusa são as mães tipo Deméter que recusam aprovação se os filhos crescem mais independentes delas. Embora a depressão da mãe seja menos evidente nessas circunstâncias, recusar a aprovação, da qual uma criança necessita para a sua auto-estima, está ligado também com a depressão. Ela experimenta a autonomia crescente do filho como perda emocional para si própria. Sente-se menos necessária e rejeitada e, como resultado, pode ficar deprimida e zangada.

Cultivando Deméter

Sem perceber, as mulheres estão cultivando Deméter e convidando o arquétipo a se tornar mais ativo quando consideram seriamente sobre ter um filho. Enquanto consideram a escolha, observam as mulheres grávidas, que eram aparentemente invisíveis antes, e que agora parecem sempre presentes, observam os bebês, procuram pessoas que têm filhos e prestam atenção aos próprios filhos. Todas essas atividades são naturalmente feitas pelas mulheres tipo Deméter. As mulheres cultivam Deméter quando se imaginam grávidas e tendo filhos. Enquanto observam mulheres grávidas, seguram bebês, e dão atenção total às crianças, o arquétipo pode ser evocado nelas. Os esforços para testar a força do instinto materno podem trazê-lo à tona se o arquétipo for facilmente evocável, não de outra maneira.

A mulher pode procurar mudar seu modo de agir e ser mais maternal para com determinado filho, ou querer ser amada por um filho determinado. O filho atrai ou constela o arquétipo na mulher. Motivada por seus sentimentos pela criança, ela se esforçará por ser mais paciente, ou ser persistente em favor da criança. Conforme parece ser mais maternal, e se esforça por ser assim, o arquétipo de Deméter se desenvolve no seu interior.

A mulher tipo Deméter

A mulher tipo Deméter é primeiro e principalmente maternal. Em seus relacionamentos ela é nutridora e sustentadora, prestativa e doadora. É freqüentemente uma senhora generosa, provendo do que quer que ache necessário — canja de galinha, abraço apoiador, empréstimo para um amigo, convite constante de "voltar para a casa da mamãe".

A mulher tipo Deméter muitas vezes tem a aura da Mãe Terra ao seu redor. É sensata e digna de confiança. Os outros a descrevem como tendo "os pés no chão", conforme faz o que precisa ser feito com uma mistura de aspecto prático e entusiasmo. É usualmente generosa, extrovertida, altruística e leal para com os indivíduos e os princípios, a ponto de os outros a verem como teimosa. Tem fortes convicções, e é difícil ela arredar o pé quando alguma coisa ou alguém importante para ela está envolvido.

A jovem Deméter

Algumas garotinhas são claramente uma desabrochante Deméter — "mãezinhas" que embalam bonecas em seus braços. A pequena Hera prefere bonecas Barbie e Ken, e a pequena Atenas pode ter uma coleção de bonecas históricas numa caixa de vidro. A jovem Deméter também gosta de segurar bebês reais. Aos nove ou dez anos de idade ela é ávida de cuidar das crianças dos vizinhos.

Os pais

O relacionamento que as mulheres tipo Deméter têm com os pais pode ser melhor entendido se primeiramente olharmos para o relacionamento da deusa Deméter com seus pais. A deusa Deméter era filha de Réia e neta de Géia. Géia foi a primeira Mãe-Terra de quem vinha toda a vida, incluindo o deus do céu, Urano, que se tornou o seu marido. Réia também foi conhecida como deusa da Terra, embora seja mais famosa por ser a mãe da primeira geração de deuses olímpicos. Como deusa do cereal, Deméter continua a linhagem das deusas no que diz respeito à fertilidade. Compartilha de outras semelhanças com a mãe tanto quanto com a avó. Por exemplo, todas as três sofriam quando seus maridos feriam seus filhos. O marido de Géia enterrou seus filhos no corpo dela quando nasceram. O marido de Réia engoliu seus filhos recém-nascidos. E o marido de Deméter permitiu que sua filha fosse raptada e levada ao Inferno. Todos os três pais biológicos apresentaram falta de sentimentos paternos.

Essas deusas mães sofreram por três gerações. Menos poderosas que os maridos, eram incapazes de os fazerem parar de magoar seus filhos. Contudo, recusaram aceitar o abuso, e persistiram até que seus filhos fossem libertados. Ao contrário de Hera, cujo elo principal era o relacionamento esposa-marido, o elo mais forte dessas deusas Mãe-Terra era o elo mãe-filho.

A vida real se assemelha ao mito de Deméter quando mulheres maternais estão casadas com homens não paternais. Nessa situação uma filha tipo Deméter cresce intimamente identificada com a mãe e não ligada ao pai. A atitude do pai em relação aos filhos pode oscilar do desinteresse pela competitividade e ressentimento, ou até mesmo desaforo se ele os vê como rivais bem sucedidos por causa de sua esposa. Em tal lar, a auto-estima de uma jovem Deméter padece, e ela desenvolve uma atitude de vítima. Ou as qualidades maternais de uma filha tipo Deméter podem resultar em sua reversão de papéis com pais imaturos ou incompetentes. Tão logo tenha idade suficiente, pode tomar conta dos pais ou tornar-se mãe substituta para os irmãos mais jovens.

Em contraste, se uma jovem Deméter tem pai afetuoso que a aprova, crescerá sentindo o apoio dele ao seu desejo de ser ela mesma uma boa mãe. Encarará os homens positivamente e terá expectativas positivas de um marido. Uma suscetibilidade arquetípica de tornar-se vitimada não será intensificada por sua experiência de infância.

Adolescência e juventude

Na puberdade, ter seu próprio bebê torna-se possibilidade biológica, pois o ímpeto maternal arquetípico conta com o auxílio dos hormônios. Então algumas garotas tipo Deméter começam a desejar a gravidez. Se outros aspectos de sua vida estão vazios e ela é pouco mais do que uma criança negligenciada, a jovem Deméter que foi coagida ao sexo e torna-se grávida pode dar boas-vindas à criança. Uma garota grávida de catorze anos num abrigo para mães solteiras disse: "Enquanto outras garotas de minha idade querem bicicletas ou outras coisas, eu sempre quis ter um bebê. Estou feliz por estar grávida".

Contudo, muitas adolescentes tipo Deméter não ficam grávidas. Faltando o profundo desejo de Hera de ser parte de um casal, ou dos ímpetos eróticos de Afrodite, Deméter não é motivada a ter experiência sexual precoce.

Muitas mulheres tipo Deméter casam-se jovens. Em famílias de classe operária, uma garota pode ser encorajada a casar-se logo depois da escola secundária. Esse empurrãozinho pode ajustar-se às inclinações próprias de uma garota tipo Deméter de ter uma família, em vez de instrução ou emprego.

Se uma jovem Deméter não se casa e não inicia uma família, irá trabalhar ou irá para a faculdade. Na faculdade provavelmente fará cursos endereçados a prepará-la para uma profissão de assistência. A mulher tipo Deméter não é tipicamente ambiciosa, intelectual ou competitiva nas notas, embora possa sair-se bem se interessada nas aulas. O *status,* que as mulheres tipo Hera acham importante, é inconseqüente para uma Deméter. Suas amigas são muitas vezes escolhidas através de amplo círculo social e racial. Ela se esforça mais para fazer com que um aluno estrangeiro constrangido sinta-se confortável, para ajudar um estudante fisicamente incapacitado e para ajudar um desajustado social.

Trabalho

A natureza maternal da mulher tipo Deméter a

predispõe a ingressar nas profissões educativas ou de assistência. Ela é inclinada aos empregos "tradicionalmente femininos", tais como ensino, trabalhos sociais ou enfermagem. Ajudar as pessoas a estarem bem ou a crescer é satisfação e motivação fundamental quando Deméter está presente. As mulheres que se tornam psicoterapeutas, terapeutas físicas, terapeutas de reabilitação ou pediatras estão muitas vezes expressando as inclinações de Deméter em sua escolha ocupacional. Muitas voluntárias das escolas maternais e das escolas elementares, em hospitais e sanatórios também estão pondo suas tendências de Deméter a funcionar.

Algumas mulheres tipo Deméter tornam-se figuras-chave em organizações, as quais recebem sua energia maternal. Tipicamente, a mulher Deméter em tal situação é pessoalmente esplêndida. Ela deve ter imaginado e fundado a organização, atirado nela sua considerável energia, e sido pessoalmente responsável por seu sucesso antecipado.

As mulheres tipo Deméter em posição de liderança e de mãe fundadora podem procurar aconselhamento por diversas razões: a organização pode requerer tanto esforço que não lhe deixa virtualmente nenhum tempo ou energia para qualquer coisa mais. Os anseios pessoais por um companheiro, se Hera também estiver presente, ou por um filho seu acabam não sendo satisfeitos. Os conflitos surgem no seu íntimo e entre ela e aqueles que ela supervisiona, porque ela é uma pessoa com autoridade, que se vê e é vista pelos outros como figura que nutre. É difícil para ela irritar-se ou confrontar-se com um empregado incompetente, por exemplo, porque sente pena da pessoa ou culpada por causar dor. Além do mais, os empregados esperam que ela cuide deles pessoalmente, esperança que eles usualmente não têm em relação aos supervisores homens, e ficam ressentidos ou zangados toda vez que ela não o faz.

Relacionamento com mulheres

As mulheres tipo Deméter não competem com outras mulheres por causa de homens ou realizações. Qualquer inveja ou ciúme de outras mulheres dirá respeito aos filhos. A mulher tipo Deméter sem filhos compara-se desfavoravelmente às mulheres de sua idade que são mães. Se não for fértil, pode sentir amargura pela facilidade com a qual as outras se tornam grávidas — especialmente se elas abortam. Mais tarde na vida, se seus próprios filhos moram distante ou estão emocionalmente distantes, terá inveja da mãe que tem contato freqüente com os filhos. Nesse estágio da vida a inveja pode vir à tona novamente depois de vinte e cinco anos e, desta vez, inveja das netas.

As mulheres tipo Deméter misturam sentimentos sobre o feminismo e o movimento das mulheres. Muitas mulheres tipo Deméter ressentem-se das feministas por desvalorizarem o papel da maternidade; elas querem ser mães em tempo integral e agora sentem-se pressionadas a trabalhar fora do lar. Por outro lado, as mulheres tipo Deméter apóiam fortemente muitas causas de mulheres; por exemplo, protegendo as crianças de abusos, e proporcionando abrigo para as mulheres maltratadas.

Em geral as mulheres tipo Deméter têm sólidas amizades com outras mulheres tipo Deméter. Muitas dessas amizades pertencem ao período em que foram mães juntas pela primeira vez. Muitas contam mais com as amigas do que com os maridos, tanto para o apoio emocional quanto para ajuda real. Por exemplo, certa mulher disse: "Quando estive no hospital, minha amiga Ruth acolheu as crianças e meu marido Joe toda noite para o jantar... Por duas semanas alimentou nove crianças, as quatro dela e as cinco minhas, e três adultos... Eu teria feito o mesmo por ela". Tipicamente, esta mulher arranjou uma forma de ajudar em vez de esperar que o marido dela tomasse conta da casa e das crianças na sua ausência.

No ambiente familiar, mães e filhas que são todas mulheres tipo Deméter podem permanecer unidas por gerações. Essas famílias têm marcante expressão matriarcal. E as mulheres na família sabem o que está se passando na grande família mais do que os maridos.

Esse padrão mãe-filha também pode ser duplicado com pares. Ela pode assumir o papel maternal de Deméter com uma amiga como Perséfone que é inexperiente e indecisa. Ou, se ambas são mulheres tipo Deméter que também compartilham as qualidades de Perséfone, elas podem se revezar, protegendo maternalmente uma à outra, e outras vezes, ambas podem ser tipo Deméter, compartilhando detalhes de suas vidas e falando sobre suas alegrias e dificuldades. Ou ainda, ambas podem ser tipo Perséfone brincalhonas, que dão risada sem motivo.

Às vezes os casais de lésbicas se ajustam a um padrão Deméter-Perséfone, no qual o bem-estar da mulher tipo Deméter depende da integridade de um relacionamento com uma amante mais jovem ou menos amadurecida. Enquanto estiverem juntas, a mulher tipo Deméter sente-se produtiva e fértil. Seu trabalho e criatividade prosperam como resultado de estar com uma mulher que é como uma deusa para ela. Pode ser possessiva em relação à sua Perséfone, se teme que possa perdê-la. E pode fomentar dependência e exclusividade, que eventualmente estragam o relacionamento.

Contudo, a mulher tipo Perséfone é uma personalidade jovem e não diferenciada. É mulher receptiva, feminina, cuja preferência sexual pode ser tão maleável quanto tudo o mais nela. Mesmo que possa estar num relacionamento lésbico, por exemplo, ela pode se sentir atraída por um homem. Se a mulher tipo Perséfone deixar sua amante Deméter quando surge seu heterossexualismo em resposta às atenções de um homem, a mulher tipo Deméter sente como se o próprio mito fora revivido. Inesperadamente sua Perséfone foi "raptada por Hades", e isso é uma perda devastadora.

Relacionamento com homens

A mulher tipo Deméter atrai homens que sentem afinidade por mulheres maternais. A mulher fiel ao tipo Deméter não faz a escolha. Responde à necessidade de um homem por ela e pode ainda estar com um homem porque tem pena dele. As mulheres tipo Deméter não têm muitas expectativas em relação aos homens. Muito freqüentemente sentem que "os homens são uns menininhos".

Um tipo comum de casal onde a mulher é do tipo Deméter ajusta-se ao padrão Grande Mãe associada a um filho-amante. Esse relacionamento arquetípico mãe-filho não se refere a uma diferença nos anos cronológicos, embora o homem possa ser mais jovem. Em geral é um homem talentoso, sensível, que se sente depreciado ou mal entendido pelos outros que não valorizam sua unicidade (como ela faz) e que não fechariam seus olhos para sua irresponsabilidade (como ela faz). Ele é um rapaz imaturo, absorvido em si mesmo, com um senso de auto-afirmação, e não um homem. Ela concorda com sua unicidade e repetidamente fecha os olhos ao comportamento que ele tem para com ela, e que os outros consideram egoísta e irrefletido.

No que lhe diz respeito, o mundo é cruel para com ele. Poderia fazer exceções para ele, como ela faz. Sua desconsideração muitas vezes a fere e enraivace — mas se ele então lhe diz o quanto a aprecia, ou de que forma ela é a única pessoa que realmente lhe importa na vida, tudo está novamente perdoado.

Como mãe de um rapaz elegante, que se admira de como ela pôde ter dado à luz a tal jovem deus, a mulher tipo Deméter como Grande Mãe diante do papel dele como filho-amante pode também ficar maravilhada com sua aparência ou seu talento. Ela pode dizer como certa mulher tipo Deméter disse a mim: "Ele parecia a mim como a estátua de Davi, obra de Michelangelo. Estava feliz cuidando dele. Eu o estraguei com mimos." Ela disse isso com orgulho em vez de dizer com amargura.

As qualidades maternais da mulher tipo Deméter e suas dificuldades em dizer não a tornam vulnerável a ser usada por um sociopata, outro tipo de homem que muitas vezes se relaciona com mulheres tipo Deméter. O relacionamento sociopata de Deméter pode superficialmente assemelhar-se a um relacionamento Grande Mãe/filho-amante — e há alguma superposição — mas o filho-amante tem a habilidade de amar, ser leal, ou ficar cheio de remorso. O sociopata não tem essas capacidades, que fazem uma diferença decisiva. O sociopata age na pressuposição de que suas necessidades o habilitam a receber. Ele é incapaz de intimidade ou apreciação emocional. Sua atitude sugere a pergunta: "O que você tem feito por mim ultimamente?" Ele esquece tanto a generosidade passada ou os sacrifícios por parte da mulher tipo Deméter, quanto seu comportamento passado explorador. Ele glorifica suas carências — e essa necessidade convida a uma generosa resposta de Deméter. O relacionamento com um sociopata pode obstruir a vida emocional da mulher tipo Deméter durante anos, e pode financeiramente lhe tirar até o último centavo.

Outro companheiro típico de Deméter é o homem que quer "uma garota exatamente como a moça que se casou com o querido e velho pai". Como o pequeno Édipo, pode ter ficado marcando passo — ele era o garotinho de quatro ou cinco anos que queria casar-se com sua mamãe.

Agora é um homem adulto que procura a mulher maternal que será uma boa mãe para ele. Ele quer que ela seja nutridora, generosa, responsável e zelosa; que cuide das suas refeições, compre e cuide de suas roupas, tenha a certeza de que ele vai ao médico ou ao dentista quando necessita, e organize sua vida social.

De todos os homens que foram atraídos pelas qualidades de Deméter, o "homem familiar" é o único que é ele próprio, amadurecido e generoso. Este homem é fortemente motivado por seu desejo de ter uma família, e vê na mulher tipo Deméter uma companheira que compartilha o seu sonho. Além de ser "um bom papai" para os filhos, esse tipo de homem também está alerta por ela. Se ela tem dúvida ao dizer não às pessoas que poderiam se aproveitar de sua boa natureza de Deméter, ele pode ajudá-la a estar alerta por si mesma.

O homem familiar também a ajuda a realizar-se através da criação dos filhos. Os outros três tipos são ameaçados pela idéia de filhos e podem insistir num aborto se ela engravidar. Essa insistência a colocará numa crise materna: ou rejeitar o homem que ela protege maternalmente, ou rejeitar a maternidade. A escolha a faz sentir-se como a mãe a quem é dada a impossível escolha de sacrificar uma das duas crianças.

Sexualidade

Quando Deméter é o elemento de deusa mais forte na personalidade de uma mulher, sua sexualidade usualmente não é muito importante. Em geral Deméter não tem forte impulso sexual. É uma pessoa muitas vezes ardente, afetuosa e feminina, que prefere mais ser abraçada do que fazer amor, mulher "carinhosa" em vez de *sexy*. Muitas mulheres tipo Deméter têm uma atitude puritana no tocante ao sexo. Para elas o sexo existe para a procriação e não para o prazer. Algumas mulheres tipo Deméter pensam no sexo como aquilo que a mulher proporciona no contexto de dar ou de nutrir — está proporcionando o que seu marido necessita. E muitas mulheres tipo Deméter guardam um segredo "culposo" para si mesmas — para elas o ato físico mais sensual é amamentar seus bebês, e não fazer amor com seus maridos.

Casamento

Para a mulher tipo Deméter o casamento em si não é prioridade última, como o é para a mulher tipo Hera. Muitas mulheres tipo Deméter querem se casar principalmente para terem filhos. A menos que tenha Afrodite ou Hera como arquétipos ativos, a mulher tipo Deméter encara o casamento simplesmente com o degrau necessário que abre caminho para os filhos, e a melhor situação na qual ter filhos.

Filhos

A mulher tipo Deméter sente profunda necessidade de ser mãe biológica. Quer dar à luz e servir de ama a seu próprio filho. Pode ser também uma adorável mãe de criação, mãe adotiva, ou madrasta, mas se não pode ter seu próprio filho, uma profunda aspiração não ficará satisfeita e ela se sentirá estéril. Em contraste, muitas mulheres tipo Ártemis ou Atenas herdariam logo uma família constituída, casando-se com um homem com filhos.

As mulheres tipo Deméter percebem-se uniformemente como boas mães que têm em mente os melhores interesses de seus filhos. Do ponto de vista de seu impacto sobre os filhos, contudo, as mulheres tipo Deméter parecem ser mães extremamente capazes ou mães terríveis, totalmente monopolizadoras.

Quando os filhos adultos a ofendem, a mulher tipo Deméter fica profundamente ferida e confusa. Não pode entender porque os filhos a tratam tão mal, enquanto outras mães têm filhos que as amam e apreciam. Ela também pode não entender que deve ter contribuído para as dificuldades de seus filhos. É consciente apenas de suas intenções positivas, não dos elementos negativos que envenenaram o relacionamento com os filhos.

Se a mãe Deméter teve ou não efeito positivo sobre os filhos e é considerada positivamente por eles depende de ter sido como a deusa Deméter "antes do rapto" ou "depois do rapto". Antes do rapto de Perséfone, Deméter acreditava que tudo estava bem (enquanto Perséfone brincava no prado), e ocupava-se com suas atividades. Depois do rapto, Deméter ficou deprimida e zangada; deixou o monte Olimpo e parou de atuar.

A fase "antes" assume muitas formas na vida real. Para a mulher que encara o ninho vazio quando seu último filho deixa o lar e então sente que o seu senso de significado foi "raptado", a fase "antes" era a vida familiar íntima e cautelosa que durou por alguns vinte e cinco anos. Para a mulher cuja filha a desafia para viver com um homem que a mãe considera um Hades raptor, a fase "antes" foi quando sua filha parecia uma extensão de si mesma, compartilhando os mesmos valores e esperanças para o futuro.

Algumas mães tipo Deméter sempre temem que alguma coisa má possa acontecer à sua criança. Essas mães podem agir como se antecipassem a possibilidade de "um rapto" desde o momento que a criança nascer. Conseqüentemente, elas limitam a independência da criança e desencorajam a formação de relacionamentos com os outros. No âmago da ansiedade que as motiva a agir desse modo está uma temida perda da afeição da criança.

As circunstâncias podem também ser responsáveis pela ativação do lado negativo de Deméter. Certa mulher relembrou que por seis anos depois que sua filha nasceu ela viveu como que num estado de graça. O mundo era seguro, a maternidade era realizadora e prazeirosa. Então ocorreu um acontecimento tão aflitivo e repentino como Hades emergindo de uma abertura na terra. Uma tarde a mãe deixou sua filha aos cuidados de uma irmã. A filha perambulou até a casa de um vizinho e foi molestada sexualmente. Posteriormente a filha tornou-se medrosa e ansiosa, tinha pesadelos e ficava apreensiva em relação aos homens — até mesmo seu pai.

A mãe se enraiveceu, teve pesar e sentiu-se culpada por não ter estado lá para prevenir o incidente. Antes ela tinha sido generosa, confiante e um tanto casual em seu estilo de mãe. Depois sentiu-se culpada e responsável, incerta de si mesma e ansiosa de que alguma coisa má poderia acontecer novamente. Tornou-se superdominadora e superpro-tetora. Seu prazer e espontaneidade se desfizeram, bem como seu senso de viver num mundo seguro e seu sentimento de auto-confiança.

A mulher tipo Deméter pode sentir-se culpada por qualquer acontecimento que tenha efeito adverso na criança. Até que tenha algum *insight* em suas expectativas não realísticas de que ela seria mãe perfeita, ela espera ser totalmente conhecedora e totalmente poderosa, capaz de prever acontecimentos e proteger seu filho de toda dor.

Com a intenção de proteger o filho, a mulher tipo Deméter pode se tornar superdominadora. Ela hesita sobre qualquer movimento, intercede pelo interesse da criança e assume o controle quando há qualquer possibilidade de dano. Conseqüentemente, a criança permanece dependente dela para lidar com problemas e com pessoas.

Os filhos da mãe tipo Deméter dominadora algumas vezes permanecem para sempre junto dela, com o cordão umbilical psicológico ainda bastante intacto. Dominados pela sua personalidade, eles permanecem “filhinhos da mamãe”, ou “filhinhas da mamãe” até a idade adulta.

Algumas dessas crianças podem nunca se casar. Quando o fazem muitas vezes mantêm laços filiais mais fortes do que conjugais. Por exemplo, um filho de Deméter pode estar à disposição da mãe, para o susto de sua própria esposa, cujos desejos sempre são colocados em segundo plano. Ou a filha de uma Deméter pode nunca concordar com tirar longas férias com o marido, porque não pode deixar sua mãe por tanto espaço de tempo.

Num esforço para conduzir suas próprias vidas, alguns filhos da mãe tipo Deméter superdominadora podem se libertar e permanecer distantes, criando distância geográfica e emocional com a mãe. Freqüentemente agem assim quando a mãe inconscientemente tenta fazêlos se sentirem devedores, culpados ou dependentes.

Outro modelo de mães negativas das mulheres tipo Deméter é a mãe que não sabe dizer não para os filhos. Ela se vê como a mãe altruísta, generosa, provedora, que dá e dá. A começar de quando eles são jovens, essa mãe tipo Deméter quer que os filhos tenham o que quer que eles queiram. Se a coisa for mais cara do que ela possa custear, ou fará sacrifícios para obtê-la ou se sentirá culpada. Além do mais, fracassa ao estabelecer limites para o comportamento. Da época em que a criança está começando a andar em diante, ela dá-se por vencida às exigências de seus filhos, alimentando seus egocentrismos. Como conseqüência, os filhos crescem sentindo-se com direito a consideração especial e mal preparados para se conformar. Os problemas de comportamento surgem na escola, e os conflitos com a autoridade explodem no emprego. Na tentativa de ser "boa mãe" totalmente provedora, tal mãe pode se tornar o oposto.

A meia-idade

A meia-idade é uma época importante para as mulheres tipo Deméter. Se esta mulher não tem um filho, ela fica preocupada com o conhecimento de que o relógio biológico está abandonando a possibilidade de ela se tornar grávida. As mulheres tipo Deméter casadas levantam a questão do bebê com esposos relutantes, e visitam especialistas em fertilidade se houver problemas com a concepção ou o aborto. A adoção pode ser considerada. E as mulheres solteiras pensam na possibilidade de tornarem-se mães solteiras.

Até mesmo se a mulher tipo Deméter tiver filhos, os anos de sua meia-idade não são menos cruciais, embora ela possa estar inconsciente da importância que eles têm para a moldagem do resto de sua vida. Os filhos estão crescendo, e cada passo deles em direção à independência testa sua habilidade de os libertar da dependência dela. Ela também pode sentir o impulso de ter um bebê tarde na vida. Certa mulher veio até mim no meio de uma crise de meia-idade: seus filhos estavam na escola e agora, aos quarenta anos de idade, era hora de ela própria voltar para a escola, se quisesse crescer além de Deméter. Descobriu que tinha medo de fracassar na escola graduada, e que uma outra criança era a única desculpa que ela própria poderia aceitar para não se matricular. Ela poderia então separar o desejo de ter um outro bebê do medo de fracassar como estudante, e considerar a questão. Conforme veio a acontecer, ela foi para a escola graduada, estudou um assunto de que gostava, e agora é uma professora inspirada.

Na meia-idade a mãe fundadora de uma organização pode enfrentar crise quando a organização cresce de tal modo que os outros ambicionam sua posição e poder. A menos que ela tenha a mente estrategista de Atenas e saiba fazer política, os administradores ambiciosos podem "raptar" a organização a que ela deu vida e ergueu nos primeiros anos. A perda a forçará a ser uma Deméter magoada e pesarosa.

Até mesmo se não houver luta pelo poder ou se ela sobreviver a esta crise, os problemas pessoais agora surgem, para ela e para todas as mulheres tipo Deméter que puseram sua energia materna no trabalho. Agora é hora de considerar o que está faltando em sua vida, e o que deveria fazer para realizar-se.

A velhice

Nos anos da velhice as mulheres tipo Deméter muitas vezes se dividem em duas categorias. Muitas acham essa fase da vida compensadora. São mulheres ativas e trabalhadoras, como sempre, que aprenderam da vida e que são apreciadas pelos outros pela sua sabedoria realista e pela sua generosidade. São mulheres tipo Deméter que aprenderam a não se ligar às pessoas, ou permitir que delas tirassem proveito. Ao contrário, essas mulheres encorajaram a independência e o respeito mútuo. Filhos, netos, clientes, estudantes ou pacientes que atravessam gerações podem amá-la e respeitá-la. É como a deusa Deméter no fim de seu mito, que deu à espécie humana seus dons e foi grandemente honrada.

O destino oposto ocorre com a mulher tipo Deméter que se considera vítima. A fonte de sua infelicidade em geral provém dos desapontamentos e expectativas não realizadas da meia-idade. Agora identificada com a triste, abandonada e magoada Deméter que se sentou em seu templo e não permitiu que nada crescesse, tal mulher não faz nada em seus anos avançados, a não ser ficar velha e cada vez mais amarga.

As dificuldades psicológicas

A deusa Deméter foi uma presença principal. Quando parou de atuar, a vida parou de crescer e todos os deuses olímpicos agruparam-se para pleitear com ela restaurar a fertilidade. Embora não pudesse prevenir o rapto de Perséfone ou forçar sua volta imediata, ela se sentiu vitimada, seus apelos foram ignorados, e entrou em depressão. As dificuldades encaradas pelas mulheres tipo Deméter têm temas semelhantes: vitimação, poder e controle, expressão de raiva e depressão.

Identificação com Deméter

A mulher que se identifica com Deméter age como uma deusa generosa, maternal, com uma capacidade ilimitada de prover. Não sabe dizer não se alguém necessita de sua atenção ou ajuda. Esse traço de Deméter faz com que a mulher fique ao telefone mais do que quer com uma amiga deprimida, ou concorde em tomar conta dos filhos dos outros quando ela preferiria não fazer isso, ou abrir mão de sua única tarde livre para ajudar alguém, em vez de reservar esse tempo para si mesma. E Deméter está presente na terapeuta que dá à sua cliente ansiosa a hora extra que era o seu único intervalo no pesado horário do dia, cujas noites são invariavelmente interrompidas por cansativas chamadas telefônicas e cujas tabelas variáveis de honorários estão sempre no ponto mais baixo da escala. Esse instinto de nutrir pode eventualmente esgotar a mulher numa profissão de assistência e conduzir a "desgastes" sintomáticos de fadiga e apatia.

Quando a mulher instintivamente diz sim a todos os que precisam dela, rapidamente fica sobrecarregada. Ela não é um ilimitado recurso natural, até mesmo se outras pessoas e Deméter no seu interior esperarem que ela o seja. A mulher tipo Deméter deve confrontar a deusa vez após vez, se tiver que cuidar de si mesma. Ao invés de sim instintivo, que é a resposta de Deméter, ela deve ser capaz de aprender a dizer não, tanto para a pessoa que precisa de alguma coisa dela como para a deusa interior.

Instinto materno

Se esse arquétipo segue seu curso, a mulher tipo Deméter pode também não ser capaz de dizer não ao fato de tornar-se grávida. Uma vez que a maternidade é imperativo interior para ela, a mulher tipo Deméter pode inconscientemente tramar com o arquétipo Deméter e "esquecer" quando está fértil, ou pode "ser descuidada" quanto ao controle da natalidade. Desse modo pode tornar-se grávida quando as circunstâncias estão longe do ideal.

A mulher tipo Deméter precisa ser capaz de escolher quando e com quem ter um bebê. Precisa reconhecer que Deméter no seu interior não tem interesse nas realidades de sua vida e nenhuma relação com o senso de oportunidade. Se a gravidez deve acontecer no tempo certo em sua vida, ela deverá resistir a Deméter, sendo vigilante quanto ao controle da natalidade.

Fadiga, dores de cabeça, cólicas menstruais, sintomas de úlcera, pressão alta e dor nas costas são comuns nas mulheres tipo Deméter que têm dificuldade de dizer não ou de expressar raiva quando estão sobrecarregadas com tantas dificuldades ou filhos. A mensagem indiretamente transmitida através desses sintomas é: "estou esgotada, aflita e com dores. Não me peça para fazer mais nada!" São também expressões de leve depressão crônica, que aparece quando a mulher não pode protestar efetivamente, reprimir sua raiva, e ressente-se de uma situação criada por Deméter.

Mantendo a dependência

A capacidade superabundante que a mulher tipo Deméter tem de proteger maternalmente pode ficar estragada pela necessidade que ela tem de que seu filho necessite dela, e também pela sua ansiedade quando o filho está "longe de sua vista". Ela encorajará a dependência e manterá seu filho "muito influenciado por ela". Pode fazer isso em outros relacionamentos também. Por exemplo, pode proteger maternalmente "a criança dependente" da mesma forma que protege o "pobre menininho" na figura de seu amado, e ainda toma conta da "criança ansiosa" representada pelo amigo.

Tal mulher infantiliza os outros por suas tentativas de ser indispensável ("mamãe sabe melhor") ou superdominadora ("deixe-me fazer isso por você"). Essa tendência encoraja sentimentos de insegurança e inadequabilidade na outra pessoa. Na cozinha, por exemplo, ela pode encorajar a filha jovem a aprender a cozinhas. Mas ela supervisiona cuidadosamente e depois sempre acrescenta os toques finais no término. O que quer que a garota faça, a mãe lhe dá a sua mensagem de que "não está suficientemente bom" e "você precisa de mim para fazê-lo corretamente". Numa situação de trabalho acontece o mesmo. Ela é a supervisora, a organizadora ou a mentora que "sabe melhor" como o trabalho deveria ser feito e, portanto, pode assumir a direção, reprimindo a originalidade e autoconfiança em seu "filho", e aumentando sua própria carga.

Se as pessoas ligadas a uma Deméter precisam dela, a mulher tipo Deméter ansiosa sente-se segura. Se as pessoas crescem em independência e competência, ela pode se sentir ameaçada. Para desfrutar das boas graças dela e ser o recipiente de seu cuidado e consideração, muitas vezes é preciso permanecer num papel dependente.

Quer a mulher tipo Deméter encoraje a dependência ou, ao contrário, crie um sentido de segurança no qual a outra pessoa possa crescer e prosperar depende de ela própria ter um sentido de generosidade ou de insuficiência. Se ela teme perder a outra pessoa ou que seu "filho" não seja "suficientemente bom", pode tornar-se possessiva, dominadora e limitadora. Sua insegurança a torna possessiva e sufocante.

Em minha prática uma jovem mãe compreendeu, enquanto sua filha era ainda um bebê, que ela era o tipo que ia achar difícil deixar sua filha crescer. A primeira luta surgiu quando chegou a hora de alimentar o bebê. Ela tinha sido amamentadora, apreciando a exclusividade do relacionamento e a dependência do seu bebê. Quando chegou a hora de introduzir os sólidos, seu marido antegozou alimentar a filha com a colher, o que seria um novo passo no elo pai-filha. Afortunadamente, a mãe altruística existente nela sabia que era hora de começar com os sólidos e compartilhar mais a criança com seu marido, embora a mãe possessiva nela quisesse resistir o quanto possível. Seu desejo de fazer o que era melhor para a criança venceu. Ainda assim, ela se sentiu transitoriamente como a lastimosa Deméter, entristecendo-se com a perda.

As mulheres tipo Deméter possessivas crescem conforme renunciam à sua necessidade de manter as outras pessoas dependentes e muito influenciadas por ela. Fazendo isso, a dependência mútua pode ser transformável em apreciação mútua e amor.

Comportamento passivo-agressivo

A mulher tipo Deméter que não sabe dizer não ficará sobrecarregada. Pode depois tornar-se esgotada e apática, ou ressentida e magoada. Se sentir-se explorada, tipicamente não o expressará diretamente, mostrando a mesma necessidade de positivismo em seu próprio interesse, que a leva a dizer sim quando deveria dizer não. Ao contrário de expressar sua raiva ou insistir em que alguma coisa mude, é provável que a mulher tipo Deméter despreze seus sentimentos como pouco generosos e trabalhe mais arduamente para conseguir fazer tudo.

Quando ela tenta abafar seus verdadeiros sentimentos e eles vêm à tona de qualquer forma, ela começa a mostrar comportamento passivo-agressivo. Então se esquece de desviar a rota e aí não compra a coisa que sua vizinha pediu; perde o prazo de entrega ou chega tarde para uma reunião importante. Desse modo ela suprime as responsabilidades que se esperava que levasse adiante, inconscientemente dando vazão à sua hostilidade com comportamento faltoso, indiretamente expressando seu ressentimento e declarando sua independência. Seria muito melhor que ela aprendesse a dizer não em primeiro lugar, porque o comportamento passivo-agressivo faz com que ela pareça incompetente e se sinta culpada.

A meta torna a mesma ação significativamente diferente. Para recusar honestamente fazer o que alguém mais espera que você faça, e afirmar por que, é uma mensagem clara; a ação passiva-agressiva é uma mensagem confusa codificada num ato hostil. Se a outra pessoa se importa com suas necessidades, a afirmação clara é suficiente. Reforçar a afirmação com a ação é sempre requerido quando a outra pessoa é exploradora e espera conseguir o que quer às suas custas. Zeus não prestou atenção a Deméter até que ela "saísse para a luta".

Até que Deméter recusou funcionar como deusa do cereal Zeus não prestou qualquer atenção ao seu sofrimento. Quando sua recusa de deixar qualquer coisa crescer ameaçou a terra com a carestia, ele se tornou interessado porque não haveria mortais para honrar os deuses se ela persistisse. Só então ele prestou atenção a ela e enviou Hermes para trazer Perséfone do mundo das trevas. Uma vez que a mulher tipo Deméter se torne consciente de suas necessidades, que ela própria suprime, e de sua raiva por ter suas necessidades desprezadas pelos outros, ela pode refletir seguindo o exemplo de Deméter. Uma empregada essencial mal paga e sobrecarregada pode apresentar seu caso para um merecido aumento e auxílio adicional, por exemplo, e não ser ouvida até que deixe claro para seu patrão de que não continuará a agir como tem feito.

Depressão: ninho vazio e solidão

Quando a mulher tipo Deméter perde um relacionamento em que foi a figura maternal, não apenas perde esse relacionamento e sente falta da pessoa, mas perde também seu papel de mãe, que lhe deu sentido de poder, importância e significado. É deixada com um ninho vazio e um sentimento de solidão.

O termo "depressão do ninho vazio" descreve a reação das mulheres que devotaram suas vidas aos filhos só para tê-los afastando-se delas. As mulheres tipo Deméter em relacionamentos amorosos que terminam também podem reagir dessa maneira, da mesma forma que a mulher tipo Deméter que "protegeu como mãe" um projeto durante anos, apenas para vê-lo falhar ou ser assumido pelos outros. Tais dificuldades de organização deixam-lhe a sensação de "ter sido explorada" e improdutiva.

Quando o arquétipo chega ao extremo, a mulher tipo Deméter deprimida torna-se incapaz de agir e precisa de hospitalização psiquiátrica. Pode se tornar uma personificação da deusa pesarosa que buscou Perséfone sem resultado. Como Deméter, ela pode não comer, dormir ou banhar-se. Pode andar para lá e para cá, movimentando-se sem descanso todo o tempo, torcendo com desespero as mãos e afligindo-se fora de si numa agitada depressão. Ou pode sentar-se, como Deméter em Elêusis, retraída, imóvel e incomunicável. Tudo parece triste e improdutivo para ela; o mundo fica sem significado. Não sente nenhuma qualidade vívida e em crescimento em sua vida árida.

Essa reação é uma depressão severa e apática. Em ambas as reações, agitada e apática, a hostilidade fundamenta sua depressão: está magoada porque uma fonte de significado foi afastada.

Quando uma Deméter desgostosa é hospitalizada, naturalmente precisa de ajuda profissional. Mas tivesse ela sabido que era tão suscetível a uma depressão do ninho vazio, e tivesse ela tomado quatro medidas preventivas mentais de saúde, sua reação teria sido muito menos severa. Aprender como expressar a raiva em vez de refreá-la no íntimo reduz a depressão. Aprender a dizer não evita tornar-se esgotada e deprimida por ter sido explorada e sentir-se não apreciada e martirizada. Aprender a "abrir mão e a deixar crescer" poupa-lhe a dor violenta de ter filhos, ou subordinados, pessoal e clientes que se ressentem dela e precisam libertar-se. Desenvolver outras deusas em seu interior proporciona-lhe interesses adicionais além de ser mãe.

Caminhos para o crescimento

As mulheres tipo Deméter acham fácil reconhecer o padrão maternal que personificam, incluindo a dificuldade de dizer não. Contudo, muitas vezes há um ponto cego, quando chega o momento de olhar para seus sentimentos negativos e seu comportamento negativo em relação aos outros. Desde que esses sentimentos e ações são o que mais precisa ser mudado, o desenvolvimento da mulher tipo Deméter fica contrariado até que ela seja capaz de ver o quadro completo. As mulheres tipo Deméter têm boas intenções que, ligadas à necessidade de se verem como boas mães, bloqueiam sua receptividade a esses *insights*. Tais mulheres são freqüentemente muito defensivas. Elas se opõem à crítica com afirmações sobre seus bons propósitos ("eu estava apenas tentando ajudar") ou com uma lista das muitas ações positivas e generosas que elas, de fato, fazem.

Exatamente porque a mulher tipo Deméter tem dificuldade em dizer não porque se identifica com a boa mãe generosa, ela também resiste em admitir sua raiva em relação àqueles que ela ama. Pelas mesmas razões, nega a possibilidade de que possa estar envolvida com o comportamento passivo-agressivo, e de que possa ser superdominadora ou estar encorajando a dependência. Contudo, sabe que fica desapontada por não sentir-se apreciada e pode admitir que fica deprimida. Se está desejosa de explorar esses caminhos, então pode gradualmente permitir o conhecimento de seus traços de Deméter negativos para se tornar consciente. Admiti-los é o maior obstáculo. Mudar seu comportamento é a tarefa mais fácil.

Tornar-se sua própria boa mãe

A mulher tipo Deméter precisa "servir-se" de Deméter em seu próprio favor, em vez de reagir instintivamente aos outros como se ela própria fosse Deméter. Quando solicitada a tomar conta de outra responsabilidade, precisa aprender a enfocar em si mesma o zeloso interesse que tão rapidamente sente pelos outros. Pode perguntar a si mesma: "Isso é realmente alguma coisa que você quer fazer agora?" e "Você tem tempo e energia suficiente?" Quando é tratada impropriamente, precisa reafirmar a si mesma que "você merece melhor tratamento" e encorajar-se para "ir contar-lhes" sobre suas necessidades.

Expandindo-se além de Deméter

A menos que a mulher tipo Deméter conscientemente consiga lugar em sua vida para outros relacionamentos além de Deméter, ela pode ficar encerrada num padrão, sendo "somente Deméter". Se for mulher casada e com filhos, fará esforço para afastar-se com seu marido sem os filhos? Reservará tempo para uma atividade solitária e para fazer *cooper*, meditar, pintar ou tocar um instrumento musical? Ou, como é típico de Deméter, nunca encontrará tempo? Se for mulher tipo Deméter profissional, toda sua energia pode voltar-se para seu trabalho. Pode dirigir uma escola maternal ou um programa profissional e devotar todo o seu tempo e energia para ele, voltando para casa esgotada no final do dia. A mulher tipo Deméter profissional precisa resistir a ser "somente Deméter", exatamente igual ao quanto faz a mulher tipo Deméter com cinco filhos. Se ela não se expande além de Deméter, aumenta a probabilidade da depressão de um ninho vazio quando ela não for mais solicitada e achar que é afinal de contas dispensável.

Recuperando-se da depressão

A mulher tipo Deméter que se torna uma Deméter angustiada e deprimida sofreu uma perda significativa. A perda pode ser alguma coisa de grande valor emocional para ela — um relacionamento, um papel, um emprego, um ideal — o que quer que tenha dado sentido à sua vida e que agora já se foi. E, como acontece em cada mitologia divina, é possível para uma mulher se "acomodar" em qualquer fase ou mudar para outro padrão de mito e desenvolver-se. Algumas mulheres tipo Deméter deprimidas nunca mais se recuperam; sua existência permanece vazia, amarga e improdutiva.

Mas a recuperação e o crescimento são possíveis. O próprio mito apresenta duas soluções. Primeiro, depois que soube que Perséfone fora raptada, Deméter deixou o monte Olimpo para vagar pela terra. Em Elêusis, a deusa deprimida e angustiada foi bem-vinda a um lar, onde tornou-se babá de Demofonte. Ela o alimentou com néctar e ambrosia e o teria tornado imortal se sua mãe Metanira não tivesse atrapalhado. Enfrentou sua perda amando e importando-se com alguém mais. Arriscar-se a outro relacionamento é um caminho para a mulher tipo Deméter angustiada recuperar-se e atuar novamente.

Segundo, a conciliação com Perséfone conduziu à recuperação de Deméter. A mãe angustiada se uniu à sua filha eternamente jovem e parou de ficar deprimida, atuou novamente como deusa do cereal e da fruta, e restituiu à terra a fertilidade e o crescimento.

É isso que metaforicamente finaliza uma depressão: o arquétipo da juventude retorna. De que modo isso acontece muitas vezes parece misterioso. Segue-se pranto e rancor. O tempo passa. Então um sentimento desabrochante desperta. Talvez a mulher note quão bonito é o azul do céu. Ou é tocada de compaixão por alguém, ou tem um ímpeto de completar uma tarefa há muito abandonada. São sinais de energia. Logo depois dos primeiros sinais da vida que volta, a mulher volta novamente a si, mais cheia de vitalidade e generosidade, reunida com aquele aspecto de si mesma que estava ausente.

Mais do que simples recuperação é possível. A mulher tipo Deméter pode também emergir de um período de sofrimento com maior sabedoria e compreensão espiritual. Como uma experiência interior, o mito de Deméter e Perséfone fala de uma capacidade de crescer através do sofrimento. A mulher tipo Deméter pode então, como a própria Deméter, aceitar a existência de mudanças periódicas humanas. Pode adquirir tal sabedoria, que espelha a natureza. Tal mulher aprende que pode viver através do que quer que aconteça, sabendo que assim como a primavera segue-se ao inverno, também a mudança da experiência humana segue certos padrões.

Bibliografia

DEMETRAKOPOULOS, Stephanie, "Life Stage Theory, Gerontological Research, and the Mythology of the Older Woman: Independence, Autonomy, and Strength". *Anima* 8, nº 2, Spring Equinox, 1982, pp. 84-97.

FRIEDRICH, Paul, "The Fifth Queen: The Meaning of Demeter" e "The Homeric Hymn to Demeter". In *The Meaning of Aphrodite,* University of Chicago Press, Chicago, 1978, pp. 149-180.

"The Hymn to Demeter". In *The Homeric Hymns,* Irving, Texas, 1979, pp. 89-135.

JUNG, C. G., "Psychological Aspects of the Mother Archetype", 1954. CW, vol. 9, part I, 1968, pp. 75-110.

KERÈNYI, C., *Eleusis: Archetypal Image of Mother and Daughter,* Schocken Books, New York, em acordo com Princeton University Press, 1977. Previamente editado na Bollingen Series, 1967.

LUKE, Helen M., "Mother and Daughter Mysteries". In *Woman: Earth and Spirit,* Crossroad, New York, 1981, pp. 51-71.

ZABRISKIE, Philip, "Goddesses in Our Midst". *Quadrant,* outono de 1979, pp. 40-41.

10
Perséfone:
a jovem e rainha do Inferno, mulher receptiva e "filha da mãe"

A deusa Perséfone

A deusa Perséfone, que os romanos chamavam de Prosérpina ou Coré, é melhor conhecida através do "Hino a Deméter", de Homero, que descreve seu rapto por Hades. Foi adorada de dois modos, como a jovem ou Coré (que significa "garota jovem"), ou como rainha do Inferno. Coré era uma deusa jovem, esbelta, bonita, associada com símbolos de fertilidade — a romã, o grão, o milho, e também com o narciso, a flor que a atraiu. Como rainha do Inferno, Perséfone é uma deusa experiente que reina sobre os mortos, guia os vivos que visitam o mundo das trevas, e pede para si o que deseja.

Embora Perséfone não fosse um dos doze deuses olímpicos, foi a figura central nos Mistérios de Elêusis, que por dois mil anos antes do cristianismo foi a principal religião dos gregos. Nos Mistérios de Elêusis os gregos experienciaram a volta ou renovação da vida depois da morte através da volta anual de Perséfone do Inferno.

Genealogia e mitologia

Perséfone foi a única filha de Deméter e Zeus. A mitologia grega é incomumente silenciosa quanto às circunstâncias de sua concepção.

No início do mito de Deméter-Perséfone (contado em detalhes no capítulo anterior), Deméter era uma garota despreocupada que colhia flores e brincava com suas amigas. Então Hades apareceu repentinamente em sua carruagem numa abertura da terra, pegou a jovem à força e a levou de volta para o Inferno, a fim de ser sua noiva contra a vontade. Deméter não aceitou a situação, deixou o monte Olimpo, persistiu em conseguir a volta de Perséfone, e finalmente forçou Zeus a considerar seus desejos. Zeus então enviou Hermes, o deus mensageiro, para ir buscar Perséfone. Hermes chegou ao Inferno e encontrou Perséfone desconsolada. Mas seu desespero tornou-se alegria quando descobriu que Hermes tinha vindo por sua causa e Hades a deixaria partir. Antes que ela o deixasse, contudo, Hades lhe deu algumas sementes de romã, e ela comeu. Então entrou na carruagem com Hermes, que a levou rapidamente para Deméter.

Depois que mãe e filha alegremente se abraçaram, Deméter ansiosamente perguntou se ela tinha comido alguma coisa no Inferno. Perséfone respondeu que tinha comido sementes de romã porque Hades a tinha forçado "contra a vontade, violentamente" a comê-las (o que não era verdade). Deméter aceitou a estória e o padrão cíclico que se seguiu. Não tivesse Perséfone comido qualquer coisa, teria sido completamente devolvida a Deméter. Tendo comido as sementes de romã, contudo, passaria agora um terço do ano no Inferno com Hades, e dois terços do ano no mundo superior, com Deméter.

Mais tarde, Perséfone tornou-se rainha do Inferno. Todas as vezes que os heróis e heroínas da mitologia grega desciam para o reino inferior, Perséfone lá estava para recebê-los e ser sua guia. Não estava ausente para ninguém. Nunca havia um sinal na porta dizendo que ela "fora para casa com a mãe", embora o mito de Perséfone-Deméter diga que ela fazia isso dois terços do ano.

Na *Odisséia*, o herói Odisseu (Ulisses) viajou para o Inferno, onde Perséfone lhe mostrou as almas das mulheres de reputação legendária. No mito de Psiquê e Eros, a última tarefa de Psiquê era descer ao mundo das trevas com uma caixa para Perséfone encher de ungüento de beleza para Afrodite. O último dos doze trabalhos de Héracles (Hércules) também o levou a Perséfone: Héracles teve que obter permissão dela para emprestar Cérbero, o feroz cão de guarda de três cabeças, que ele dominou e colocou numa corrente.

Perséfone lutou contra Afrodite pela posse de Adônis, o belo rapaz que era amado por ambas as deusas. Afrodite escondeu Adônis num baú e o mandou a Perséfone para preservação. Mas ao abrir o baú, a rainha do Inferno ficou encantada com sua beleza, e recusou-se a entregá-lo de volta. Perséfone agora lutava com outra divindade pela posse de Adônis, como Deméter e Hades outrora tinham lutado por ela. A disputa foi trazida perante Zeus, que decidiu que Adônis passaria um terço do ano com Perséfone e um terço do ano com Afrodite, e faria o que quisesse de si no tempo restante.

O arquétipo de Perséfone

Ao contrário de Hera e Deméter, que representam padrões arquetípicos ligados a fortes sentimentos instintivos, Perséfone como padrão de personalidade não parece tão sobrepujante. Se Perséfone proporciona a estrutura da personalidade, ela predispõe a mulher não a agir, mas a ser conduzida pelos outros, a ser complacente na ação e passiva na atitude. Perséfone, a jovem, também permite à mulher parecer eternamente jovem.

A deusa Perséfone tinha dois aspectos, o de jovem e o de rainha do Inferno. Essa dualidade também está presente como dois padrões arquetípicos. As mulheres podem ser influenciadas por um dos dois aspectos, podem crescer de um para outro, ou podem ter igualmente a jovem e a rainha presente em suas psiques.

Coré - a jovem arquetípica

Coré era a "jovem anônima". Ela representa a garota jovem que não sabe "quem ela é" e está até agora inconsciente de seus desejos e forças. Muitas jovens passam por uma fase de serem "a Coré" antes de se casarem ou decidirem sobre uma carreira. Outras mulheres permanecem a jovem pela maior parte de suas vidas. São livres para um relacionamento, para o trabalho, ou para um objetivo educacional, embora possam, de fato, estar num relacionamento, ter um emprego, ou estar na faculdade ou ainda numa escola graduada. O que quer que estejam fazendo, não parece "que é para valer". A atitude delas é a de uma eterna adolescente indecisa sobre quem ou o quê elas querem ser quando "crescerem", esperando que alguma coisa ou alguém transforme suas vidas.

"Filha da mãe"

Perséfone e Deméter representam um padrão comum mãe-filha, no qual uma filha é por demais íntima da mãe para desenvolver um sentimento independente de si mesma. O lema para esse relacionamento é "mamãe sabe melhor".

A filha tipo Perséfone quer agradar a mãe. Esse desejo a motiva a ser "uma boa menina" — obediente, condescendente, cautelosa e muitas vezes resguardada ou "protegida" da experiência que produz até a insinuação do risco. Esse padrão é repercutivo numa qualidade de Mother Goose:

"Mother, may I go out to swim?"
"Yes, my darling daughter.

Hang your clothes on a hickory limb,
but don't go near the water".[1]

Embora a mãe aparente ser forte e independente, essa aparência é muitas vezes ilusória. Ela pode encorajar a dependência de sua filha para mantê-la perto. Ou precisa que sua filha seja uma extensão de si mesma, através da qual ela possa viver vicariamente. Um exemplo clássico desse relacionamento é o da mãe diretora de cena e da filha atriz.

Algumas vezes o pai é homem dominador e intruso, que favorece a filha dependente. Sua atitude super dominadora pode ser também enganosa, encobrindo uma ligação emocional demasiadamente íntima com a filha.

Além da dinâmica familiar, a cultura em que vivemos também condiciona as garotas a equacionarem a feminilidade com o comportamento passivo e dependente. Elas são encorajadas a agirem como Cinderela, esperando a vinda de um príncipe, ou como Bela Adormecida, esperando serem acordadas. A passividade e a dependência são problemas íntimos para muitas mulheres, porque o meio ambiente reforça o arquétipo e assim outros aspectos da personalidade não se desenvolvem.

Mulher - "anima"

M. Esther Harding, notável analista junguiana, iniciou seu livro *The Way of All Women* descrevendo o tipo de mulher que é "tudo para todos os homens". Esse tipo é a "mulher-*anima*", que "adapta-se aos desejos dele, faz-se bonita para ele, que o fascina e o agrada". Ela "não é suficientemente consciente de si mesma para ser capaz de

1. "Mãe, posso sair para nadar?"
"Sim, minha querida filha.
Pendure suas roupas numa nogueira da margem,
mas não se aproxime da água".
Mother Goose é uma narradora imaginária de contos infantis (N. do Ed.).

retratar um quadro de como é sua vida subjetiva". Geralmente "não é autoconsciente; não analisa a si mesma ou aos seus motivos; apenas existe; e, de modo geral, não se articula".[2]

Harding descreve a facilidade com que a "mulher-*anima*" recebe a projeção da imagem inconsciente da mulher no homem *(anima)* e inconscientemente se amolda à imagem. Harding a descreve assim: "Ela é como um cristal de muitas facetas que se transforma automaticamente sem qualquer volição de sua parte... por essa adaptação, primeiro uma faceta e depois outra é apresentada à visão, e sempre aquela faceta que melhor reflete a *anima* dele é apresentada ao observador atento".[3]

A receptividade inata da mulher tipo Perséfone a torna muito maleável. Se as pessoas significativas projetam uma imagem ou expectativa nela, ela inicialmente não resiste. É seu padrão ser como camaleão, "provar" o que quer que os outros esperem dela. É essa qualidade que a predispõe a ser "mulher-*anima*"; ela inconscientemente se adapta àquilo que um homem quer que ela seja. Junto de um homem, ela é ávida tenista que se adapta a um ambiente de clube de campo; no próximo relacionamento está na garupa da moto dele enquanto rugem estrada de rodagem à frente; é um modelo para o terceiro, que a modela como ingênua inocente, que é o que ela representa para ele.

Mulher-criança

Antes do seu rapto, Perséfone era mulher-criança, inconsciente de sua atratividade sexual e de sua beleza. Essa combinação arquetípica de sexualidade e inocência

2. M. Esther Harding, "All Things to All Men", in *The Way of All Women*, Putnam's, New York, para a C. G. Jung Foundation for Analytic Psychology, 1970, p. 4.

3. Harding, p. 16.

impregna a cultura dos Estados Unidos, onde a mulher considerada desejável é uma "gatinha", a mulher com aparência de vizinha ao lado posando nua para a revista *Playboy*. No filme *Pretty Baby*, por exemplo, Brooke Shields representava a criança — mulher arquetípica — uma garota de doze anos de idade, num bordel; era virginal, desejável, e sua virgindade foi vendida para o arrematador que deu o lance mais alto. Essa imagem teve continuidade em seus filmes seguintes, *Blue Lagoon*, e *Endless Love*, e em seus anúncios para os jeans Calvin Klein. Ao mesmo tempo, os meios de comunicação a descrevem como uma Perséfone protegida e obediente, filha de uma mãe que conduzia firmemente sua carreira e sua vida.

A mulher tipo Perséfone não precisa ser jovem em idade ou ser sexualmente inexperiente para ter falta de um sentido de si mesma como mulher sensual ou sexual. Enquanto ela é psicologicamente a Coré, sua sexualidade está adormecida. Embora goste que os homens gostem dela, há falta de paixão e provavelmente não é orgásmica.

No Japão, mais que nos Estados Unidos, a mulher ideal assemelha-se a Perséfone. É calma, reservada, complacente, aprende que não deve dizer não diretamente, é educada no sentido de evitar perturbar a harmonia desagradando ou sendo desagradada. A mulher japonesa ideal permanece graciosamente presente, mas em segundo plano, antecipa as necessidades dos homens e aparentemente aceita seu próprio destino.

Guia para o Inferno

Embora a primeira experiência de Perséfone com o Inferno tenha sido como vítima de rapto, mais tarde ela se tornou rainha do Inferno, a guia para os outros que o visitavam. Esse aspecto do arquétipo de Perséfone desenvolve, como no mito, como que um resultado de experiência e crescimento.

Simbolicamente, o Inferno pode representar camadas mais profundas da psique, um lugar onde as memórias e sentimentos foram "enterrados" (o inconsciente pessoal) e onde as imagens, padrões, instintos e sentimentos, que são arquetípicos e compartilhados pela humanidade, são encontrados (o inconsciente coletivo). Quando essas áreas são exploradas na análise, as imagens do Inferno aparecem nos sonhos. A sonhadora pode estar no subsolo, muitas vezes com muitos corredores e salas que, por vezes, são como labirintos. Ou pode encontrar-se num mundo subterrâneo ou numa profunda caverna, onde se depara com pessoas, objetos ou animais e fica espantada, com medo ou interessada — dependendo de ter medo ou não desse reino em si mesma.

Perséfone, a rainha e guia do Inferno, representa a habilidade de movimentar-se de um lado para outro, entre a realidade do mundo "real" baseada no ego e o inconsciente ou realidade arquetípica da psique. Quando o arquétipo de Perséfone está ativo, é possível para a mulher meditar entre os dois níveis e integrar ambos em sua personalidade. Pode também servir como guia para os outros que "visitam" o Inferno em seus sonhos e fantasias, ou pode ajudar aqueles que foram "raptados" e perderam a ligação com a realidade.

Em *I Never Promised You a Rose Garden,* Hannah Green escreveu sua história autobiográfica de doença, hospitalização e recuperação de uma garota esquizofrênica que se retirou da realidade para o cativeiro de um reino imaginário. Green teve que recordar vividamente sua experiência para escrever sobre ela. Inicialmente o "Reino do Yr" era seu refúgio, um mundo fantasioso que tinha seu próprio "calendário secreto", sua linguagem própria. Mas eventualmente esse mundo "subterrâneo" transformou-se em realidade apavorante. Ela ficou prisioneira dele e não podia mais sair: "não podia ver exceto em esboços, cinzento sobre cinzento, e sem nenhuma profundidade, achatado, como num quadro".[4] Essa garota era uma Perséfone raptada.

Pacientes ex-psiquiátricas, como Perséfone, podem ajudar os outros através do Inferno. *I Never Promised You a Rose Garden,* de Hannah Green, o romance *The Bell Jar,* de Sylvia Plath, e sua poesia, e as canções de Doree Previn são como guias para os outros que foram arrastados às suas profundezas e necessitam de ajuda para perceber o significado da experiência. Essas mulheres eram pacientes psiquiátricas hospitalizadas que se recuperaram e escreveram sobre seus "raptos" voltados para o mundo da depressão e da loucura. Conheço também diversas terapeutas extraordinárias que enquanto jovens foram hospitalizadas devido a doenças psiquiátricas. Foram, por um tempo, "aprisionadas" por elementos no inconsciente, e estavam fora de ligação com a realidade comum. Devido à sua experiência das profundezas, recebida da fonte original, e de sua recuperação, elas são agora especialmente úteis aos outros. Tais pessoas conhecem seu trajeto no Inferno.

Finalmente, algumas pessoas conhecem a guia Perséfone sem a experiência de ser a Coré cativa. Isso é verdadeiro para muitos terapeutas que trabalham com sonhos e imagens que surgem na imaginação de seus pacientes. Eles têm uma receptividade ao inconsciente sem terem sido cativos lá. Conhecem intuitivamente e estão familiarizados com o reino do Inferno. Perséfone, a guia, é parte da psique daquela pessoa, o arquétipo responsável pelo sentido de familiaridade que a pessoa sente quando depara com a linguagem simbólica, ritual, loucura, visões, ou experiência mística extática.

4. Hannah Green, *I Never Promised You a Rose Garden,* Signet Books/New American Library, New York, em acordo com Holt, Rinehart e Winston, 1964.

Símbolo da primavera

Perséfone, como Coré ou "jovem anônima", é familiar para muitas mulheres como o estágio de vida quando ela era jovem, incerta e cheia de possibilidades. Foi o tempo em que ela esperava por alguém ou por alguma coisa para dar sentido à sua vida, antes que outro, qualquer outro arquétipo se tornasse ativado e a introduzisse numa fase diferente. Nas estações da vida de uma mulher, Perséfone representa a primavera.

Exatamente como a primavera ciclicamente segue o período sem cultivo e os meses improdutivos do inverno, trazendo calor, mais luz e nova vegetação verdejante, da mesma forma Perséfone pode tornar-se reativada na mulher após épocas de perda e depressão. Cada vez que Perséfone ressurge na psique da mulher, mais uma vez lhe é possível se tornar receptiva a novas influências e mudar.

Perséfone é juventude, vitalidade e potencial para novo crescimento. As mulheres que têm Perséfone como parte de si podem permanecer receptivas à mudança e jovens de espírito durante toda a sua vida.

Cultivando Perséfone

A receptividade do arquétipo de Perséfone é a qualidade que muitas mulheres precisam cultivar . Isso é especialmente verdade quanto às mulheres tipo Atenas e Ártemis, que têm o costume de saber o que querem e agir decisivamente. Não agem bem quando enfrentam falta de clareza sobre como e quando agir, ou incerteza sobre o que tem a máxima prioridade. Para isso precisam cultivar a habilidade de Perséfone para esperar que a situação mude, ou que seus sentimentos se tornem claros.

As habilidades de ser franca e flexível, ou maleável, que tipifica Perséfone, às vezes quanto a um erro, são atributos que as mulheres tipo Deméter e Hera muitas vezes também precisam desenvolver, se estiverem presas às suas expectativas (Hera) ou às suas convicções de que sabem melhor (Deméter).

Atribuir valor positivo à receptividade é o primeiro passo em seu cultivo. Uma atitude receptiva em relação às outras pessoas pode ser conscientemente desenvolvida ao ouvir o que os outros têm a dizer, esforçando-se para ver as coisas a partir de sua perspectiva, e privando-se dos julgamentos críticos, ou preconceitos.

A atitude receptiva voltada para a própria psique de alguém também pode ser desenvolvida. Um primeiro passo necessário é a bondade para consigo mesma, mais do que a impaciência ou autocrítica, especialmente durante os períodos em que a mulher sente que está "em inatividade". Muitas mulheres aprendem que períodos inativos podem ser benéficos intervalos que precedem uma onda de atividade ou criatividade só depois que aprendem a aceitá-los como uma fase e não como um pecado.

Cultivar os sonhos muitas vezes se torna compensador. O esforço de lembrá-los e escrevê-los a cada manhã conserva as imagens vivas. *Insights* em seus significados muitas vezes acontecem quando isso é feito, como alguém que agora se lembra dos sonhos e pensa sobre eles. A percepção extra-sensorial pode também ser desenvolvida por muitas pessoas que tentam captar impressões extra-sensoriais, e aprendem a ser receptivas às imagens que surgem espontaneamente em sua mente.

A mulher tipo Perséfone

A mulher tipo Perséfone tem uma qualidade jovial. Pode verdadeiramente parecer mais jovem do que é ou ter alguma coisa de "infantil" em sua personalidade, um elemento "cuide da menininha" que pode durar através e além da meia-idade. Penso na mulher tipo Perséfone como portadora de algo flexível que se inclina para se ajustar às circunstâncias ou às personalidades mais fortes. Indo primeiro numa direção e depois noutra dependendo de como "sopra o vento", ela volta a ser ela mesma quando as forças acabam, permanecendo não afetada de modo significativo pela experiência, a menos que assuma um compromisso que a mudará.

A jovem Perséfone

A típica pequena Perséfone é uma garota quieta, despretensiosa, "boa menininha", tipo que está muitas vezes "embonecada" dentro de vestidos cor-de-rosa e cheios de babados. É usualmente uma criança bem comportada, que quer agradar, faz o que é solicitado e usa o que é escolhido para ela.

A mãe supersolícita complica a própria tendência da pequena Perséfone de ser cautelosa e complacente se desde a infância ela trata sua filha como frágil boneca necessitada de proteção e supervisão. Quando mais preocupada com o fato de que a filha possa cair e se machucar do que deleitada quando a mesma dá os primeiros passos vacilantes, está enviando a primeira de muitas mensagens semelhantes que equaciona tentar alguma coisa nova e, portanto, difícil, com risco e preocupação. Quando repreende sua filha por tentar alguma coisa por si mesma, dizendo: "você deveria ter perguntado antes", a mensagem na verdade é "espere por minha ajuda". Permanecer dependente é a admoestação não falada.

As chances são de que a pequena Perséfone seja uma criança introvertida que se mostre cautelosa por natureza, porque prefere observar primeiro e participar depois. Ela preferiria ficar na arquibancada até que soubesse o que está acontecendo e quais são as regras, em vez de mergulhar e aprender de primeira mão, como o faria a criança mais extrovertida. Precisa imaginar-se fazendo alguma coisa antes que decida se quer participar. Mas sua mãe muitas vezes interpreta mal sua introversão natural como timidez. Ao empurrá-la para fazer alguma coisa antes que esteja pronta, a mãe bem intencionada e extrovertida muitas vezes não deixa tempo para sua filha Perséfone descobrir quais são suas preferências. Pressionada pelo "tome uma resolução!", é mais provável que a jovem Perséfone faça o que agradaria a outra pessoa, em vez de resistir assim ela aprende a ser passiva.

Em contraste, com apoio para agir assim, uma jovem Perséfone pode também confiar em seu modo intrínseco de saber o que quer fazer. Gradualmente aprende a confiar em seu estilo receptivo por natureza e torna-se confiante em sua habilidade de tomar decisões a seu próprio modo e em seu próprio tempo. Ela escolhe suas preferências subjetivamente e estas estão certas para ela; contudo, não pode afirmar suas razões, porque sente o que fazer interiormente, mas não consegue explicar-se logicamente.

Os pais

A filha tipo Perséfone é muitas vezes "uma filhinha da mamãe", fixada num padrão Deméter-Perséfone com sua mãe. Esse tipo de mãe freqüentemente trata a filha como extensão de si mesma que contribui ou diminui sua própria auto-estima. Esse padrão pode resultar num relacionamento no qual as psiques da mãe e da filha se sobrepõem. A mãe escolhe as festas para a filha, aulas de dança ou de piano, e até mesmo os amigos, como se ela estivesse sendo mãe de si mesma. Proporciona à filha o que ela própria queria ou perdeu enquanto criança, sem considerar que a filha possa ter necessidades diferentes.

A filha tipo Perséfone não faz muito para contradizer a impressão de que ela quer para si mesma as mesmas coisas que sua mãe quer para ela. É por natureza receptiva e complacente, e quer agradar. Em contraste, as pequeninas Ártemis e Atenas, na idade de dois anos, positivamente dizem não ao vestido que não querem usar, ou não aos esforços para desviá-las de alguma coisa que tencionam fazer.

A mãe tipo Atenas inclinada à carreira com uma filha Perséfone pode indagar-se: "Como tive tal princesinha?" Pode ter o prazer de ser a mãe dessa criança num momento e estar frustrada pela aparente indecisão de sua filha e pela falta de habilidade em dizer o que está em sua mente, no momento seguinte. A frustração da mãe tipo Ártemis é diferente. Sente-se muito melhor ao aceitar os sentimentos subjetivos da filha; sua irritação é dirigida em direção à falta de vontade da filha. Recomenda-lhe o "levante-se por si mesma!" As mães tipo Ártemis e Atenas igualmente podem ajudar suas filhas tipo Perséfone a desenvolverem essas qualidades que elas valorizam, ou instilarão nelas um sentimento de inadequação.

Muitas jovens tipo Perséfone não têm relacionamentos íntimos com seus pais. O pai deve ter sido desencorajado pela possessividade da mãe tipo Deméter que queria um relacionamento exclusivo com sua filha. Ou, se era um marido tradicional que se orgulhava de nunca ter trocado uma fralda, ele pode ter escolhido permanecer não envolvido, como fazem certos homens que deixam que a filha seja criada pela mãe, e que contudo têm um interesse ativo num filho.

De maneira ideal, a filha tipo Perséfone deveria ter pais que respeitassem seu modo interior de saber o que é importante para ela, e que confiassem em suas conclusões. Proporcionariam a ela uma variedade de experiências, mas não a instigariam a elas. Esses são pais que aprenderam a valorizar a introversão em si mesmos.

Adolescência e juventude

A experiência de escola secundária para a jovem Perséfone é usualmente uma continuação de sua vida anterior. Se cresceu num relacionamento tipo "mamãe sabe melhor", sua mãe faz compras com ela, escolhe suas roupas, e influencia sua escolha de amigos, interesses e, agora, de compromissos sociais. Vivendo de modo vicário através da experiência da filha, ela pode abranger detalhes dos compromissos e atividades da filha, e pode esperar que a mesma confie nela e compartilhe segredos.

Contudo, os adolescentes precisam guardar alguns segredos e ter alguma privacidade. Nesse estágio do desenvolvimento, os pais excessivamente intrusos colocam em situação desvantajosa o desenvolvimento de uma identidade separada. Ao compartilhar todas as coisas, a filha adolescente permite à sua mãe colorir o que seria sua própria experiência. As ansiedades, opiniões e valores de sua mãe influenciam suas percepções.

Tipicamente, a mulher tipo Perséfone de classe média ou alta freqüenta a faculdade porque é lá que se espera que estejam as mulheres jovens de sua classe social e educação, o equivalente contemporâneo dos prados onde Perséfone e suas amigas brincavam. A educação é em geral um passatempo para tal garota, e não um pré-requisito ocupacional. Ela luta para ter as tarefas feitas e porque é usualmente distraída e/ou tem falta de confiança. Caracteristicamente, tenta diversas especializações acadêmicas possíveis. Se ela se fixa numa, muitas vezes faz isso à revelia ou por seguir o caminho da menor resistência, e não tanto por escolha ativa.

Trabalho

A mulher tipo Perséfone pode permanecer "estudante profissional", ou ir para o trabalho. Seja após a escola secundária ou após a faculdade, inclina-se a ter uma série de empregos, em vez de uma profissão ou carreira, e tende para onde os amigos e a família estão. Muda de emprego para emprego, na esperança de que um realmente a agradará. Ou pode ser despedida quando não cumpre os prazos ou quando falta.

As mulheres tipo Perséfone saem-se melhor em empregos que não requerem iniciativa, persistência ou habilidade para supervisão. Ela se dá muito bem quando tem um padrão a quem ela quer agradar, que lhe dá encargos longos. Age como se esperasse ser salva da tarefa ou como se tivesse todo o tempo do mundo. Quando nada dá certo e é hora de cumprir o prometido ela se sente mal preparada. Na melhor das hipóteses ela lida para ter o trabalho pronto na última hora, num esforço de passar uma noite em claro.

Embora o trabalho não seja importante para a mulher que se assemelha a Coré, a situação é bastante diferente se ela amadurecer como rainha do Inferno. Então provavelmente vai entrar num campo criativo, psicológico ou espiritual; por exemplo, trabalhar como artista, poeta, terapeuta ou médium. O que faz é usualmente pessoal e muitas vezes não ortodoxo; ela trabalha de modo altamente individual, comumente sem os graus acadêmicos próprios.

Relacionamento com mulheres

A jovem tipo Perséfone sente-se confortável com outras jovens que são como ela própria. É muitas vezes uma irmã de comunidade religiosa na escola secundária ou faculdade, e habitualmente experimenta novas situações em companhia de outras garotas em vez de experimentá-las sozinha.

Se é bonita, pode atrair mulheres amigas que não pensam em si mesmas como muito femininas, que projetam sua própria feminilidade não desenvolvida nela e depois a tratam como alguém especial. Se foi tratada como frágil e preciosa durante toda a sua vida, dará por certo tal tratamento. Sua amiga mais íntima muitas vezes é uma garota com forte personalidade. Perséfone evoca respostas maternais em suas iguais e nas mulheres mais velhas, que lhe fazem favores e cuidam dela.

Relacionamento com homens (que preferem garotas)

Com homens a mulher tipo Perséfone é mulher-criança, insegura e juvenil na atitude. Ajusta-se ao padrão de Perséfone-Coré como a mais indistinta e não ameaçadora de todas as deusas. Ela quer dizer isso quando diz: "Vamos fazer o que quer que você queira fazer".

Três categorias de homens são atraídos pelas mulheres tipo Perséfone: homens que são tão jovens e inexperientes quanto ela; "homens malandros", atraídos pela sua inocência e fragilidade; e homens que não se sentem confortáveis com mulheres "amadurecidas".

O rótulo "amor jovem" ajusta-se à primeira categoria. Nesses relacionamentos de escola secundária e faculdade, o jovem e a jovem estão explorando, como iguais, a companhia do sexo oposto.

A segunda categoria emparelha Perséfone, o arquétipo da "garota agradável de uma boa família", com um homem malandro. Ele é fascinado por esta garota protegida e privilegiada que é tão seu oposto. Ela, por sua vez, é cativada por esse magnetismo pessoal, aura sexual e personalidade dominadora.

A terceira categoria estereotipada envolve homens que por várias razões não se sentem confortáveis com "mulheres amadurecidas". O relacionamento pouco duradouro entre um homem mais velho e uma mulher mais jovem, por exemplo, é um exagero desse modelo patriarcal arquetípico. Supõe-se que o homem seja mais velho, mais experimentado, mais alto, mais forte e mais esperto que a esposa. Supõe-se que a mulher seja mais jovem, menos experiente, mais baixa, mais fraca, menos educada e menos inteligente. O tipo que mais intimamente se ajusta a esse ideal é o de uma jovem Perséfone. Além do mais, Perséfone é bastante diferente da imagem que muitos homens têm da "mãe", mulher poderosa e difícil de agradar, e isso é outra razão pela qual alguns homens gostam de moças mais jovens. Com uma Perséfone, um homem sente que pode ser percebido como homem poderoso e dominante, e não ter sua autoridade ou idéias desafiadas. Sente também que ele pode ser inocente, sem experiência ou incompetente, e não ser criticado.

O relacionamento com um homem pode ser o meio através do qual a mulher tipo Perséfone se separa de uma mãe dominadora. Agora passa por um estágio de ser Perséfone "a joguete", onde ela é o objeto a ser possuído numa luta pelo poder entre um homem e sua mãe. Apaixona-se por um homem do qual sua mãe não gosta, alguém diferente do "homem bonzinho" que sua mãe tinha em mente. Algumas vezes Perséfone escolhe um homem de classe social diferente ou ainda de raça diferente. A mãe pode objetar à sua personalidade: "Ele é reservado e grosseiro!" ou "Ele é desagradável... tem sempre que ter outro ponto de vista!" Pode ser a primeira pessoa que não tenha tratado a filha como uma princesa mimada, e não toleraria que ela fizesse esse papel. Sua mãe fica horrorizada. Confiante de que possa influenciar sua filha usualmente complacente, a mãe ataca sua escolha. Lamenta a personalidade do homem, seu caráter ou educação, algumas vezes também pondo em questão o julgamento, a competência e os princípios morais da filha. Muitas vezes a mãe reconhece que ele é um adversário em potencial e, de fato, essa habilidade para resistir à sua mãe foi uma razão por que a filha Perséfone sentiu-se atraída por ele.

Agora, pela primeira vez na vida, a filha tipo Perséfone pode estar em desigualdade com sua mãe e seus padrões de comportamento de boa menina. Sua mãe ou sua família podem proibi-la de ver o homem que escolheu. Ela pode concordar, em vez de desafiá-los abertamente, e depois sair furtivamente para vê-lo. Ou pode tentar convencer a mãe das boas qualidades que ele tem.

Depois de certo tempo nessa luta, o homem usualmente ordena que ela se confronte com a mãe ou que desista de tentar obter a aprovação da mãe. Pode ordenar que ela viva com ele, case-se com ele, vá embora com ele, ou corte o contato com a mãe. Prensada entre os dois, ou ela volta para a mãe e representa o papel da filha recuperada e submissa, ou compartilha a sorte com ele e faz a ruptura.

Se ela literalmente ou figurativamente não se afasta da mãe, pode ter começado sua jornada para tornar-se um ser humano separado e autodeterminado. Faz isso com o risco de trocar a mãe dominadora por um marido dominador; mas usualmente, tendo desafiado a mãe, ela muda e não é mais a pessoa complacente que era antes. A reconciliação com a mãe pode vir mais tarde, após ter ela própria alcançado sua independência emocional.

Sexualidade

A mulher que está na fase de Perséfone jovem é como a Bela Adormecida ou a Branca de Neve, adormecida ou inconsciente de sua sexualidade, esperando que o príncipe venha acordá-la. Muitas Perséfones são eventualmente acordadas sexualmente. Descobrem que são mulheres apaixonadas, orgásmicas, descoberta que tem um efeito positivo em sua auto-estima. Antes sentiam-se como garotas disfarçando-se de mulheres. Esse aspecto de Perséfone será mais discutido no final do capítulo.

Casamento

O casamento é algo que muitas vezes "acontece" à mulher tipo Perséfone. Torna-se "raptada" no casamento quando um homem quer casar-se e a convence a dizer sim. Se ela for uma típica Perséfone, pode não ter certeza de que não quer casar-se. É movida pela insistência e certeza do homem e é influenciada pela pressuposição cultural de que casamento é o que se supõe que ela assuma. Por natureza, as mulheres tipo Perséfone têm personalidades "tradicionalmente femininas". Elas se submetem à opinião da pessoa mais forte, são mais receptivas do que ativas, não são competitivas ou atrevidas. Os homens as escolhem e não vice-versa.

Uma vez casada, a mulher tipo Perséfone pode passar por estágios, igualando-se ao mito de Perséfone, e tornar-se noiva contra a vontade ou joguete, prensada entre o marido e a mãe. O casamento pode também se transformar em acontecimento transformador involuntário, através do qual a eterna garota ou jovem torna-se mulher casada, mãe, ou mulher sexual conforme os arquétipos Hera e/ou Deméter e/ou Afrodite tornem-se ativados pelo casamento.

Um marido recentemente casado descreveu os dramas dolorosos entre ele e sua esposa tipo Perséfone: "Ela me trata como se eu fosse responsável por arruinar sua vida, quando tudo o que fiz foi apaixonar-me por ela e querer casar-me imediatamente. Na semana passada eu precisava levar um documento ao banco, naquele dia, e meu dia estava cheio de compromissos. Então pedi a ela, e ela me acusou de tratá-la como uma empregada. A relação sexual acontece apenas quando eu a inicio; e então ela age como se eu fosse um deflorador". Ele estava confuso, zangado e deprimido pelo que se passava entre eles. Sentiu que ela o tratava como se ele fosse uma fera insensível e opressora; sentia-se ferido e sem poder porque a esposa reagia como se fosse uma cativa Perséfone e ele fosse o raptor Hades que a mantinha prisioneira.

As mulheres que ficam noivas contra a vontade fazem somente um compromisso parcial. Casam-se com reservas mentais. Uma delas disse: "Eu estava vivendo com algumas companheiras de quarto e tinha um emprego que aborrecia. Ele não era o "príncipe encantado" com o qual eu tinha sonhado, mas queria as mesmas coisas que eu pensava que queria — um lar e uma família — e era digno de confiança, e então eu disse sim. Essa Perséfone estava apenas parcialmente comprometida com o marido. Emocionalmente passava apenas parte de seu tempo casada, e o resto ficava fantasiando sobre outros homens.

Filhos

Embora a mulher tipo Perséfone possa ter filho, ela não se sentiria autêntica como mãe a menos que alguma Deméter estivesse ativada nela. Pode permanecer uma filha que pensa em sua própria mãe como a "mãe verdadeira", e em si mesma como simplesmente representando um papel. Uma mãe intrusa que, como avó ao assumir seu neto, faz com que a filha tipo Perséfone se sinta incompetente e acentue a dificuldade. Ela pode dizer: "Você não sabe como segurar um bebê nervoso, deixe-me fazê-lo!", ou "Eu cuidarei disso, você descansa", ou "Você não está tendo leite suficiente para o bebê, talvez devesse usar a mamadeira". Esses comentários típicos prejudicam a autoconfiança da filha.

Os filhos da mulher tipo Perséfone reagem a ela de vários modos. Uma filha que tem um desejo mais forte e idéias mais definidas do que a mãe tipo Perséfone pode terminar dizendo à mãe o que ela deveria fazer em vez de vice-versa. À medida que ela fica mais velha, algumas vezes já aos doze anos de idade, a filha pode inverter os papéis com a mãe tipo Perséfone dependente. Como adultas voltando-se para sua infância e adolescência, muitas dessas filhas dizem: "Eu não tive mãe, eu *fui* a mãe". Se igualmente mãe e filha são do tipo Perséfone, elas podem tornar-se muito semelhantes, especialmente se moram juntas e tornam-se mutuamente dependentes uma da outra. Conforme os anos passam, podem assemelhar-se a irmãs inseparáveis.

As mães tipo Perséfone de filhos categóricos podem se sentir "atropeladas" por eles. Até mesmo enquanto crianças que estão começando a andar, os pequeninos podem intimidar suas mães tipo Perséfone, porque quando os meninos são insistentes e bravos eles se mostram como versões menores de homens poderosos. Desde que é estranho para a mulher tipo Perséfone usar de poder em qualquer relacionamento, é improvável que ela mostrará quem é que manda. Ela pode ceder à demanda do filho, fracassar em estabelecer limites e sentir-se impotente e vitimada. Ou pode encontrar um meio indireto de mudar o enfoque: atraí-lo a um humor melhor, persuadi-lo a mudar de idéia, desviar sua atenção, ou ficar perturbada e fazê-lo sentir-se culpado ou envergonhado.

Alguns filhos e filhas de mães tipo Perséfone têm sucesso por terem mães não intrometidas que os amam e admiram seu espírito independente, o qual é tão diferente do delas próprias. A mãe tipo Perséfone pode também alimentar a imaginação de seus filhos e a capacidade de brincar compartilhando esses aspectos de si mesma com eles. Se ela própria cresceu além de Coré-Perséfone, pode criá-los com vistas a valorizar a vida interior como fonte de criatividade.

A meia-idade

Embora o arquétipo de Coré-Perséfone permaneça eternamente jovem, a própria mulher envelhece. Conforme perde sua beleza juvenil, pode tornar-se angustiada com cada ruga ou linha facial. Surgem agora barreiras realísticas que a tornam consciente de que os sonhos que outrora entretinha como possibilidades agora estão além do alcance. Uma depressão de meia-idade resulta quando essas realidades se tornam óbvias para ela.

Se permanece identificada com "a solteirona", ela pode pôr em prática a negação da realidade. Pode fazer plástica facial enquanto se concentra na tentativa de manter uma ilusão de juventude. O estilo de seu cabelo e de suas roupas pode ser mais apropriado a uma mulher muitos anos mais nova; pode agir indefesa e tentar ser atraente. E com o passar de cada ano seu comportamento se tornará menos apropriado. Para tal mulher a depressão nunca está longe de vir à tona.

Se ela não está mais identificada com Coré-Perséfone — porque fez compromissos e teve experiências que a mudaram — será poupada de uma depressão. Por outro lado, uma depressão será o ponto decisivo em sua vida; um ponto decisivo que pode ter conseqüências positivas ou negativas. Isso pode marcar o começo de uma depressão persistente, após a qual ela permanece derrotada pela vida. Ou a depressão marcará o fim de uma prolongada adolescência e o começo da maturidade.

A velhice

Se no decorrer de sua vida a mulher tipo Perséfone tiver evoluído de Coré para rainha, aos sessenta e cinco anos de idade ou mais ela pode ter a presença suntuosa de uma sábia anciã que conhece os mistérios que tornam a vida e a morte significativas. Ela teve experiências místicas ou psíquicas e encontrou uma fonte de espiritualidade profunda em seu interior, que dispersa seus medos de ficar velha e morrer. Se ela amadureceu, assumiu compromissos, desenvolveu outros aspectos de si mesma, e contudo reteve uma conexão com Coré-Perséfone, um aspecto seu permanece eternamente jovem de espírito.

Em seus anos avançados, é possível também que dificilmente haja um traço de Perséfone deixado numa mulher que começou seguindo na vida um padrão de Perséfone, e depois, no começo ou no meio da idade adulta, teve Hera, Deméter, ou Afrodite ativadas. Ou, se o pior cenário possível para Perséfone acontece, ela pode nunca se recuperar de uma depressão, e permanecer desse ponto em diante, derrotada pela vida ou afastada da realidade, cativa em seu próprio inferno.

Dificuldades psicológicas

A deusa Perséfone era uma filha despreocupada até que foi raptada e violentada por Hades e foi por um tempo uma noiva ineficaz, cativa, contra a vontade. Embora libertada através dos esforços de sua mãe, comeu algumas sementes de romã e deveria passar parte do ano acima do solo com Deméter e parte do tempo no Inferno com Hades. Só mais tarde poderia receber os elogios merecidos como rainha e guia do Inferno. Cada fase distintamente diferente do mito tem um paralelo correspondente na vida real. Como a deusa, as mulheres tipo Perséfone podem evoluir dessas fases e amadurecer em resposta ao que lhes acontece. Mas podem também se tornar impedidas de prosseguir numa fase.

Ao contrário de Hera e Deméter, que representam fortes instintos aos quais muitas vezes se deve resistir para a mulher se desenvolver, Perséfone influencia a mulher a ser passiva e complacente. Desse modo ela é facilmente dominada pelos outros. A mais disforme e indistinta das sete deusas, ela é caracterizada por falta de direção e entusiasmo. De todas elas, contudo, ela também tem as mais possíveis rotas para o desenvolvimento.

Identificação com Coré-Perséfone

Viver como Coré significa ser a eterna jovem que não se compromete com nada ou ninguém, porque fazer uma escolha definida elimina outras possibilidades. Além do mais, tal mulher sente como se tivesse todo o tempo do mundo para decidir-se e, portanto, pode esperar até que alguma coisa a mude. Vive na "Terra do Nunca", como Wendy com Peter Pan e os rapazes perdidos, deixando o barco correr na vida. Se tem que crescer, deve retornar à vida real. Wendy, naturalmente, fez essa escolha. Disse adeus a Peter Pan e retornou através da janela ao quarto das crianças que tinha deixado há muito tempo, sabendo que agora ficaria mais velha. O limiar que a mulher deve atravessar é o psicológico.

Para crescer, a mulher tipo Perséfone deve aprender a igualmente estabelecer compromissos e viver de acordo com eles. Ela tem dificuldade de dizer sim e chegar ao fim sem fraquejar no que quer que tenha concordado fazer. Satisfazer prazos de entrega, concluir a escola, chegar ao casamento, pôr de pé uma criança ou permanecer num emprego são todas tarefas difíceis para quem quer brincar na vida. O crescimento requer que ela lute contra a indecisão, a passividade e a inércia; deve decidir-se e permanecer compromissada quando a escolha deixa de ser engraçada.

Entre as idades de trinta a quarenta anos, a realidade se intromete na ilusão da mulher tipo Perséfone que é eternamente jovem. Ela pode começar a sentir que alguma coisa está errada. Pelo relógio biológico está correndo fora do tempo para ter um filho. Pode compreender que seu emprego não tem futuro, ou pode olhar-se num espelho e ver que está ficando velha. Olhando para suas amigas ao redor, compreende que elas cresceram e a deixaram para trás. Elas têm maridos e famílias ou estão estabelecidas nas carreiras. O que elas fazem realmente importa a alguém mais, e de algum modo definido mas intangível elas são diferentes dela, porque a vida as afetou e deixou sua marca.

Enquanto as atitudes da mulher são as características de Coré-Perséfone, ou ela nunca se casará ou simulará, sem assumir o compromisso "para valer". Resistirá ao casamento porque o vê da perspectiva arquetípica da jovem, para quem o modelo do casamento é a morte. Do ponto de vista de Perséfone, o casamento foi um rapto por Hades, causador da morte. Essa visão do casamento e do marido é bastante diferente do contrastante modelo de casamento de Hera como realização e da expectativa de Hera em relação ao seu marido Zeus como causador da realização. A mulher tipo Hera deve conhecer o homem e resistir a ingressar num mau casamento pelas expectativas positivas sustentadas pelo arquétipo. Caso contrário ficará desiludida quando o casamento não for realizador. Em marcante contraste, a mulher tipo Perséfone deve resistir a uma pressuposição igualmente irreal de que o casamento é sempre um rapto ou morte, que deve ser combatido ou ressentido.

Armadilhas para Perséfone: falhas de caráter

Quando Perséfone se reuniu com Deméter, a primeira pergunta que a mãe lhe fez foi: "Você comeu alguma coisa no Inferno?" Perséfone respondeu que tinha comido algumas sementes de romã, e depois mentiu dizendo que tinha feito isso porque Hades a forçara. Perséfone fez o que queria sem perturbar a imagem que sua mãe tinha dela. Dando a impressão de que não tinha controle sobre seu destino e por essa razão não poderia ser responsabilizada, ela na verdade determinou seu próprio destino. Ao engolir as sementes, Perséfone garantiu que passaria parte de seu tempo com Hades.

O desvio, a mentira e a manipulação são problemas potenciais para as mulheres tipo Perséfone. Sentindo-se incapacitadas e dependentes das outras que são mais poderosas, podem aprender a conseguir o que querem indiretamente. Podem esperar pela época oportuna para agir, ou usar a adulação. Podem contar apenas parte da verdade ou mentir completamente em vez de enfrentar a outra pessoa.

Usualmente as mulheres tipo Perséfone evitam a raiva. Não querem que as pessoas fiquem loucas com ela. Sentem-se dependentes da generosidade e boa vontade dos outros, que corretamente percebem serem mais poderosos. Portanto, muitas vezes tratam suas mães, pais, maridos, empregados e professores como patrocinadores cujas boas graças precisam ser cortejadas.

O narcisismo é ainda outra armadilha para algumas mulheres tipo Perséfone. Podem tornar-se tão ansiosamente fixadas em si mesmas que perdem sua capacidade de se relacionar com os outros. Seus pensamentos são dominados por suas próprias perguntas: Que impressão causo? Sou suficientemente espirituosa? Pareço inteligente? E gastam sua energia na maquilagem e nas roupas. Tais mulheres passam horas em frente do espelho. As pessoas existem apenas para lhes dar "feedback", para abastecê-las de superfícies refletoras nas quais vêem a si mesmas.

No Inferno: doença psicológica

Durante parte de seu mito, como cativa no mundo

das trevas, Perséfone era uma jovem triste que não comia e não sorria. Essa fase é análoga a um período de doença psicológica através da qual algumas mulheres tipo Perséfone devem passar.

A mulher tipo Perséfone é suscetível à depressão quando dominada e limitada por pessoas que a mantêm amarrada a elas. Uma pessoa insegura reprime sua raiva ou diferenças em vez de expressá-las ou ativamente mudar a situação. Ao contrário, sustenta seus sentimentos negativos e torna-se deprimida (a raiva voltada para dentro — que é repressão — torna-se depressão). Sentimentos de isolamento, inadequação e autocrítica contribuem para a sua depressão.

Quando a mulher tipo Perséfone torna-se deprimida, é uma depressão não dramática, uma depressão que dá vontade de querer sumir. Sua personalidade reservada se retrai ainda mais, sua passividade torna-se ainda maior e suas emoções tornam-se inacessíveis. Ela parece delicada e frágil. Como Perséfone, quando primeiramente raptada ao mundo das trevas, ela não come e não tem nada a dizer. Tanto física quanto psicologicamente a fragilidade torna-se pronunciada no decorrer do tempo. Observar uma Perséfone deprimida é como observar uma flor a murchar.

Em contraste, a mulher tipo Deméter deprimida avulta-se e tem um grande efeito sobre tudo ao seu redor. Antes de tornar-se deprimida, ela pode ter sido uma figura forte, central, de modo que há uma mudança dra-mática em seu comportamento quando fica deprimida, enquanto a mulher tipo Perséfone era insegura para começar, e simplesmente enfraquece mais quando deprimida.

Além do mais, a mulher tipo Deméter deprimida faz todos ao seu redor sentirem-se culpados, incapacitados ou zangados pela censura que ela imputa. A Perséfone deprimida, em contraste, não desperta esses sentimentos nos outros. Ao contrário, eles se sentem isolados dela. Ela é a que se sente culpada, censurável e incapacitada. E muitas vezes é a que se sente impropriamente culpada por alguma coisa que ela disse, pensou ou fez. Conseqüentemente, a Deméter deprimida é uma presença enorme no centro do lar, enquanto a Perséfone deprimida parece desaparecer nas acomodações dos fundos.

Algumas Perséfones retiram-se para um mundo sombrio de imagens interiores, contemplações e vida imaginária, um mundo ao qual apenas elas têm acesso. A mulher pode ter despendido muitíssimo tempo consigo mesma e pode ter se retirado para esta solidão a fim de afastar-se de uma mãe intrusa ou de um pai abusivo. Uma de minhas pacientes tipo Perséfone disse: "Eu tinha meus lugares especiais — atrás da grande cadeira marrom no canto da sala de estar, embaixo de minha árvore onde os galhos tocavam o solo fazendo ocultar-me — onde iria esconder-me. Lá eu passava horas como uma criança, sonhando acordada, fingindo que estava em qualquer lugar, exceto naquela casa com aquelas pessoas".

Algumas vezes sua preocupação com seu mundo interior a afasta das pessoas, e ela se retira sempre que o mundo real pareça muito difícil ou exigente. Em algum sentido, contudo, o que certa vez era um santuário pode tornar-se uma prisão. Como Laura em *The Glass Menagerie* de Tennessee Williams, a mulher tipo Perséfone pode ficar aprisionada em seu mundo fantasioso e ser incapaz de voltar à realidade comum.

Retirando-se gradualmente da realidade, algumas Perséfones parecem entrar de mansinho em psicose. Elas vivem num mundo cheio de imaginação simbólica e significado esotérico, e deturpam as percepções de si mesmas. E algumas vezes a doença psicótica pode servir como metamorfose, um caminho para tais mulheres romperem as limitações e proibições que estavam constringindo suas vidas. Ao se tornarem temporariamente psicóticas, podem ganhar acesso a uma extensão mais ampla de sentimento e a uma consciência mais profunda de si mesmas.

Mas os psicóticos correm o risco de serem mantidos cativos no Inferno. Algumas mulheres tipo Perséfone, como Ofélia na peça *Hamlet* de Shakespeare, evitam o que está realmente acontecendo, permanecendo psicóticas quando a realidade é demasiadamente penosa. Muitas outras, contudo, passam pela experiência com o apoio da terapia, e aprendem a crescer, a se afirmar e se tornar independentes.

Depois que Perséfone emergiu do mundo das trevas, Hécate foi sua companheira constante. Hécate, deusa da lua escura e das encruzilhadas, governou os reinos misteriosos de fantasmas e demônios, bruxaria e magia. A mulher tipo Perséfone que emerge de uma doença psicótica pode ganhar um discernimento reflexivo que intui o significado simbólico dos acontecimentos. Quando se recupera e volta do hospital, para o mundo, muitas vezes tem consciência de outra dimensão, que pode ser simbolizada como tendo Hécate como uma companheira.

Caminhos para o crescimento

Para assumir um compromisso, a mulher tipo Perséfone deve lutar com a Coré que há nela. Deve decidir a se casar e dizer sim sem disfarce. Se ela assume, o casamento pode transformá-la gradualmente de eterna jovem em mulher amadurecida. Se ela inicia uma carreira, precisa também assumir um compromisso e permanecer nele, para seu crescimento pessoal e igualmente para ser bem sucedida.

A mulher tipo Perséfone pode crescer além de Coré-Perséfone se precisar enfrentar a vida por si mesma e cuidar-se. Para muitas filhas privilegiadas, a primeira vez que tal independência torna-se possível é depois que se tornam divorciadas. Até então, elas fizeram exatamente o que se esperava delas. Eram filhas protegidas que se casaram com jovens apropriados. Divorciam-se em parte porque encaram o casamento como cativeiro. Não foram transformadas pelo casamento; ao contrário, elas agora acham que o divórcio torna-se seu rito de passagem. Somente quando sentem falta de alguém para fazer as coisas por elas ou alguém para responsabilizar é que algumas mulheres tipo Perséfone podem crescer. A necessidade torna-se mestra quando elas têm que enfrentar torneiras que vazam, saldos bancários e necessidade de trabalhar.

A mulher tipo Perséfone pode crescer em diversas direções diferentes, que são potenciais inerentes ao arquétipo (discutido a seguir), através da ativação de outros arquétipos de deusa (descritos em todo esse livro), ou desenvolvendo seu *animus* (descrito no capítulo sobre Afrodite).

Tornando-se mulher apaixonada e sexual

A mulher tipo Perséfone pode ser uma mulher sexualmente não-responsiva que se sente estuprada ou simplesmente submissa quando tem relação. Tal mulher pode dizer: "Uma semana passa, e sei que ele está aborrecido comigo quanto ao sexo". "Penso sobre receitas quando está acontecendo", ou "Algumas vezes, eu realmente fico com dor de cabeça" ou "Eu me ressinto com o sexo". Mas ela pode também transformar-se numa senhora sensual. Tenho ouvido sobre essa transformação acontecendo freqüentemente com mulheres que encontrei em meu consultório, ou com esposas de homens que falaram sobre isso comigo.

E, de fato, uma iniciação sexual que põe a mulher em ligação com sua própria sexualidade é um potencial do arquétipo de Perséfone compatível com a mitologia. Uma vez que Perséfone era rainha do Inferno, ela possuía uma conexão ou laço com Afrodite, deusa do amor e da beleza. Perséfone pode representar o aspecto infernal de Afrodite. Perséfone é uma sexualidade mais introvertida, ou uma sexualidade dormente. Na mitologia, Adônis era amado por Afrodite e Perséfone. E ambas as deusas compartilhavam a romã como símbolo.

Além do mais, a aceitação, por parte de Perséfone, das sementes de romã de Hades significava que ela voluntariamente retornaria a ele. Com esse ato deixava de ser a noiva contrariada. Ela se tornava sua esposa e rainha do Inferno, em vez de ser cativa. Na vida real, às vezes depois de anos de casamento, uma esposa tipo Perséfone pode parar de sentir que é cativa de um marido opressor e egoísta, com quem ela se ressentiu de estar casada. Ela sente-se diversamente apenas quando é capaz de vê-lo como um homem vulnerável, respeitável e imperfeito, e pode apreciar que ele a ame. Quando a percepção muda, ele pode compreender pela primeira vez em seu casamento que ela está com ele para permanecer e que ela o ama. Nesse novo contexto de confiança e apreciação, ela pode se tornar orgásmica pela primeira vez e vê-lo como Dioniso, o evocador de paixão, em vez de Hades, o raptor.

Na Grécia antiga, o espírito intoxicante de Dioniso levava as mulheres às alturas do êxtase sexual. Ele era adorado em festas nos montes por mulheres gregas que periodicamente deviam deixar seus responsáveis papéis tradicionais, suas lareiras e lares, para participarem de orgias religiosas. Dioniso as transformava em mênades delirantes e apaixonadas. A tradição e o mito unem Hades e Dioniso: dizia-se que Dioniso dormia de tempos em tempos na casa de Perséfone e também entre os reaparecimentos dele. O filósofo Heráclito dizia: "Hades e

Dioniso, por quem elas (as mulheres) ficam loucas e enraivecidas, são um e o mesmo".[5]

A mulher tipo Perséfone contemporânea pode ter um encontro paralelo "dionisíaco". Certa mulher disse: "Depois que deixei meu marido, saí procurando pelo que estivera faltando no casamento. Imaginei que muito disso dizia respeito a mim; tensa, bem educada, eu me vi como uma senhorita afetada". Num café ela encontrou um homem que se tornou seu amante. Ele era muito sensual, e a ajudou a tornar-se consciente de "sensações que ela nunca imaginara existirem".

Descobrir a capacidade para a experiência religiosa extática

A afinidade arquetípica da deusa Perséfone com Hécate e Dioniso pode proporcionar uma pista para as qualidades extáticas e numinosas de sacerdotisa que algumas mulheres tipo Perséfone desenvolvem. Elas se tornam inebriadas pelo ritual e sentem-se possuídas por um deus ou uma deusa. No cristianismo, elas podem ser "carismáticas" que "falam em línguas" quando o espírito as move. E hoje, com o renascimento da veneração da deusa, onde as danças em espiral evocam o espírito da deusa, algumas mulheres que parecem Perséfone normais durante o dia tornam-se misteriosamente mênades de Hécate ou Dioniso à noite.

Desenvolver o potencial como médiuns ou videntes

Como guia para os mortais que visitavam o Inferno para falar com as sombras dos mortos, Perséfone tinha uma função metaforicamente semelhante à dos médiuns que mantêm sessões espíritas e permitem aos espíritos

5. Walter F. Otto, *Dyonisus: Myth and Cult,* Indiana University Press, Bloomington, 1965, p. 116.

dos mortos falar através deles. A difusividade de sua personalidade, com sua receptividade generalizada e falta de enfoque, também facilita receber percepção extrassensorial. Para desenvolver a habilidade psíquica, a mulher tipo Perséfone deve transcender sua identificação com Coré para descobrir o elemento Perséfone-Hécate, que não teme o desconhecido, fica à vontade no mundo das trevas, e sabiamente conhece quando está numa perigosa encruzilhada e deve tentar conseguir uma rota mais segura.

Tornar-se guia para o Inferno

Uma vez que a mulher tipo Perséfone desce às suas próprias profundezas, explora o profundo reino do mundo arquetípico, e não teme voltar a reexaminar a experiência, ela pode ser mediadora entre a realidade comum e a não comum. Tem impressionantes ou terríveis experiências irracionais, visões ou alucinações, ou um encontro espiritual sobrenatural. Se consegue transmitir o que então aprendeu, pode tornar-se guia para os outros. Por exemplo, quando eu era residente psiquiátrica, um livro escrito por "Renee", *Autobiography of a Schizophrenic Girl,* deu-me vívidos *insights* da experiência subjetiva de ser psicótica.[6] E a mulher tipo Perséfone que esteve no Inferno e de lá voltou pode ser também terapeuta-guia que pode ligar os outros com as próprias profundezas deles, guiando-os para encontrar o significado simbólico e a compreensão daquilo que eles encontram lá.

6. *Autobiography of a Schizophrenic Girl,* com interpretação analítica de Marguerite Sechehaye, Signet Books/New American Library, New York, publicado em acordo com Grune & Stratton, 1970.

Bibliografia

DOWLING, Colette, *The Cinderella Complex: Women's Hidden Fear of Independence.* Summit Books, New York, 1981. O complexo de cinderela descreve um padrão de Perséfone. O livro fornece excelente compreensão de como a família e a cultura reforçam esse arquétipo com "apreensiva supersolicitude" e inibição da autoconfiança e independência.

DOWNING, Christine, "Persephone in Hades". *Anima* nº 1, Fall Equinox, 1977, pp. 22-29.

"The Hym to Demeter" (o rapto de Perséfone). In *The Homeric Hymns,* Spring, Irving, Texas, 1979, pp. 89-135.

KERÈNYI, C., *Eleusis: Archetypal Image of Mother and Daughter.* Schocken Books, New York, reeditado em acordo com Princeton University Press, 1977. Previamente editado na The Bollingen Series, 1967.

11
A deusa alquímica

Afrodite

Coloco Afrodite, deusa do amor e da beleza, numa categoria toda sua como deusa alquímica, designação apropriada para o processo extraordinário ou poder de transformação que ela, sozinha, teve. Na mitologia grega, Afrodite foi uma presença impressionante que motivou os mortais e as divindades (com exceção das três deusas virgens) a se apaixonarem e conceberem nova vida. Para Pigmalião, ela transformou uma estátua em mulher viva (em contraste, Atenas transformava pessoas em pedra). Ela inspirou poesia e discurso convincente, e simboliza o poder transformativo e criativo do amor.

Embora tenha algumas características em comum com as deusas virgens e com as vulneráveis, ela não pertence a nenhum grupo. Como deusa que teve a maior quantidade de ligações sexuais, Afrodite não foi definitivamente uma deusa virgem — embora fosse como Ártemis, Atenas e Héstia, fazendo o que lhe agradava. Nem foi uma deusa vulnerável — embora fosse como Hera, Deméter e Perséfone, ligadas com as divindades masculinas e/ou tendo filhos. Ao contrário delas, contudo, Afrodite nunca foi vitimada e não sofreu. Em todos os seus relacionamentos, os sentimentos de desejo eram mútuos; nunca foi vítima da paixão indesejável de um homem por ela.

Valorizava a experiência emocional com os outros mais do que a independência dos outros (que motivava as deusas virgens); ou laços permanentes com os outros (que caracterizavam as deusas virgens).

Como deusa alquímica, Afrodite compartilha algumas semelhanças com as outras duas categorias, embora seja intrinsecamente diferente de ambas. Para Afrodite as ligações são importantes, mas não como compromissos a longo prazo com outras pessoas, o que é característica das deusas vulneráveis. Afrodite procura consumar os relacionamentos e gerar vida nova. Esse arquétipo pode ser expresso através de relação física ou através de um processo criativo. O que ela procura difere do que as deusas virgens procuram, mas, como elas, é capaz de enfocar o que é pessoalmente significativo para ela; outros não podem afastá-la de seu objetivo. E visto que o que ela valoriza é exclusivamente subjetivo e não pode ser medido em termos de realização ou reconhecimento, Afrodite é, paradoxalmente, mais semelhante à anônima e introvertida Héstia — que aparentemente é a deusa mais dessemelhante de Afrodite.

A quem quer que Afrodite impregne com beleza torna-se irresistível. Resulta uma atração magnética, "a química" acontece entre os dois, e eles desejam união acima de tudo. Sentem um poderoso impulso de ficarem mais íntimos, de terem relação sexual, de consumarem — ou "conhecerem" o outro, que é o termo bíblico. Enquanto esse ímpeto pode ser puramente sexual, o impulso é muitas vezes mais profundo, representando um ímpeto que é igualmente psicológico e espiritual. A relação sexual é sinônimo de comunicação e comunhão; consumação pode falar de um ímpeto em direção à inteireza ou perfeição; união é associar-se como um, e conhecer é compreender realmente um ao outro. O desejo de conhecer e de ser conhecido é o que gera Afrodite. Se esse desejo conduz à intimidade física, a impregnação e a nova vida podem se fazer. Se a união for também de mente, coração ou espírito, o novo crescimento ocorre em esferas psicológicas, emocionais ou espirituais.

Quando Afrodite influencia um relacionamento, seu efeito não é limitado ao romântico ou ao sexual. O amor platônico, a conexão da alma, a amizade profunda, a comunicação e a compreensão empática são todas expressões de amor. Onde quer que o crescimento seja gerado, uma visão mantida, um potencial desenvolvido, uma centelha de criatividade encorajada — como pode acontecer com a consultoria, o aconselhamento, a paternidade, a direção, o ensino, a publicação e fazer psicoterapia e análise — então Afrodite lá está, afetando ambas as pessoas envolvidas.

Qualidade de consciência: como "ribalta"

A espécie de consciência associada com Afrodite é única. As deusas virgens são associadas com a consciência enfocada e são os arquétipos que possibilitam às mulheres concentrarem-se no que lhes importa. A receptividade das deusas vulneráveis é equacionada com a percepção difusa. Mas Afrodite tem uma qualidade de consciência toda própria, a que chamo consciência de Afrodite. A consciência de Afrodite é enfocada e, contudo, receptiva; tal consciência igualmente compreende o que é presenciado, e é afetada por isso.

A consciência de Afrodite é mais enfocada e intensa do que a percepção difusa das deusas vulneráveis. Mas é mais receptiva e atenta àquilo em que focaliza do que a consciência enfocada das deusas virgens. Dessa forma não é nem como um abajur de uma sala de estar que ilumina tudo dentro do raio de seu brilho, com uma luz aquecedora, suave, nem como um holofote ou raio laser. Penso na consciência de Afrodite como análoga às luzes do teatro que iluminam o palco. O que contemplamos à luz da ribalta dramatiza ou magnifica o impacto da experiência sobre nós. Compreendemos e reagimos àquilo que vemos e ouvimos. Essa iluminação especial nos ajuda a sermos emocionalmente transportados por uma sinfonia, ou sermos movidos por uma peça ou pelas palavras de um orador; sentimentos, impressões do sentido e memórias são extraídos de nós, em resposta àquilo que vemos e ouvimos. Sucessivamente, aqueles que estão no palco podem se tornar inspirados e energizados pela afinidade que sentem vindo da platéia. O que é iluminado pela "ribalta" absorve nossa atenção. Somos atraídos facilmente pelo que vemos, e ficamos descontraídos em nossa concentração. O que vemos na luz dourada da consciência de Afrodite torna-se fascinante: um rosto de pessoa ou seu caráter, uma idéia sobre a natureza do universo, ou a translucidez e forma de uma tigela de porcelana.

Qualquer pessoa que já se apaixonou por alguém, ou por um lugar, uma idéia ou um objeto enfoca e compreende com a consciência de Afrodite. Mas nem toda gente que usa a consciência de Afrodite fica apaixonado. O modo "apaixonado" como Afrodite trata outra pessoa como se ele ou ela fossem fascinantes e belos é característico das mulheres que personificam o arquétipo, e é um modo natural de relatar e colher informações para muitas mulheres e homens que gostam das pessoas e enfocam sua atenção total concentrada nelas.

Tal mulher compreende as pessoas do mesmo modo que um "connoisseur" de vinhos fica atento e observa as características de um novo vinho. Para apreciar completamente a metáfora, imagine um aficionado do vinho apreciando o prazer de conhecer um vinho desconhecido. Ela (ou ele) ergue a taça voltada para a luz a fim de examinar a cor e a pureza do mesmo. Aspira o buquê, experimenta lentamente um trago para testar sua qualidade e suavidade; saboreia ainda o ressaibo. Mas seria um engano supor que a "atenção e interesse" que ele tributa ao vinho signifique que este determinado seja especial, de valor, ou ainda apreciável.

Esse é o engano que as pessoas geralmente cometem quando são sensíveis à mulher que usa a consciência de Afrodite. Aquecendo-se no fulgor de seu foco, elas se sentem atraentes e interessantes enquanto ela faz com que as pessoas se abram e reage de modo carinhoso ou afirmativo, em vez de avaliativo ou crítico. É seu estilo estar envolvida genuinamente e a cada momento no que quer que a interesse. O efeito na outra pessoa pode ser sedutor — e ilusório, se seu modo de interagir cria a impressão de que ela está fascinada ou enamorada, quando realmente não está.

A consciência de Afrodite, criatividade e comunicação

Minha própria descoberta da consciência de Afrodite começou com as observações de que nem a "consciência enfocada" nem a "percepção difusa" descreviam o que eu estava fazendo em meu trabalho de psicoterapia. Comparando observações com artistas e escritores, descobri que no trabalho criativo estava em vigor um terceiro método, que vim a chamar "consciência de Afrodite".

Numa sessão de terapia observei que diversos processos vão adiante simultaneamente. Estou absorvida em ouvir minha paciente, que tem minha atenção arrebatada e minha compaixão. Ao mesmo tempo minha mente permanece ativa, associando mentalmente o que estou ouvindo. Fatos que já sei sobre a pessoa vêm à mente — talvez um sonho passado, ou conhecimento sobre a família, um incidente anterior ou acontecimento da atualidade na vida dela ou dele que podem ter uma relação. Algumas vezes uma imagem vem à tona, ou uma metáfora se torna sugestiva. Ou posso ter uma resposta emocional própria para o material ou para o modo como ele é expresso; e observo. Minha mente está trabalhando ativamente, mas de modo receptivo, estimulada por minha absorção na outra pessoa.

O que respondo durante uma sessão analítica é como uma parte de um grande mosaico, um importante detalhe num quadro muito maior, apenas parcialmente completo dessa pessoa em terapia comigo, que também é alguém com quem estou envolvida num processo recíproco. Se estamos envolvidos num trabalho transformativo, um campo emocional é gerado entre nós, suficientemente poderoso para tocar-nos a ambos. Como observou Jung, a análise envolve a totalidade de ambas as personalidades. Igualmente as atitudes conscientes e os elementos inconscientes no médico e paciente estão envolvidos num processo em que ambos são profundamente afetados. "O encontro de duas personalidades é como a mistura de duas substâncias químicas diferentes: se houver uma combinação qualquer, ambas serão transformadas".[1]

Ao fazer terapia, tornei-me gradualmente consciente de que, além da consciência de Afrodite, de atuação recíproca e receptiva, que facilita a mudança e o crescimento, também tive que manter uma distância emocional mais favorável. Se me sinto muito identificada ou estou intimamente identificada com meu paciente, necessito de alguma objetividade essencial. Se estou muito distante falta-me amor ao meu paciente, perco uma conexão de empatia decisiva, sem a qual não há suficiente energia transformativa para ocasionar mudança mais profunda. Condizente com Afrodite, que teve a invulnerabilidade de uma deusa virgem e o envolvimento de uma deusa vulnerável, a consciência de Afrodite tem ambas as qualidades.

A consciência de Afrodite está presente em todo

1. C. G. Jung, "Problems of Modern Psychoterapy", 1931. CW, vol. 16, 1966, p. 71.

trabalho criativo, incluindo aquele que é feito em solidão. O diálogo de "relacionamento" está então entre a pessoa e o trabalho, do qual alguma coisa nova emerge. Por exemplo, observe o processo quando um pintor está comprometido com a pintura e a tela. Ocorre um intercâmbio absorto: o artista reage ou é receptivo às contingências criativas da tinta e do pincel; inicia ativamente uma corajosa pincelada, nuança e cor; e depois, vendo o que acontece, mostra-se sensível. É uma interação; a espontaneidade combina com a habilidade. É uma interação entre artista e tela, e como resultado alguma coisa que nunca existiu antes é criada.

Além do mais, enquanto o pintor focaliza algum detalhe à sua frente, mantém também uma percepção de toda a tela em sua consciência. Às vezes volta atrás e vê objetivamente aquilo em que esteve tão subjetivamente envolvido em criar. Está absorvido, envolvido — e também um tanto isolado e objetivo.

Na boa comunicação e igualmente no processo criativo, há uma interação. A conversa, por exemplo, pode ser banal, sem significado, tocante — ou pode ser uma forma de arte, tão espontânea, comovente e bela quanto a improvisação musical ou as sessões de jazz, quando a alma alça vôo com a música e paira nos ares em alturas rapsódicas por um momento, e toca na corda profunda no momento seguinte. A interação é espontânea na forma, mas a sua substância pode ser profunda e comovente. Os participantes sentem excitamento e descobertas conforme cada um por sua vez desperta uma resposta no outro. Mutuamente experienciam a consciência de Afrodite, que proporciona o campo energético ou a tela de fundo para a comunicação ou a criatividade acontecerem. Para onde a música irá, ou como a conversação evoluirá, a princípio não é conhecido ou planejado. A descoberta, o nascimento de algo novo, é elemento-chave na criatividade e na comunicação.

Onde quer que a consciência de Afrodite esteja presente, aparece a energia: os amantes irradiam bem-estar e energia intensificada; a conversa brilha, estimulando pensamentos e sentimentos. Quando duas pessoas realmente encontram uma à outra, ambas recebem energia do encontro e sentem mais vitalidade do que antes, independentemente do conteúdo — o qual, em terapia, pode ser material muito penoso. O trabalho torna-se fortalecedor em vez de exaustivo. Absorvidos por quem está conosco, ou pelo que estamos fazendo, perdemos a noção do tempo, característica que Afrodite compartilha com Héstia.

Portadora de visão

Para fazer com que um sonho se torne realidade, deve-se ter um sonho, acreditar nele, e trabalhar em direção a ele. Muitas vezes é essencial que outra pessoa significativa acredite que o sonho é possível: essa pessoa é portadora de visão, cuja fé é muitas vezes crucial. Em *Seasons of a Man's Life,* Daniel Levinson descreve a função de uma "mulher especial" na fase de transição da entrada de um jovem no mundo adulto. Levinson alega que tal mulher tem uma conexão especial com a realização do sonho dele. Ela o ajuda a dar forma e vive o sonho. Ela compartilha e aceita o sonho, acredita no jovem como herói do seu sonho, junta-se a ele em sua jornada e proporciona um santuário onde as aspirações dele podem ser imaginadas e as esperanças acalentadas.[2]

Essa mulher especial é semelhante à descrição de Toni Wolf de "mulher hetaira"[3] (da palavra grega para *courtesan,* que era educada, culta, e extraordinariamente livre para a mulher daquela época; em alguns aspectos

2. Daniel J. Levinson, *The Seasons of a Man's Life.* Ballantine Books, New York, publicado em acordo com Alfred A. Knopf, 1979, p. 109.

3. Toni Wolff, "A Few Thoughts on the Process of Individuation in Women". *Spring,* 1941, pp. 91-93.

era como uma gueixa japonesa), um tipo de mulher cujos relacionamentos com os homens têm qualidades igualmente eróticas e de companheirismo. Ela deve ser a sua *femme inspiratrice* ou musa. De acordo com Wolf, a hetaira fertiliza o lado criativo de um homem e o ajuda nele. Toni Wolf, analista junguiana e antiga paciente de Jung, foi sua colega e, de acordo com algumas pessoas, também sua amante. Ela pode ter sido "a mulher especial" de Jung, a mulher hetaira que inspirou a teoria junguiana.

Algumas vezes certa mulher tem o dom de atrair diversos ou muitos homens, que a vêem como a mulher especial. Ela tem a habilidade de ver o potencial deles, acreditar em seus sonhos, e inspirá-los a alcançá-los. Lou Salome Andreas, por exemplo, foi a mulher especial, musa, colega e companheira erótica para certo número de homens famosos e criativos, incluindo Rilke, Nietzsche e Freud.[4]

Tanto as mulheres quanto os homens precisam ser capazes de imaginar que seu sonho é possível, e precisam que outra pessoa olhe para eles e para seus sonhos com a consciência vivificante de Afrodite. As pessoas refletem por que há tão poucas artistas mulheres famosas, ou grandes cozinheiras, ou regentes de orquestra, ou filósofas notáveis. Entre as razões dadas devem estar aquelas mulheres com falta de comunicação do sonho. As mulheres alimentaram o sonho para os homens, mas os homens em geral não têm alimentado muito bem o sonho para as mulheres em suas vidas.

Esse estado de coisas é parcialmente um resultado dos papéis estereotipados que de um lado limita a imaginação, e de outro abafa as oportunidades para as mulheres. Mas os obstáculos tangíveis (do tipo "nenhuma mulher pode inscrever-se") estão decrescendo, como acontece com a falta de modelos.

4. H. Peters, *My Sister, My Spouse: A Biography of Lou Andreas-Salome.* Norton, New York, 1962.

Penso que o portador de visão — terapeuta, mentor, professor ou progenitor com boa mão para o plantio — sob a orientação de quem outros vicejam e desenvolvem seus dons, desperta o que o psicólogo de pesquisa Robert Rosenthal chamou de efeito Pigmalião.[5] Esse termo descreve a influência das expectativas positivas no comportamento dos outros. Ele é assim denominado em conformidade com Pigmalião, que se apaixonou pela escultura que fizera da mulher perfeita, uma estátua que foi restaurada à vida por Afrodite e tornou-se Galatéia. Da mesma forma, na peça *Pigmalião,* de George Bernard Shaw, Henry Higgins transformou uma florista suburbana em senhora elegante — pela qual ele depois se apaixonou. A peça de Shaw foi a base para a peça da Broadway de Alan Jay Lerner, intitulada *My Fair Lady.*

Rosenthal descobriu que os estudantes vivem de acordo com as expectativas que os professores têm deles. Ele estudou os alunos de um gueto, cujos desempenhos acadêmicos decaem quanto mais eles permanecem na escola. Essas crianças tendem a ter professores que estão convencidos de que as crianças não são capazes de aprender. Rosenthal planejou um projeto de pesquisa para determinar o que vinha primeiro, se a expectativa ou o desempenho. Ele concluiu que nossas expectativas exercem nos outros uma influência extraordinária, da qual muitas vezes não temos conhecimento.

Conforme eu lia a pesquisa de Rosenthal, pensei sobre minha paciente Jane, oriunda de um lar de fala espanhola e que a princípio era considerada como lenta na

5. Robert Rosenthal, "The Pygmalion Effect Lives", *Psychology Today,* setembro de 1973, pp. 56-62. Texto definitivo: Robert Rosenthal e Lenore Jacobson, *Pygmalion in the Classroom: Teacher Expectation and Pupil's Intellectual Development,* Holt, Rinehart, & Winston, New York, 1968.

escola. Ela ingressou na quarta série academicamente atrasada em comparação aos colegas de classe, tão convencida quanto seus professores precedentes de que ela não era brilhante. Mas sua professora da quarta série a viu sob um diferente prisma, exigiu dela, e lhe apresentou metas que ela esperava que Jane iria alcançar. A atenção transformou a aluna de nove anos de idade numa aluna excelente, que agora falava abertamente em classe e sentia-se bem consigo mesma. Anos mais tarde, Jane também tornou-se uma professora inspirada que via e fazia ressaltar o potencial de seus alunos.

O efeito Pigmalião de Afrodite também é relacionado àquilo que eu chamo de sua alquimia. Na Europa medieval, a alquimia era igualmente um processo físico no qual as substâncias eram unidas num esforço de transformar material inferior em ouro, e um empenho psicológico esotérico de transformar a personalidade do alquimista. Nós experienciamos a alquimia de Afrodite quando nos sentimos atraídos por outra pessoa e nos apaixonamos; nós a sentimos quando somos tocados por seu poder de transformação e criatividade; nós a conhecemos quando apreciamos a capacidade que temos de transformar o que focalizamos em belo e apreciado porque está imbuído de nosso amor. O que quer que seja usual e não desenvolvido é o material "inferior" da vida do dia-a-dia, que pode ser transformado em "ouro" através da influência alquímica e criativa de Afrodite — do mesmo modo que a estátua de Galatéia feita por Pigmalião foi transformada em mulher verdadeira, com vida, através do amor.

Bibliografia

TENNOV, Dorothy, Love and Limerence: The experience of Being in Love. Stein & Day, New York, 1979.

12
Afrodite: deusa do amor e da beleza, mulher criativa e amante

A deusa Afrodite

Afrodite, deusa do amor e da beleza, a quem os romanos chamavam de Vênus, era a mais bela das deusas. Os poetas falavam da beleza de seu rosto e de seu corpo, de seu cabelo dourado e de seus olhos brilhantes, pele suave e bonitos seios. Para Homero ela era "uma amante do riso", dotada de irresistível encanto. Era assunto predileto dos escultores, que a retratavam despida ou parcialmente vestida, o que revelava seu corpo gracioso e sensual — a Vênus de Milo e a Afrodite de Cnidos, conhecidas por nós apenas através de cópias romanas, são as mais famosas de muitas delas.

"Golden" (dourado) era o epíteto mais freqüentemente usado pelos gregos para descrever Afrodite; significava "bonita" para os gregos. E de acordo com Paul Friedrich, notável erudito de Afrodite, ouro/mel, ouro/discurso, ouro/sêmen estão lingüisticamente ligados, simbolizando os valores mais profundos de procriação e de criação verbal de Afrodite.[1] Ela era associada com pombas, aqueles pássaros enamorados arrulhando, e cisnes

1. Paul Friedrich, *The Meaning of Aphrodite.* University of Chicago Press, Chicago, 1978, p. 79.

notados por sua beleza e acasalamento; com flores, especialmente rosas, tradicionalmente as dádivas dos amantes; com doces fragrâncias e frutas, especialmente maçãs douradas e romãs sensuais vermelho-paixão, símbolo compartilhado com Perséfone.

Genealogia e mitologia

Há duas versões do nascimento biológico e da origem de Afrodite. Hesíodo e Homero contam duas estórias contraditórias.

Na versão de Homero, Afrodite teve nascimento convencional. Era simplesmente a filha de Zeus e Dione, ninfa do mar.

Na versão de Hesíodo, Afrodite nasceu como conseqüência de um ato violento. Crono, que mais tarde tornou-se governador dos Titãs e pai da primeira geração de deuses olímpicos, pegou uma foicinha, cortou os órgãos de seu pai Urano, e os atirou no mar. Espuma branca espalhou-se ao redor deles ficando como esperma e mar misturados, e daí nasceu Afrodite, emergindo de sua concepção oceânica como deusa totalmente desenvolvida.

A imagem de Afrodite emergindo do mar foi imortalizada durante a Renascença por Botticelli em "O nascimento de Vênus", algumas vezes irreverentemente referido como "Vênus na meia concha". Essa pintura mostra uma figura nua, delicada e graciosa numa concha marinha, sendo levada para a praia pelos deuses do vento soprando em meio a uma chuva de rosas.

Sabe-se que Afrodite desembarcou primeiramente na ilha de Citera ou em Chipre. Depois, acompanhada por Eros (Amor) e Himeros (Desejo), foi levada à assembléia dos deuses e recebida como um deles.

Muitos deuses, encantados com sua beleza, disputaram sua mão em casamento. Ao contrário das outras deusas que não tinham escolhido seus companheiros nem seus amantes (Perséfone foi raptada, Hera foi seduzida, Deméter foi estuprada), Afrodite era livre para escolher. Ela escolheu Hefesto, o deus defeituoso dos artesãos e deus do fogo e da forja. Então o filho rejeitado de Hera tornou-se marido de Afrodite — e seria muitas vezes marido enganado por ela. Afrodite e Hefesto não tiveram filhos. Seu casamento pode representar a união da beleza e do artesanato, do qual nasce a arte.

Em suas ligações, Afrodite se acasalou com a segunda geração de deuses olímpicos — a geração dos filhos, em vez de se acasalar com a figura do pai da geração de Zeus, Posídon e Hades. Afrodite era ligada romanticamente com Ares, deus da guerra, com quem teve longo romance e diversos filhos. Outro amante foi Hermes, mensageiro dos deuses, que guiava as almas para o Inferno e que era o deus patrono dos viajantes, atletas, ladrões, e homens de negócio, como também o deus da comunicação, inventor dos instrumentos musicais e trapaceiro olímpico.

Ela e Ares tiveram três filhos: uma filha, Harmônia (Harmonia), e dois filhos, Deimos (Terror) e Fóbos (Medo), que acompanharam seu pai na batalha. Afrodite e Ares representam a união de duas paixões incontroláveis — o amor e a guerra, os quais, quando em perfeito equilíbrio, podiam produzir a harmonia.

O filho da união de Afrodite com Hermes era o deus bissexual Hermafrodito, que herdou a beleza de ambos os pais, trouxe igualmente consigo seus nomes, e teve as características sexuais de ambos. Como um símbolo, Hermafrodito pode representar a bissexualidade (atração erótica por ambos os sexos) ou a androginia (a existência numa pessoa das qualidades e habilidades tradicionalmente consideradas ou masculinas ou femininas).

Segundo alguns relatos, Eros, deus do amor, foi outro dos filhos de Afrodite. Como Afrodite, as narrativas de seus princípios mitológicos e tempo de aparecimento no cosmos são contraditórios. Hesíodo diz que Eros foi uma força fundamental na criação, presente antes dos titãs e dos deuses olímpicos. Eros foi também visto como um deus que acompanhava Afrodite enquanto ela emergia do mar. Contudo, mitos posteriores descrevem-no como filho ilegítimo de Afrodite. Os gregos usualmente retratavam Eros como jovem varonil, como os romanos, que o chamavam de Amor. Com o tempo, o Eros que mitologicamente começou como força fundamental tornou-se mais adiante diminuído; até hoje o que é deixado dele é representado pelo bebê em fraldas com um arco e uma aljava de flechas, conhecido como Cupido.

Afrodite e os mortais

Os relacionamentos de Afrodite com homens mortais eram também importantes na mitologia. Em alguns mitos, ela veio auxiliar os homens que oravam a ela por ajuda. Por exemplo, Afrodite respondeu às orações de Hipômenes na véspera de sua corrida com Atalanta. Ela lhe deu três maçãs de ouro e conselho sobre como usá-las, o que salvou sua vida e o ajudou a ganhar a esposa que amava.

Conforme observado anteriormente, Afrodite também figurava na lenda de Pigmalião, rei de Chipre. Pigmalião esculpiu uma estátua de sua mulher ideal em marfim, e quanto mais ele olhava para ela mais se enamorava de sua própria criação. Numa festa em honra de Afrodite, pediu-lhe em oração uma esposa como sua estátua. Posteriormente, enquanto beijava a figura de marfim, a estátua tornou-se um ser vivo. Agora ela era Galatéia, com quem ele se casou — resposta de Afrodite às suas orações.

A deusa do amor e da beleza também teve muitas ligações amorosas com homens mortais. Por exemplo, quando Afrodite viu Anquises apascentando seu gado ao lado de uma montanha, foi tomada de desejo por ele (um mortal com um "corpo muitíssimo parecido com o de um deus", conforme Homero o descreveu). Fingindo ser uma bonita jovem, incitou com suas palavras a paixão dele e o seduziu.

Mais tarde, quando ele adormeceu, ela mudou seu disfarce mortal e acordou seu amante que estava a dormir. Revelou que conceberia o filho deles, Enéias, que seria famoso como o lendário fundador de Roma, e o preveniu para não revelar a quem quer que fosse que era a mãe de seu filho. Dizem que mais tarde Anquises bebeu demasiadamente e gabou-se de seu romance com Afrodite, e então foi atingido por um raio e ficou aleijado.

Outro amante mortal famoso foi Adônis, um caçador jovem e elegante. Afrodite temia pela vida dele e avisou que evitasse as bestas ferozes, mas a emoção da caça e sua falta de medo superaram o conselho dela. Um dia, enquanto caçava, seus cães levantaram um javali feroz. Adônis feriu o animal com sua lança, e isso provocou que a besta se voltasse contra ele e selvagemente o despedaçasse.

Depois de sua morte, foi permitido a Adônis voltar do mundo dos mortos para Afrodite durante parte do ano (Afrodite o compartilhava com Perséfone). Esse ciclo mitológico da morte e volta era a base do culto de Adônis. Para Afrodite, sua volta anual simbolizava a volta à fertilidade.

As mulheres também eram poderosamente afetadas por Afrodite. Impelidas a seguirem as ordens dela e incapazes de resistir a serem atraídas por quem quer que Afrodite ordenasse, uma mulher mortal poderia se encontrar em grande risco, como demonstrado no mito de Mirra.

Filha de um sacerdote de Afrodite, Mirra se apaixonou por seu próprio pai. De acordo com as várias versões dessa história, Afrodite tinha motivado essa paixão proibida pelos seguintes motivos: porque a mãe de Mirra tinha se gabado de que sua filha era mais bonita do que a própria Afrodite, ou porque Mirra tinha negligenciado venerar Afrodite. De qualquer maneira, ela se aproximou dele disfarçada e no escuro, e se tornou sua amante secreta. Depois de diversos encontros clandestinos, ele descobriu que essa mulher sedutora era sua própria filha. Tomado de horror e de repugnância, induzido pela necessidade de puni-la por terem gozado juntos, ele tentou matá-la. Ela escapou. Exatamente quando ele estava para alcançá-la, ela orou aos deuses para que a salvassem. Sua prece foi respondida imediatamente: ela foi transformada numa aromática árvore de mirra.

Fedra foi outra vítima do poder de Afrodite. Era a madrasta de má sorte de Hipólito, jovem elegante que tinha se dedicado a Ártemis e a uma vida de celibato. Afrodite usou Fedra como instrumento de seu descontentamento com Hipólito, que recusou honrar a deusa do amor ou seus ritos: Afrodite motivou Fedra a apaixonar-se desesperadamente por seu enteado.

No mito, Fedra tentou resistir à sua paixão, lutou contra seu desejo ilícito e ficou doente. Finalmente, uma criada descobriu a causa de sua miséria, e aproximou o jovem em favor dela. Ele ficou tão insultado e horrorizado diante da sugestão de ter um romance com sua madrasta que irrompeu num discurso longo e veemente contra ela, de tal forma que a mesma pôde ouvi-lo.

Humilhada, ela se enforcou, deixando uma nota suicida acusando falsamente Hipólito de tê-la estuprado. Quando seu pai Teseu retornou para encontrar sua esposa morta e a nota, chamou Posídon, deus do mar, para matar seu filho. Enquanto Hipólito dirigia sua carruagem pela praia, Posídon enviou enormes ondas e um monstro marinho para amedrontar os cavalos. A carruagem tombou e Hipólito foi levado de rastos até a morte. Dessa forma Afrodite se vingou, às custas de Fedra.

Psiqué e Atalanta foram duas mulheres mortais transformadas pela influência de Afrodite. No mito de Eros e Psiqué, esta teve a desventura de ser tão bonita que os romanos a chamavam de "uma segunda Afrodite". E lhe prestaram a reverência e a veneração que eram devidas à deusa, o que ofendeu Afrodite.

Nesse mito, Psiqué buscou a deusa em cuja cólera ela tinha incorrido. Afrodite deu-lhe quatro tarefas impossíveis, cada uma das quais parecia inicialmente estar além de suas habilidades. Em cada instância, com o auxílio de grupos inesperados, Psiqué foi bem sucedida. Afrodite agiu como o agente transformador, proporcionando as tarefas através das quais Psiqué, mortal que tinha as características da deusa vulnerável, amadureceu.

Afrodite foi também o agente transformador no mito de Atalanta, mortal que era comparada à deusa virgem Ártemis. Como observado anteriormente, Atalanta perdeu uma corrida a pé e ganhou um marido, quando ela escolheu pegar as três maçãs de ouro de Afrodite.

O arquétipo de Afrodite

O arquétipo de Afrodite governa o prazer do amor e da beleza, da sexualidade e da sensualidade das mulheres. A esfera do amante manifesta uma poderosa atração em muitas mulheres; como força em relação à personalidade de uma mulher, Afrodite pode ser tão exigente quanto Hera e Deméter, os outros dois fortes arquétipos instintivos. Afrodite impele as mulheres a preencherem funções criativas e procriativas.

A amante

Toda mulher que se apaixona por alguém que também está enamorado dela é naquele momento uma personificação do arquétipo de Afrodite. Transformada temporariamente de mortal comum em deusa do amor, ela se sente atraente e sensual, uma amante arquetípica.

Quando Afrodite está presente como arquétipo dominante na personalidade da mulher, esta se enamora freqüente e facilmente. Ela tem "it" — motivo pelo qual a atriz de cinema mudo Clara Bow era conhecida — isto é, *sex appeal.* Tem um magnetismo pessoal que induz os outros mais intimamente num campo eroticamente carregado, que intensifica a percepção sexual. A "voltagem" se eleva, e ambos se sentem atraentes e vibrantes como se fossem atraídos um para o outro.

Quando a sensualidade e a sexualidade nas mulheres são rebaixadas, como nas culturas judaico-cristã, maometana e outras culturas patriarcais, a mulher que personifica a enamorada Afrodite é considerada mulher sedutora ou prostituta. Dessa forma, esse arquétipo, quando se expressa, pode pôr uma mulher em divergência com os padrões de moralidade. As mulheres tipo Afrodite podem ser marginalizadas. Por exemplo, no romance clássico de Nathaniel Hawthorne sobre a Nova Inglaterra puritana, denominado *The Scarlet Letter,* Hester Prynne foi forçada a usar um grande "A" vermelho por adultério. E a atriz Ingrid Bergman foi condenada pela opinião pública e forçada ao exílio por seu romance e posterior casamento com o diretor de cinema Roberto Rossellini. Em tempos bíblicos tais mulheres eram apedrejadas, e nos países islâmicos a morte ainda é a penalidade.

Apaixonar-se

Quando duas pessoas se apaixonam, cada uma vê a outra num resplendor especial e intensificado (Afrodite-dourada) e é atraída em direção à beleza da outra. Há magia no ar e um estado de encantamento ou louca paixão é evocado. Cada qual sente-se bonito e especial, mais semelhante a um deus ou a uma deusa do que seu ordinário ser. O campo de energia entre eles torna-se emocionalmente carregado e uma "eletricidade" erótica é gerada, o que por sua vez cria uma atração magnética mútua. No espaço magnífico que os cerca as impressões sensoriais ficam intensificadas; eles ouvem música de modo mais envolvente, as fragrâncias ficam mais penetrantes, o paladar e o tato dos enamorados ficam intensificados.

Quando uma pessoa se apaixona por alguém que não retribui aquele amor, entretanto, ela se sente tomada de desejo cruel e aspirações impróprias. É repetidamente atraída ao amado e repetidamente recusada. A intensidade — que é maravilhosa quando o amor é retribuído — aqui ao contrário amplifica a dor.

Ativação de Afrodite

Exatamente como há duas versões míticas do nascimento de Afrodite, assim também há dois caminhos pelos quais esse arquétipo vem à consciência.

O primeiro é uma iniciação dramática, quando Afrodite surge repentinamente, amadurecida e impressionante, como uma presença dominante vinda das águas do inconsciente. Quando a sexualidade é sentida como resposta instintiva, tendo pouco a ver com o lado amoroso ou ainda tendo pouco a ver com o amar ou até mesmo o gostar do homem que a excita, é sexualidade "desligada" de intimidade emocional — metaforicamente semelhante à versão de Hesíodo do nascimento de Afrodite no mar.

Nas sessões de psicoterapia muitas mulheres falam do impacto irresistível de uma resposta sexual inicial inesperada. "Eu estava tomada de desejo que nem mesmo sabia que tinha. Foi ao mesmo tempo maravilhoso e assustador". Uma vez que as mulheres jovens sentem o poder de Afrodite, acham-se atraídas rumo à intimidade sexual. Outras, agora conscientes do que pode acontecer, evitam contato. Duas de minhas pacientes proporcionaram exemplos dessas respostas contrastantes. Uma queria mais: "Olhei para trás, vendo como eu fingia apreciar o encontro, quando o que realmente queria era o lado sexual dele". A outra levantava barreiras: "Dediquei-me ao estudo, rejeitei os encontros e insisti em ir para uma escola particular de moças. Eu imaginava que me resguardaria em alguma espécie de convento mental até que estivesse seguramente casada. Enquanto isso, estaria em situação não tentadora". Depois da primeira vez, tal mulher sabe que pode ser arrastada em direção à intimidade sexual por um desejo sobrepujante de repetir a experiência, uma vez que seu corpo está excitado e sua atenção está atraída eroticamente por um homem. Então ela quer fundir-se com ele, ser transportada pela paixão rumo à libertação orgásmica, levada pela onda da estimulação sexual a um clímax, onde sua individualidade é submergida na experiência orgásmica transpessoal.

O segundo caminho em que um arquétipo surge ativo é num relacionamento. Ele deveria ser considerado análogo à versão comum de Homero do nascimento de Afrodite, e seu subseqüente desenvolvimento como filha de Zeus e de uma ninfa marítima, Dione. O crescimento da confiança e do amor, e uma redução gradual na inibição precedem a evocação ou "o nascimento" de Afrodite, anunciado pelo primeiro orgasmo na relacão sexual e por um novo desejo de intimidade física. Certa mulher casada que teve diversos amantes antes do casamento e dois anos de casamento antes de se tornar orgásmica, encheu-se de espanto: "É como se meu corpo agora conhecesse como".

Instinto de procriação

Afrodite representa o ímpeto para assegurar a continuação da espécie. Como arquétipo ligado com o ímpeto sexual e o poder da paixão, Afrodite pode transformar a mulher em vaso de procriação, se ela não praticar o controle da natalidade.

Ao contrário da mulher sob a influência de Deméter, que pratica o sexo porque deseja um bebê, a mulher influenciada por Afrodite tem um bebê devido ao seu desejo por um homem ou por causa do desejo de experiência sexual ou romântica. Afrodite murmura que não se faça controle de natalidade porque este poderia tirar parte da paixão do momento, ou tornaria premeditado o primeiro ato da relação sexual. Levar em conta a deusa aumenta o risco de gravidez indesejada.

Coincidindo com o instinto procriativo, algumas mulheres sentem a influência de Afrodite mais intensamente na época da ovulação, catorze dias antes da menstruação, quando é mais provável que o sexo conduza à gravidez. É quando estão mais sensíveis sexualmente e têm sonhos eróticos, quando mais sentem falta do sexo se estão sem parceiros sexuais.

Criatividade

Afrodite é uma força tremenda para mudança. Através dela fluem atração, união, fertilização, incubação e nascimento de nova vida. Quando esse processo acontece em plano puramente físico entre um homem e uma mulher, um bebê é concebido. E a seqüência é a mesma em todos os outros processos criativos também: atração, união, fertilização, incubação e nova criatura. O produto criativo pode ser tão abstrato quanto uma união inspirada de duas idéias, o que eventualmente dá nascimento a uma nova teoria.

O trabalho criativo surge de um envolvimento apaixonado e intenso, quase como com um amante, enquanto um (o artista) faz interação com o "outro" para trazer alguma coisa nova à vida. Esse "outro" pode ser uma pintura, uma forma de dança, uma composição musical, uma escultura, um poema ou um manuscrito, uma nova teoria ou invenção, que por um tempo é totalmente absorvente e fascinante. A criatividade também é um processo "sensual" para muitas pessoa; é uma experiência sensorial do momento, envolvendo tato, som, imagem, movimento e, algumas vezes, até mesmo olfato e paladar. Uma artista absorvida num processo criativo, como uma amante, muitas vezes acha que todos os sentidos ficam intensificados e que ela recebe impressões perceptivas através de muitos canais. Enquanto trabalha numa imagem visual, frase verbal, ou movimento da dança, as impressões de percepção múltipla podem interagir para criar o resultado.

Como amante, Afrodite pode prosseguir através de muitas aventuras amorosas e, como força criativa, pode envolver a mulher num intenso esforço criativo depois de outro. Quando termina um projeto, surge outra possibilidade que fascina.

Algumas vezes tanto os aspectos criativos como os românticos de Afrodite estão presentes na mesma mulher. Então ela se engaja em intensos relacionamentos, mudando de um para outro, bem como ficando absorvida em seu trabalho criativo. Tal mulher segue o que quer e quem quer que a fascine, e pode levar uma vida não convencional, como acontecia com a dançarina Isadora Duncan e a escritora George Sand.

Cultivando Afrodite

Afrodite é o arquétipo mais envolvido na experiência sensorial ou sensual. Por esse motivo, cultivar uma agudeza de percepção e cultivar um enfoque do-aqui-e-do-agora convidam Afrodite. Os amantes ficam naturalmente harmonizados um com o outro quanto ao paladar, fragrância e beleza; a música e a estimulação tátil intensificam seu prazer. Os terapeutas do sexo ensinam métodos de "enfoque sensorial" ou "do prazer" que encorajam um casal a estar absorto no momento, para não tornar-se envolvido quanto a um objetivo, para aprender como apreciar as sensações agradáveis.

Atitudes culposas e julgamentosas levantam obstáculos para se desfrutar do fazer amor ou trabalho criativo. Tais obstáculos surgem quando as pessoas sentem uma proibição contra o prazer, o lazer e outras atividades não produtivas, tanto quanto contra o sexo. Muitas pessoas julgam a busca do amor e da beleza como frívola na melhor das hipóteses e pecaminosa na pior delas. Por exemplo, os arquétipos de Ártemis e Atenas enfocam o alcançar objetivos, predispondo as mulheres à depreciação do prazer do momento de Afrodite. E Afrodite ameaça muitas vezes as prioridades dos arquétipos de Hera e Deméter — monogamia ou o papel maternal — de modo que as últimas muitas vezes têm atitudes julgamentosas em relação a Afrodite. E, finalmente, a introversão dos arquétipos de Perséfone e Héstia torna as mulheres menos sensíveis às atrações "que vêm de fora".

Quando as mulheres vêem o valor de Afrodite e procuram desenvolver esse aspecto em si mesmas, elas transpõem um degrau mental fundamental em direção à ativação do arquétipo. Depois precisam proporcionar tempo e oportunidade para Afrodite se desenvolver. Um casal precisa gozar férias longe de seus filhos, num cenário repousante onde possam divertir-se, conversar e amar-se. Ou a mulher deve aprender a dar e a receber uma mensagem. Ou ela pode tomar uma aula de dança do ventre como um meio de estar à vontade e gostar de seu corpo, condição para se ter prazer no fazer amor.

Cultivar interesse pela arte, poesia, dança ou música satisfaz um propósito semelhante na esfera estética.

Pode-se desenvolver a habilidade de ficar completamente imerso numa experiência visual, auditiva ou cinestésica. Uma vez que se está absorvido, então pode ocorrer uma interação entre si mesmo e o meio estético, interação da qual pode emergir alguma coisa nova.

A mulher tipo Afrodite

Desde que a deusa Afrodite emergiu nua do mar em toda sua glória, curvilínea, cabelo dourado, as mulheres *sexy* tais como as rainhas do cinema Jean Harlow, Lana Turner e Marilyn Monroe personificaram a deusa do amor. Algumas vezes esse tipo de deusa é fiel ao arquétipo, com cabelos e tudo o mais, porém mais tipicamente a mulher tipo Afrodite é reconhecida pela sua atratividade e não apenas por sua aparência. O arquétipo de Afrodite cria um carisma pessoal, um magnetismo ou eletricidade que, combinado com atributos físicos, faz de uma determinada mulher uma Afrodite.

Quando Afrodite é parte ativa de uma mulher simples, tal mulher não atrai a si os homens que estão do outro lado da sala. Aqueles que se tornam mais íntimos, contudo, acham-na atraente e fascinante. Muitas mulheres sem beleza mas com as qualidades de Afrodite atraem os outros com a vivacidade magnética de suas personalidades e com uma sensualidade não constrangida, natural. Essas "Marias sem vaidade" parecem ter sempre homens em suas vidas, ao passo que suas irmãs mais bem dotadas e objetivamente atraentes podem ficar esperando ao lado do telefone ou tomar um chá de cadeira, ponderando sobre: "O que ela tem que eu não tenho?"

A jovem Afrodite

Enquanto criança, a pequena Afrodite pode ter sido uma inocente namoradinha. Pode ter sido um modo de dar resposta aos homens, interesse neles, e uma sensualidade inconsciente que fazia os adultos comentarem: "Espere até que ela cresça — será uma despedaçadora de corações". Ela adora ser o centro da atenção, gosta de vestir roupas bonitas e de ser disputada. Usualmente não é uma pequena tímida, e pode ainda ter sido chamada de "engraçadinha" por suas ações improvisadas e outros meios de chamar a atenção, que encantavam suas "platéias".

Lá pelos oito ou nove anos de idade, muitas meninas tipo Afrodite estão com pressa de crescer, vestir-se com elegância e usar maquilagem. Têm rabichos pelos meninos, são "adolescentes entusiastas da última moda" dos cantores "sexy" ou de grupos de "rock". Algumas garotas tipo Afrodite são "pequenas ninfas": precocemente conscientes de sua sexualidade, apreciam o sentido de poder e atração que têm quando os homens mais velhos respondem aos seus importunos coquetismos.

Os pais

Alguns pais enfeitam suas bonitas filhas para serem pequenas Afrodites. Enfatizam a atratividade delas, fazem-nas beijar os adultos, ingressam-nas em concursos de beleza e, em geral, salientam sua atratividade feminina acima de todos os outros atributos e habilidades.

Mas quando a garota atinge a puberdade e a possibilidade de atividade sexual, seus pais podem responder muito diferentemente. Pode surgir um padrão destrutivo comum: os pais lhe dão dissimulado encorajamento para se tornarem sexualmente ativas, mas depois as punem. Essa atitude permite aos pais serem igualmente "voyeurs" e defensores de princípios.

Os pais podem reagir à sexualidade emergente de suas filhas tipo Afrodite de vários modos. Muitos respondem à atratividade crescente das filhas para inadvertidamente e/ou inconscientemente provocarem conflitos tumultuosos que criam distância física e emocional entre si. As filhas muitas vezes parecem colaborar no alvoroço que protege ambas as partes contra a conscientização de seus sentimentos incestuosos. Alguns pais tornam-se excessivamente rigorosos e recusam deixar suas filhas marcarem qualquer encontro, ou tornam-se intrusos e dominadores, "interrogando" as filhas quanto aos seus encontros e dando a qualquer pretendente "tratamento duríssimo". Outros pais ainda são sedutores.

As mães também têm várias reações para com as filhas tipo Afrodite. Algumas se tornam rigorosas e dominadoras, reagindo à música dos adolescentes e a seu estilo de se vestir, mesmo quando suas filhas estão se comportando de forma apropriada à idade de seu grupo. Tais mães podem impor seu próprio "código de roupa", que enfatiza encobrir e desenfatizar a atratividade, e podem proibir muitas atividades. Elas podem peneirar os amigos de seus filhos de ambos os sexos ou, como certa mulher observou pesarosamente, podem tratar suas filhas ou os garotos ou ambos como "maníacos sexuais em potencial". Como os pais, as mães podem também desenvolver uma "mentalidade carcereira" em relação às suas filhas tipo Afrodite.

A intrusão pode ser mais comum nas mães do que nos pais de filhas tipo Afrodite. Além da intrusão motivada pela necessidade de "vigiar" as filhas atraentes, as mães muitas vezes vivem de modo vicário e querem ouvir todos os detalhes sobre os encontros de suas filhas. Para agradar tais mães, as filhas precisam ser populares com os rapazes.

Outras mães reagem competitivamente em relação à Afrodite emergente em suas filhas. Ameaçadas pela atratividade das filhas e invejosas de sua juventude, as mães depreciam as garotas, fazem comparações desfavoráveis, flertam com os namorados das filhas e, de muitos modos maiores ou menores, destroem a desabrochante feminilidade das filhas. No conto de fada, a madrasta de Branca de Neve perguntava repetidamente: “Espelho, espelho meu, haverá no mundo alguém mais bela do que eu?” Essa personagem do conto de fada representa a mãe competitiva ameaçada e, por esse motivo, hostil.

Os pais mais prestativos não superestimam ou enfatizam excessivamente as qualidades de Afrodite e não tratam suas filhas como bonitos objetos. Ambos os pais afirmam a atratividade de suas filhas do mesmo modo positivo que valorizam outras qualidades tais como inteligência, bondade ou talento para a arte. Quanto à situação de encontro marcado, proporcionam também direção e limites apropriados para a idade e maturidade de suas filhas. A atratividade para com os homens é tratada com verdade, de modo que as garotas se tornem conscientes, e não culpadas.

Adolescência e juventude

Os anos da adolescência e da juventude são tempos cruciais para a mulher tipo Afrodite que pode achar-se prensada entre as incitações interiores de Afrodite e a reação dos outros. Dado o padrão duplo, a garota de escola secundária que tem um desejo de experiência sexual tão forte quanto ao de um jovem sexualmente preocupado, deve pesar as conseqüências. Reputação má, auto-estima manchada e auto-imagem negativa podem resultar se ela agir conforme seus impulsos. E as “boas meninas” podem evitá-la, enquanto os jovens que têm o sexo em suas mentes podem rodeá-la, mas não considerá-la “suficientemente boa” para ser uma namorada firme ou a pessoa certa para o baile de formatura.

Há também outros problemas com um arquétipo Afrodite descontrolado. A gravidez não desejada é uma probabilidade. E uma Afrodite ativa corre o risco de se expor a doenças sexuais transmissíveis. Outra complicação médica é um mais alto risco de câncer cervical mais tarde na vida.

Pouca ajuda é dada às mulheres jovens no sentido de como tratar a insistente Afrodite dentro de si mesmas. A expressão sexual é uma escolha principal com sérias conseqüências. Algumas suprimem sua sexualidade embora aquelas que sentem fortes repressões religiosas possam se sentir culpadas de qualquer maneira, acusando-se por terem sentimentos "não aceitáveis". Outras expressam a sexualidade dentro de um relacionamento seguro, escolha que funciona bem quando Hera também for um aspecto forte de sua personalidade, embora de tudo isso possa resultar um casamento antecipado.

Se Atenas e Afrodite são elementos igualmente fortes na mulher jovem, esta pode usar uma combinação de estratégia e sexualidade que é autoprotetora. Certa mulher disse: "Uma vez que eu sabia que me apaixonava e desapaixonava, e que tinha forte impulso sexual a acompanhar-me, não assumi apaixonar-me tão seriamente. O que realmente assumi seriamente foi o seguinte: o controle da natalidade, quem era o rapaz, e manter em segredo este aspecto de minha vida".

Quando a mulher tipo Afrodite vai para a faculdade, os aspectos sociais serão provavelmente os mais importantes para ela. Pode escolher uma "escola voltada para festas", um colégio voltado mais para atividades sociais do que para estudos acadêmicos.

Ela usualmente não está enfocada em objetivos acadêmicos de grande alcance ou numa carreira. Seu interesse desabrochante numa carreira profissional diminui com a perspectiva de atingir difíceis pré-requisitos que não lhe interessam. É capaz de mergulhar num trabalho da faculdade somente se se sentir fascinada por um assunto, mais freqüentemente num campo criativo que envolve interação com as pessoas. Ela pode ser uma estudante que se especializa em arte dramática, por exemplo, e que passa de um papel para outro. A cada vez ela se absorve em seu papel, pois encontrou sua paixão inata e, assim, pode se tornar a mais destacada aluna de arte dramática da escola.

Trabalho

O trabalho que não envolve emocionalmente a mulher tipo Afrodite não mantém nenhum interesse para ela. Gosta de variedade e de intensidade; tarefas repetitivas, tais como trabalho de casa, trabalho de laboratório ou de escritório a aborrecem. Somente quando está totalmente ocupada criativamente ela age bem. Assim, é provável que seja encontrada na arte, música, escrita, dança ou drama, ou com pessoas que são especiais para ela; por exemplo, como professora, terapeuta, redatora. Como conseqüência, ou odeia o emprego e está provavelmente fazendo um trabalho medíocre, ou o adora e não pensa duas vezes em empregar mais tempo e esforço nele. Quase sempre prefere um trabalho que ache interessante a um bem pago com menos atrativos. Pode alcançar sucesso como resultado de fazer o que a fascina mas, ao contrário de Atenas e de Ártemis, ela não se esforça para sair-se bem.

Relacionamento com homens

As mulheres tipo Afrodite tendem para os homens que não são necessariamente bons em relação a elas ou para elas. A menos que outras deusas influenciem, sua escolha dos homens é muitas vezes semelhante às próprias escolhas de Afrodite — homens criativos, complicados, mal-humorados ou emotivos como Hefesto, Ares e Hermes. Tais homens não objetivam postos ocupacionais elevados ou posição de autoridade, e não querem chefiar assuntos domésticos ou serem maridos e pais.

O tipo Hefesto, introvertido, pode ter raiva reprimida que ele sublima em trabalho criativo. Como deus da forja, pode ser igualmente artista e, em termos emocionais, inválido. Seu relacionamento com os pais pode ter sido tão mau quanto o de Hefesto. Ele, também, pode ter sido rejeitado por sua mãe por não viver à altura das expectativas dela, e pode ter sido cortado do relacionamento com o pai. Conseqüentemente, ele pode ter relacionamento amor/ódio com as mulheres, das quais ele se ressente por serem igual e terrivelmente importantes para ele e indignas de confiança. E pode sentir muito pouca intimidade com os homens, dos quais sente-se alienado e aos quais sente-se inferior.

Muitas vezes um homem intensamente introvertido, o tipo Hefesto, sente-se constrangido em situações sociais, sem nenhum talento para conversas fiadas. Conseqüentemente, os outros não se demoram em sua companhia. A mulher tipo Afrodite pode ser a exceção. Com seu talento em enfocar sua atenção total na pessoa que está encontrando, ela pode fazê-lo exteriorizar-se e achá-lo fascinante.

Sentindo-se atraente e atraído por ela, o homem Hefesto responde com sua intensidade característica, e uma conexão apaixonada está provavelmente para inflamar-se entre eles. Ela é atraída pela intensidade de seus sentimentos e responde da mesma forma à sua chama emocional que pode ser repugnante para outras mulheres. Ela abraça sua natureza erótica profundamente sentida, que pode permanecer dormente por certos períodos de tempo — sublimada junto com sua raiva em seu trabalho. Quando ela evoca a paixão dele, ambos os amantes podem ficar amedrontados pela excitação do sentimento dele. Se ele for artesão ou artista, ela pode também sentir-se atraída pelas coisas bonitas que ele faz e, desse modo, pode inspirar a criatividade dele.

Os problemas de amar um homem tipo Hefesto são muitos, dependendo da espécie de sentimentos que ele guarda na alma e de sua saúde psicológica. Num extremo ele pode ser um vulcão encoberto, potencialmente paranóico, uma pessoa solitária cujo trabalho pode não obter reconhecimento porque ele é por demais solitário e hostil. Além disso, sentimentos de raiva, inferioridade e medo de perda são prováveis de serem provocados nele pela atração da mulher tipo Afrodite ou de sua atração pelos outros. Se for verdadeiramente como Hefesto, ele pode ser capaz de manter seu ciúme sob controle. Estar perto de homem tipo Hefesto sob tais circunstâncias, contudo, é querer viver ao lado de vulcão ativo, perguntando-se a si mesma quando é que uma explosão há de mandar as coisas para o ar.

Algumas combinações Hefesto-Afrodite realmente funcionam muito bem. O homem tipo Hefesto nesse caso é homem introvertido, criativo, que sente uma amplitude de emoções (mais do que raiva principalmente) a seu modo caracteristicamente intenso e contido. Ele expressa essas emoções através de seu trabalho e de uns poucos relacionamentos importantes. Ele a ama profunda e apaixonadamente, e seu compromisso com ela proporciona a estabilidade de que ela necessita.

Outro homem comumente atraído pela mulher tipo Afrodite é volátil, como Ares (deus da guerra, filho de Hera e Zeus). A história desse tipo de homem pode manter semelhança íntima com a configuração familiar mitológica de Ares, educado por sua amargurada mãe depois que seu pai os deixou. É homem emotivo, apaixonado, tumultuoso, que tem afetações de "supermacho". Faltando pai verdadeiro como ídolo e disciplinador, e acostumado a conseguir tudo de sua mãe, ele é impaciente e tem reduzida tolerância pela frustração. Gosta de administrar, mas pode perder a cabeça quando pressionado, o que não faz dele bom líder.

A combinação Afrodite-Ares é mistura inflamável. Ambos compartilham a propensão de viver no aqui e no agora. Ambos são reativos em vez de reflexivos; são pessoas adeptas do faça agora e pense mais tarde. Sempre que estão juntos faíscas eróticas ou temperamentos impetuosos provocam interações ardentes. Eles fazem igualmente amor e guerra. Essa combinação inventou o gostoso jogo de brigar e fazer as pazes entre os amantes.

Afrodite e Ares não são ingredientes de um relacionamento estável. Além das explosões emocionais, seu machismo arrogante muitas vezes causa situação econômica precária. Ele é incapaz de pensar estrategicamente ou de ser prudente; no ardor do momento, pode dizer ou fazer alguma coisa que lhe custa seu emprego. Se, além disso, a mulher tem a tendência de Afrodite para a infidelidade — ou pelo menos, seu coquetismo — ela além disso ameaça sua masculinidade e provoca sua possessividade. Então ele pode tornar-se violento e suas explosões podem ser brutais, criando terror e medo.

Mesmo com todos os seus arrebatamentos, contudo, é possível para alguns parceiros Ares-Afrodite perseverarem e serem relativamente harmoniosos. Em tal par, ele tem uma personalidade tipo Ares — impulsivo, intensamente emocional e combativo por natureza — mas teve uma situação familiar mais saudável, e portanto não é basicamente hostil. E ela tem em si muito de Hera para desenvolver um laço duradouro com ele.

Um homem que representa a eterna juventude também atrai muitas mulheres tipo Afrodite, que parecem ter inclinação por homens imaturos, complexos e enfocados subjetivamente com potencial criativo. Eles se assemelham ao deus mensageiro Hermes, o mais jovem dos deuses olímpicos. Ela nota sua influência com palavras inebriantes — especialmente quando ele é poético — e fica fascinada pela sua habilidade de mover-se rapidamente das alturas para as profundezas (emocional ou social). O tipo Hermes pode ser um trapaceiro, como o homem vigarista, que adora passar a perna em mentes mais lentas. Ele é cheio de potencial, muitas vezes muito talentoso embora indisciplinado, carismático e não comprometido com o trabalho ou com ela. Conseguir que ele assuma um compromisso é como tentar segurar uma clara de ovo. Ele fala a linguagem do "talvez", e brinca com a fantasia de viverem juntos ou se casarem. Mas seria melhor que ela não contasse com isso, porque ele é o último a algum dia assumir um compromisso. O sexo com ele é imprevisível e altamente carregado. Ele é amante sensível e encantador, um Peter Pan brincalhão que pode não amadurecer nunca.

As combinações Afrodite-Hermes adaptam-se muito bem às mulheres tipo Afrodite, pelo fato de ambos compartilharem a intensidade do aqui-e-agora e a falta de compromisso. Contudo, se Afrodite e Hera também estiverem influenciando, a parceria se tornará muito penosa para ela. Tal mulher se unirá profundamente a ele e será atormentada pelo ciúme. A sexualidade entre eles é intensa. Ela é monogâmica e quer se casar, mas usualmente precisa decidir-se por um acordo que se adapte à necessidade dele de vir e ir.

Um homem tipo Hermes amadurecido, contudo, é capaz de se comprometer com o trabalho e com um relacionamento, e, como observamos anteriormente, ele pode se casar com uma mulher tipo Héstia; ele será mais provavelmente um homem de negócios ou comunicador do que um eterno jovem esquivo. Nesse caso, o par Afrodite-Hermes pode ser um par excelente. O relacionamento deles pode sobreviver a flertes e ainda a romances, pois nenhum deles é pessoa ciumenta ou possessiva. Além do mais, o relacionamento pode durar porque eles apreciam a companhia e o estilo um do outro. Ela acompanha o ritmo da movimentação dele, que é compatível com o dela. Podem estar intensamente envolvidos um com o outro num momento e independentes no próximo, o que se adapta a ambos.

Casamento

Se Afrodite for um dos diversos arquétipos fortes incluindo Hera, então sua presença intensifica e vitaliza o casamento com sexualidade e paixão. Um casamento monogâmico duradouro, contudo, é muitas vezes difícil de ser conseguido por uma mulher tipo Afrodite. A menos que outras deusas influam para dominar Afrodite num casamento, ou que o casamento seja uma combinação particularmente fortuita, ela provavelmente seguirá um padrão de relacionamentos sucessivos. Por exemplo, a atriz Elizabeth Taylor, cuja imagem pública é a de uma Afrodite contemporânea, tem tido uma série de casamentos.

Relacionamento com mulheres: senhora desacreditada

A mulher tipo Afrodite pode ser desacreditada por outras mulheres, especialmente pelas mulheres tipo Hera. Quanto menos consciente ou menos responsável ela for sobre o seu efeito nos homens, tanto mais destruidor elemento ela poderá ser. Por exemplo, ela pode ir a uma festa e engajar-se em conversas intensas, criticamente carregadas, com os homens mais interessantes de lá. Dessa forma, ela estimula ciúme, sentimentos de inadequabilidade e medo de perda em muitas mulheres que vêem seus maridos reagindo a ela com crescente animação, pois a alquimia entre eles cria uma aura dourada ao redor de ambos.

Quando uma mulher (especialmente uma Hera ciumenta e vingativa) fica zangada com ela, a mulher tipo Afrodite fica muitas vezes abalada. Raramente tolera a má vontade de outras mulheres e, uma vez que ela própria não é possessiva ou ciumenta, muitas vezes tem dificuldade de penetrar na causa da hostilidade em relação a ela.

A mulher tipo Afrodite muitas vezes tem um amplo círculo de mulheres amigas (nenhuma das mulheres tipo Hera) e conhecidos, que apreciam sua espontaneidade e atratividade. Muitas delas compartilham as qualidades de Afrodite com ela. Outras parecem funcionar como suas assistentes, apreciando sua companhia ou vivendo de modo vicário através de suas aventuras amorosas. Contudo, suas amizades duram somente se as amigas não tomarem como ofensa pessoal quando alguma mulher tipo Afrodite lésbica diferir de uma heterossexual somente em sua preferência sexual. Ela também traz a consciência de Afrodite aos relacionamentos e depois, sucessivamente, ela mesma responde à alquimia que gera. Torna-se intensamente envolvida nos relacionamentos, muitas vezes se apaixona e, como conseqüência, em geral tem uma série de relacionamentos importantes. Desejosa de experimentar "tudo o que a vida tem para oferecer", muitas vezes ela tem relacionamentos sexuais com os homens e com as mulheres. Não coagida pela necessidade de viver de acordo com o que os homens esperam que as mulheres sejam, uma Afrodite lésbica — talvez mais do que seu parceiro heterossexual — exercita o privilégio de Afrodite de procurar e escolher seus amantes. O estilo de vida alternativo que a comunidade lésbica oferece adapta-se à sua inconvencionabilidade perpétua.

As mulheres lésbicas algumas vezes descobrem Afrodite através de um relacionamento com outra mulher, como é sugerido por Ruth Falk em seu livro, *Women*

Loving.[2] Ela descreveu o olhar para a beleza de uma mulher, e sentir-se ela própria bonita; tocar numa outra mulher e sentir como se ela tivesse sido tocada. Em seu ponto de vista, cada mulher "espelhava" a outra, permitindo a cada uma encontrar sua própria sensualidade feminina.

Filhos

As mulheres tipo Afrodite gostam de crianças, e vice-versa. A criança sente que essa mulher olha para ele ou para ela com olhar não julgador e compreensivo. Ela arranca a informação dos sentimentos e habilidades da criança de tal modo que esta se sente bonita e aceita. Muitas vezes instila um sentimento de especialidade que pode transmitir confiança ao filho e que ajuda desenvolver habilidades e talentos. Pode encantar os filhos ao comportar-se bem e inspirá-los com seu entusiasmo contagiante pelo que quer que interesse a ela. Essas são qualidades maravilhosas numa mãe. Os filhos das mulheres tipo Afrodite têm sucesso e desenvolvem sua individualidade se as qualidades de Deméter também estiverem presentes.

A mãe tipo Afrodite sabe cativar os filhos, que a vêem como bonita e deslumbrante, mas se (faltando Deméter) ela não considera sua necessidade de segurança emocional e constância, será discordante, o que tem conseqüências negativas neles. Seus filhos então deleitam-se ao receber sua atenção total num momento, e ficam desolados quando sua atenção se volta para qualquer outro lugar no momento seguinte. Uma de minhas pacientes tinha uma mãe tipo Afrodite que a deixava por longos períodos com uma governanta. Ela descrevia as vindas

2. Ruth Falk, *Women Loving.* Random House, New York, e Bookworks, Berkeley, 1975.

para casa que eram tão especiais: "Mamãe precipitou-se para dentro de casa, com os braços estendidos para me cumprimentar. Senti-me como se fosse a pessoa mais importante do mundo". Sua mãe trazia "felicidade com ela"; era como se uma deusa tivesse voltado. Não importava que ela tivesse ressentido a ausência de sua mãe e tivesse ainda ido ao encontro das notícias da volta dela com teimosia; tudo ficava perdoado tão logo ela se aquecesse no fulgor carismático de sua mãe tipo Afrodite. Ela cresceu incerta de suas habilidades, que eram excepcionais, e teve que enfrentar seus sentimentos de inutilidade e depressão, que se comparavam com seu sentimento de quando sua mãe estava longe.

Quando uma atenção inconstante e intensa da mãe tipo Afrodite é focalizada num filho, afeta seus relacionamentos futuros com as mulheres bem como sua auto-estima e potencial para depressão. Ela cria uma intimidade especial entre eles que seduz o homem desabrochante em seu filho e o atrai a ela, e depois ela volta sua atenção para outro lugar. Um rival para a afeição dela, muitas vezes um novo homem, outras alguma outra fascinação, a leva embora, deixando-o sentir-se inadequado, arruinado, impotente, zangado e, algumas vezes, humilhado. O filho sente uma rivalidade pessoal, uma competição que ele perde repetidamente com os homens na vida de sua mãe, sentimentos dos quais as filhas são poupadas. Como homem adulto, tem desejo ardente de ter a intensidade e a especialidade que certa vez sentiu com sua mãe. Baseado em sua experiência de infância com sua mãe, ele desconfia da fidelidade de uma mulher, e pode sentir-se incapaz de manter sua atenção.

A meia-idade

A inevitabilidade do envelhecimento pode ser uma realidade devastadora para a mulher tipo Afrodite, caso sua atratividade tenha sido sua principal fonte de gratificação. Uma vez que ela se torne autoconsciente ou ansiosa de que sua beleza é transitória, sua atenção pode mudar, prevenindo-a da total absorção na outra pessoa. Ela pode estar inconsciente de que essa qualidade de Afrodite, mais do que sua beleza física, foi o que atraiu as pessoas.

Na meia-idade, a mulher tipo Afrodite torna-se também muitas vezes infeliz com sua escolha de parceiros. Pode observar quão freqüentemente foi atraída por homens não convencionais e algumas vezes inconvenientes. Pode querer estabelecer-se no momento, uma possibilidade que pode ter rejeitado antes.

Contudo, os anos da meia-idade não são difíceis para as mulheres tipo Afrodite que estão engajadas no trabalho criativo. Tipicamente, tais mulheres retêm seu entusiasmo e ainda se retiram para o trabalho que as interessa. E agora elas têm mais experiência de onde colher inspiração, e habilidades mais altamente desenvolvidas para se expressar.

A velhice

Algumas mulheres tipo Afrodite retêm a capacidade de ver a beleza e de sempre estarem um pouquinho apaixonadas, no que quer ou quem quer que elas focalizem. Crescem com graça e vitalidade. Seu interesse pelos outros ou o desenvolvimento com o trabalho criativo permanecem o aspecto mais importante de suas vidas. Agarram-se a uma atitude juvenil conforme mudam desenvoltamente de experiência para experiência e de pessoa para pessoa, fascinadas com o que quer que venha a seguir. Tipicamente jovens por dentro, atraem outros a elas e têm amigos de todas as idades. Por exemplo, Imogene Cunningham ainda em seus noventa anos era uma fotógrafa vivaz que continuou a capturar a beleza que via no filme, e sucessivamente atraiu outros para fotografá-la.

Dificuldades psicológicas

Não é fácil ter Afrodite como arquétipo dominante. A mulher que segue a sexualidade instintiva de Afrodite muitas vezes fica, de um lado, prensada entre seu próprio desejo de ligação sexual e sua propensão por gerar energia erótica nos outros e, de outro lado, por uma cultura que a considera mulher promíscua se ela agir de acordo com seus desejos, e uma pessoa provocante se não agir.

Identificação com Afrodite

A mulher mais intimamente identificada com Afrodite é muitas vezes a mulher extrovertida, com ânsia pela vida e um elemento impetuoso em sua personalidade. Gosta de homens e os atrai com sua atratividade e interesse por eles. Sua atenção é sedutora; faz um homem sentir que é especial e *sexy*. Essa atenção convida a uma resposta recíproca nele, gerando atração erótica neles, o que leva ao desejo de intimidade sexual. Se ela se identifica com Afrodite, agirá de acordo com esse desejo sem considerar as conseqüências. Mas as conseqüências podem ser a condenação social, uma série de relacionamentos superficiais, possível exploração pelos homens que só procuram sexo, e subseqüente auto-estima rebaixada. Ela precisa saber como conter Afrodite em algumas circunstâncias, e como responder em outras, como escolher sabiamente "quando e com quem", e como não ser impulsionada pelo arquétipo em situações destrutivas.

Sua maneira apaixonada e atenciosa de relacionar-se pode ser também interpretada erroneamente por homens que erradamente admitem que ela esteja especialmente interessada ou sexualmente atraída por eles. Então, quando ela os rejeita, pode ser tida como uma despedaçadora de corações ou implicante, e censurada por seduzir os homens. Tais homens podem sentir-se enganados e ressentidos, e podem tornar-se hostis e zangados. Como objeto de paixão não desejada e raivosa rejeição, a mulher tipo Afrodite pode ficar ferida, tornar-se zangada, e ficar confusa sobre o que fez, para provocar tais respostas. Quando a mulher tipo Afrodite torna-se consciente desse padrão, pode aprender a refrear o desabrochante ardor de um homem que ela não quer encorajar. Pode mostrar sua indisponibilidade para com ele ou tornar-se mais impessoal na conduta.

Negação de Afrodite

Quando a mulher tipo Afrodite é criada numa atmosfera que condena a sexualidade nas mulheres, ela pode tentar reprimir seu interesse pelos homens, menosprezar sua atratividade e considerar-se má por ter desejos sexuais. Mas a culpa e o conflito provenientes da expressão de sua natureza de Afrodite conduzem-na a um sentimento de depressão e ansiedade. E se ela representar tão bem o papel que separa sua sexualidade e sensualidade de sua consciência, ela perderá o contato com um aspecto principal de sua verdadeira identidade, e portanto perderá sua vitalidade e espontaneidade.

Inconvenientes de viver no presente

As mulheres tipo Afrodite tendem a viver no presente imediato, levando a vida como se ela não fosse nada mais do que uma experiência sensorial. Vivendo sob a pressão do momento tal mulher pode responder como se não houvesse nenhuma conseqüência futura para suas ações, e/ou nenhuma lealdade em curso que pudesse ser incompatível. Essa orientação vai além de um acontecimento impulsivo que provocará ruptura com tudo o que estiver envolvido. Por exemplo, pode comprar coisas bonitas que não pode pagar, ou habitualmente "dar bolo nas pessoas". Faz planos com grande entusiasmo e toda intenção de pô-los em prática. Mas quando chega a hora, pode estar ocupada com alguma coisa ou alguém.

Embora as lições sejam penosas, a experiência é a melhor mestra para a mulher tipo Afrodite. Ela aprende que as pessoas ficam feridas e zangadas quando as trata de acordo com o "longe da vista, longe do coração". Quando não pondera sua situação financeira antes de impulsivamente comprar o que lhe chama a atenção, descobre que cartões de crédito escapam do controle e chegam cartas de cobrança. Repete padrões que causam sofrimento a ela e também aos outros, até que aprende a resistir à tirania do aqui e do agora, que a conduz pela vida como se não houvesse amanhã.

Quando a mulher tipo Afrodite aprende a refletir sobre as conseqüências antes de agir, responderá um tanto menos impulsivamente e se comportará mais responsavelmente. Contudo, as prioridades emocionais continuarão tendo mais peso que as considerações práticas. E ela pode ainda ferir os outros por seu comportamento, mesmo quando delibera antecipadamente no decorrer da ação, porque ela, em última instância, segue o próprio coração.

Casualidades do amor

Os homens podem se tornar casualidades quando a mulher tipo Afrodite "os ama e os deixa". Ela se apaixona muito facilmente, cada vez sinceramente convencida de ter encontrado o homem perfeito. Na magia do momento, ele pode se sentir um deus quando sua deusa, apenas para ser derrubado e substituído. Como conseqüência, ela deixa em sua caminhada uma série de homens feridos, rejeitados, deprimidos ou zangados, que se sentem usados e descartados.

A mulher tipo Afrodite pode passar por uma série de intensos romances, levados cada vez pela magia (ou experiência arquetípica) de estar apaixonada. Para finalizar este padrão, ela deve aprender a amar alguém com "defeitos e tudo", alguém que é um ser humano imperfeito e não um deus. Primeiramente deve tornar-se desencantada com as fascinações sem profundidade, e em geral somente a experiência pode causar tal desilusão. Só então ela pode permanecer num relacionamento o suficiente para aceitar as imperfeições humanas de seu companheiro e as suas próprias, e descobrir as dimensões humanas do amor.

A "maldição" do amor

O poder que a deusa Afrodite tem de fazer os outros amarem pode ser destrutivo. Por exemplo, muitas vezes ela impelia uma mulher a amar alguém que não queria ou não podia retribuir seu amor. Ou criava uma paixão que era vergonhosa ou ilícita, conduziria a um conflito ou humilhação ou eventualmente poderia destruir a mulher ou suas qualidades positivas. Mirra, Fedra e Medéia foram três mulheres mitológicas que acabaram amaldiçoadas. Como resultado, tornaram-se "doentes" de amor. E quando Afrodite ficou zangada com Psiqué, planejou fazê-la apaixonar-se "pelo mais desprezível dos homens". A deusa estava bastante consciente de que o amor poderia causar sofrimento. As mulheres que de maneira infeliz estão comprometidas por amor podem ser vítimas contemporâneas de Afrodite. Algumas procuram auxílio psiquiátrico para sua miséria. Dois padrões típicos têm surgido em minha prática. No primeiro a mulher ama um homem que a trata mal ou que a menospreza. Ela subordina tudo o mais em sua vida pelas "migalhas" de atenção que ocasionalmente obtém. Seu envolvimento pode ser de curta duração ou pode se estender por décadas. Caracteristicamente, ela é atormentada pelo relacionamento e por seus esforços de se convencer de que ele realmente a ama, apesar das provas contrárias. Fica deprimida e infeliz, contudo altamente ambivalente quanto a mudar sua situação. Mas para sentir-se melhor ela teria que abandonar o relacionamento destrutivo, que tem uma influência viciosa nela.

O segundo padrão parece ainda mais sem esperança. Neste caso a mulher ama um homem que deixa claro que não quer nada com ela. Ele a evita quanto pode e sente-se amaldiçoado pelo amor dela, pois não há correspondência. Mais uma vez seu envolvimento obsessivo com ele pode atravessar anos, impedindo efetivamente a possibilidade de qualquer outro relacionamento. Em busca dele ela pode segui-lo até uma outra cidade, como fez uma de minhas pacientes, ou ser presa por invasão ou ainda ser posta para fora da casa dele à força.

Libertar-se dessa maldição de Afrodite é difícil. Para mudar, a mulher deve ver a destrutibilidade dessa ligação e querer deixar o relacionamento. É preciso um tremendo esforço para evitar a tentação de vê-lo e tornar-se novamente envolvida com ele. Mas deve fazer isso antes que possa investir suas emoções em qualquer outro lugar.

Caminhos para o crescimento

O conhecimento do próprio padrão arquetípico é informação valiosa para todos os tipos de mulheres, especialmente para as mulheres tipo Afrodite. Ajuda-as a saber que é de sua natureza "divina" apaixonar-se facilmente, experimentar atrações eróticas, e ter um forte impulso sexual que muitas outras mulheres não têm. Tal conhecimento ajuda a libertar as mulheres tipo Afrodite da culpa de serem quem elas são. Ao mesmo tempo devem tornar-se conscientes de que devem cuidar de seus interesses próprios porque a deusa não o faz.

Embora outros arquétipos de deusa possam não ser proeminentes na mulher tipo Afrodite, eles usualmente estão presentes pelo menos de forma oculta. Com certas experiências de vida, podem crescer em influência compensando ou modificando o poder de Afrodite na psique de uma mulher. Se a mulher tipo Afrodite desenvolve habilidades ou adquire formação, Ártemis e Atenas irão provavelmente crescer em importância. Se se casa e tem um filho, Hera e Deméter podem ter influência estabilizadora. Se desenvolve Héstia através da meditação, pode resistir mais facilmente ao extrovertido atrativo da atração erótica. E cultivar a introversão de Perséfone pode permitir à mulher tipo Afrodite viver uma experiência sexual na fantasia em vez de na realidade.

Quando a mulher tipo Afrodite torna-se consciente de seu padrão e decide modificá-lo de forma que ela ou os outros que ela ama não sejam feridos, uma mudança principal ocorre. Fazer escolhas e prever conseqüências torna-se possível, uma vez que ela pode escolher suas prioridades e agir sobre elas. O mito de Psiqué descreve uma linha de conduta evolutiva que ela pode seguir.

O mito de Psiqué: metáfora para o crescimento psicológico

O mito de Eros (Amor) e Psiqué tem sido usado como analogia para a psicologia do feminino por diversos analistas junguianos, mais notavelmente Erich Neumann em seu livro *Amor and Psyche,* e Robert Johnson em *She.* Psiqué é mulher mortal grávida que procura estar unida com seu marido, Eros, deus do amor e o filho de Afrodite. Psiqué compreende que deve submeter-se a uma Afrodite brava e antagonista se ela um dia tiver que estar reconciliada com Eros. Então ela se apresenta à deusa. Para testá-la, Afrodite lhe dá quatro tarefas.

As quatro tarefas de Afrodite têm importantes significados simbólicos. Cada uma representa uma capacidade que as mulheres precisam desenvolver. Cada vez que Psiqué domina uma tarefa, adquire uma habilidade que não tinha antes, habilidade equacionada na psicologia junguiana com o *animus* ou o aspecto masculino da personalidade da mulher. Embora essas habilidades muitas vezes pareçam "masculinas" para mulheres que, como Psiqué, precisam fazer um esforço para desenvolvê-las, são atributos naturais das mulheres tipo Ártemis ou Atenas.

Como figura mitológica, Psiqué é amante (como Afrodite), esposa (como Hera), e mãe grávida (Deméter). Além do mais, no curso de seu mito ela também vai ao mundo das trevas e retorna e, portanto, assemelha-se da mesma forma a Perséfone. As mulheres que põem os relacionamentos em primeiro lugar e reagem instintivamente ou emocionalmente aos outros precisam desenvolver as habilidades simbolizadas por cada tarefa. Só então podem avaliar suas opções e agir decisivamente em seus melhores interesses.

Tarefa 1: separar as sementes. Afrodite leva Psiqué a uma sala e mostra-lhe um monte enorme de sementes misturadas — milho, cevada, milhete, papoula, ervilha, lentilha e feijão — e lhe diz que ela deve separar cada espécie de semente ou grão em seu próprio monte antes do anoitecer. A tarefa parece impossível, até que uma grande quantidade de despretensiosas formigas vêm em sua ajuda, colocando cada espécie, grão por grão, em seu montículo próprio.

Da mesma forma, quando a mulher deve tomar uma decisão crucial, muitas vezes deve primeiramente classificar uma miscelânea de sentimentos conflituosos. A situação é muitas vezes especialmente confusa quando

Afrodite toma parte na situação. “Classificar as sementes” é então uma tarefa interior, que requer que a mulher olhe honestamente para dentro de si, peneire tudo através de seus sentimentos, valores e motivos, e separe o que é verdadeiramente importante daquilo que é insignificante.

Quando a mulher aprende a deter-se numa situação confusa e não agir até que surja a clareza, ela aprendeu a confiar “nas formigas”. Esses insetos são análogos a um processo intuitivo; os trabalhos deles estão além do controle consciente. Ou a clareza pode vir através de seus esforços conscientes para sistemática ou logicamente avaliar e determinar prioridade aos muitos elementos envolvidos numa decisão.

Tarefa 2: adquirir alguns flocos de lã dourados. Em seguida, Afrodite ordenou a Psiqué que adquirisse alguns flocos de lã dourados dos terríveis carneiros do sol. Trata-se de animais enormes, agressivos e providos de chifres, que ficam no campo, dando cabeçadas um no outro. Se Psiqué tivesse que andar entre eles e tentar apanhar sua lã, seria certamente esmagada ou vencida. Uma vez mais a tarefa parece impossível, até que um verde caniço vem em sua ajuda e a aconselha a esperar até o pôr-do-sol, quando os carneiros se dispersam e se recolhem. Então ela pode apanhar com segurança fios do velo de ouro das amoreiras contra as quais os carneiros tinham se raspado.

Simbolicamente, o velo de ouro representa o poder que a mulher precisa adquirir sem ser destruída na tentativa de conseguir algum. Quando a mulher tipo Afrodite, ou alguma outra deusa vulnerável, sai pelo mundo competitivo onde outros lutam agressivamente pelo poder e posição, ela pode ficar ferida ou desiludida se não reconhecer os perigos. Pode tornar-se insensível e cínica; seu si-mesmo prudente e confiante pode tornar-se “vítima pisoteada”. Uma Atenas encouraçada pode estar no meio de um campo de batalha, diretamente envolvida na estratégia e política, mas a mulher como Psiqué faz melhor observando, esperando e gradualmente adquirindo poder indiretamente.

Adquirir o velo de ouro sem destruir Psiqué é metáfora para a tarefa de ganhar poder e permanecer uma pessoa compassiva. Em minha prática psiquiátrica percebo que guardar essa tarefa em mente é muito útil para toda mulher que está aprendendo a se afirmar. Por outro lado, ao focalizar apenas expressar suas necessidades ou raiva, suas conversas tornam-se confrontações alienadas que não ajudam a alcançar o que ela quer e que a apresentam sob luz destrutiva.

Tarefa 3: encher a jarra de cristal. Para a terceira tarefa Afrodite põe uma jarra de cristal na mão de Psiqué e diz-lhe que deve enchê-la com a água de um regato proibido. Esse regato cai em forma de cascata de uma fonte no pico do mais alto rochedo íngreme até a mais ínfima profundeza do mundo subterrâneo antes de ser levado para cima através da terra para emergir uma vez mais da fonte. Metaforicamente, esse regato no qual Psiqué deve encher sua jarra, representa a corrente circular da vida.

Enquanto ela olha fixamente o regato gelado, que é delineado profundamente num rochedo pontudo e guardado por dragões, a tarefa de encher a jarra parece impossível. Desta vez uma águia vem em sua ajuda. A águia simboliza a habilidade de ver a paisagem de uma perspectiva distante e precipitar-se abaixo para apoderar-se do que é necessitado. Essa não é a percepção usual da mulher, tal como Psiqué, que está tão pessoalmente envolvida que "por causa das árvores não pode ver a floresta".

É especialmente importante para as mulheres tipo Afrodite conseguir alguma distância emocional em seus relacionamentos, para ver padrões totais e selecionar detalhes importantes que lhes possibilitarão apoderar-se do que é significativo. Depois elas podem assimilar a experiência e expressar a forma que sua vida pode tomar.

Tarefa 4: aprender a dizer não. Para a quarta e última tarefa Afrodite ordena a Psiqué que desça ao mundo subterrâneo com uma pequena caixa para Perséfone encher com creme de beleza. Psiqué equaciona a tarefa com a morte. Agora é a vez de uma torre vista ao longe lhe dar conselho.

Essa tarefa é mais do que o tradicional teste de coragem e determinação do herói, porque Afrodite a tornou particularmente difícil. Psiqué é informada de que encontrará pessoas patéticas que lhe pedirão ajuda, e por três vezes ela terá que "endurecer seu coração à compaixão", ignorar seus apelos e continuar. Se não o fizer, permanecerá para sempre no mundo das trevas.

Estabelecer um objetivo e mantê-lo frente a solicitações por ajuda é especialmente difícil para todos, exceto para as mulheres tipo deusa-virgem. As maternais mulheres tipo Deméter e as condescendentes mulheres tipo Perséfone são as mais sensíveis às necessidades dos outros, enquanto as mulheres tipo Hera e Afrodite estão de alguma forma no meio.

A tarefa que Psiqué executa quando diz não três vezes, é para exercitar a escolha. Muitas mulheres permitem serem molestadas e desviadas de fazerem alguma coisa para si mesmas. Não podem realizar o que quer que estabeleceram fazer ou o que é melhor para elas, até que aprendam a dizer não. Se for uma pessoa que necessita de sua companhia e conforto, ou da atração de um relacionamento eroticamente carregado, até que uma mulher possa dizer não à sua suscetibilidade determinada, ela não poderá determinar o curso de sua própria vida.

Através das quatro tarefas, Psiqué evolui. Desenvolve capacidades e forças enquanto sua coragem e determinação são testadas. No entanto, apesar de tudo o que ela adquire, sua natureza básica e prioridades permanecem inalteradas: valoriza um relacionamento amoroso, arrisca todas as coisas por ele, e vence.

Bibliografia

FRIEDRICH, Paul, *The Meaning of Aphrodite.* University of Chicgo Press, Chicago, 1978. Este livro foi a minha fonte principal para amitologia e o simbolismo de Afrodite.

KERÈNYI, Karl, "The Golden one — Aphrodite". In *Goddesses of the Sun and Moon,* Spring, Irving, Texas, 1979, pp. 41-60."The Hymn to Aphrodite", "The Second Hymn to Aphrodite", e "The Third Hymn to Aphrodite". In *The Homeric Hymns,* Spring, Irving, Texas, 1979, pp. 69-83.

JOHNSON, Robert, *She: Understanding Feminine Psychology.* Harper & Row, New York, 1977. Publicado originalmente em 1976.

MAYERSON, Philip, "Aphrodite (Venus)". In *Classical Mythology in Literature, Art, and Music.* Wiley, New York, 1971, pp. 182-210.

NEUMANN, Erich, *Amor and Psyche: The Psychic Develop ment of the Feminine.* Bollingen Series 54, Pantheon, New York, 1956.

OTTO, Walter F., "Aphrodite". In *The Homeric Gods,* Thames & Hudson, New York, publicado em acordo com Pantheon Books, 1979, pp. 91-103.

ZABRISKIE, Philip, "Goddesses in Our Midst". *Quadrant,* outono de 1979, pp. 36-37.

13
Qual deusa conquista a maçã de ouro?

A competição, os conflitos e a aliança entre as deusas ocorrem na psique da mulher como certa vez ocorreram no monte Olimpo. Qual delas uma mulher privilegia? Qual ela ignora? Quanta escolha ela exercita? Essas figuras interiores que representam poderosos padrões arquetípicos concorrem para se expressar, como as próprias deusas gregas outrora disputaram pela maçã de ouro, prêmio decidido pelo julgamento de Páris.

O julgamento de Páris

Todos os deuses olímpicos, menos Éris, deusa da luta e da discórdia, uma deusa menor, foram convidados para o casamento de Peleu, rei de Tessália, com a bela ninfa marítima Tétis. Éris veio para a grande ocasião sem ser convidada, e fez sua vingança pela desconsideração. Ela interrompeu as festividades atirando uma maçã de ouro onde estava gravado "para a mais bela" entre as convidadas reunidas. A maçã rolou pelo chão e foi imediatamente reivindicada por Hera, Atenas e Afrodite. Cada uma sentiu que a maçã era legítima e merecidamente sua. Elas não podiam, certamente, decidir entre si qual era a mais bonita, portanto apelaram pela decisão de Zeus. Ele recusou fazer a escolha, e as enviou ao pastor

Páris, um mortal que sabia apreciar as mulheres bonitas; ele seria o juiz.

As três deusas encontraram Páris vivendo a vida bucólica com uma ninfa dos montes nos declives do monte Ida. Sucessivamente, cada uma das três bonitas deusas esforçaram-se para influenciar sua decisão com um suborno. Hera ofereceu-lhe poder sobre os reinos da Ásia se ele lhe concedesse a maçã. Atenas prometeu-lhe vitória em todas as batalhas. Afrodite ofereceu-lhe a mulher mais bonita do mundo. Sem hesitação Páris declarou Afrodite a mais bela, e ofereceu-lhe a maçã de ouro, incorrendo portanto no ódio eterno de Hera e Atenas.

Este julgamento de Páris conduziu mais tarde à guerra de Tróia. O pastor Páris era príncipe de Tróia. A mulher mais bonita do mundo era Helena, a esposa de Menelau, um rei grego. Páris cobrou sua recompensa raptando Helena e levando-a consigo de volta a Tróia. Esse ato fomentou uma guerra entre gregos e troianos que durou dez anos e terminou com a destruição de Tróia.

Cinco deuses olímpicos dispuseram-se do lado dos gregos: Hera e Atenas (cujo partidarismo pelos heróis gregos era influenciado por sua animosidade em relação a Páris), junto com Posídon, Hermes e Hefesto. Quatro deuses e deusas ficaram do lado dos troianos: Afrodite, Apolo, Ares e Ártemis.

O julgamento de Páris inspirou também uma parte da mais alta literatura e drama na civilização ocidental. Os acontecimentos postos em andamento por aquela decisão foram imortalizados na *Ilíada, Odisséia* e *Eneida,* os três grandes clássicos épicos, assim como nas tragédias de Ésquilo, Sófocles e Eurípides.

Pondo em dia o julgamento de Páris

Cada mulher moderna enfrenta seu próprio julgamento de Páris. As perguntas são as mesmas apresentadas aos convidados do Olimpo: "Qual deusa conquista a maçã de ouro?" e "Quem vai julgar?"

Qual deusa conquista a maçã de ouro?

No mito, apenas três das deusas presentes reivindicaram a maçã para si mesmas. As três foram: Hera, Atenas e Afrodite. Na psique individual da mulher, contudo, as competidoras podem ser diferentes. Talvez apenas duas estejam disputando a maçã, ou três, ou quatro, qualquer combinação das sete pode estar em conflito com outra. Muitas vezes, no interior de cada mulher, arquétipos ativados disputam pela supremacia, ou competem pela predominância.

Dado o mito original, o que significa escolher "a mais bela" — com Hera, Atenas e Afrodite disputando pela primazia sobre as outras duas? Olhando para o que essas três deusas simbolizam, fiquei impressionada pela compreensão de que elas podem representar as três maiores direções que a vida da mulher pode tomar, aspectos no interior de uma mulher que muitas vezes estão em conflito. Hera coloca o casamento em primeiro lugar; assim faria a mulher que se identifica com os objetivos de Hera. Atenas valoriza o uso do intelecto para alcançar a vitória; a mulher que a honra como a mais bela consideraria sua carreira como coisa principal. Afrodite é pela beleza, amor e paixão, e pela criatividade como valores máximos, e a mulher que está de acordo colocará a vitalidade de sua vida subjetiva acima de relacionamentos duradouros e empreendimentos.

Essas escolhas são fundamentalmente diferentes, porque cada uma das três deusas está numa categoria diferente. Hera é uma deusa vulnerável, Atenas uma deusa virgem, e Afrodite é a deusa alquímica. Nas vidas das mulheres, um dos três estilos representados por essas categorias usualmente predomina.

Quem irá julgar?
Quem decide qual deusa irá conquistar a maçã de ouro?

No mito foi um homem mortal quem decidiu. Nas culturas patriarcais, os homens mortais decidem. E, naturalmente, se os homens decidem qual seria o lugar das mulheres, então a escolha é limitada àquilo que convém a eles. Por exemplo, os 3 k — *Kinder, Küche, Kirche* (Crianças, cozinha, igreja), outrora definiam as fronteiras de muitas vidas de mulheres alemãs.

Em nível pessoal, a pergunta "Qual deusa conquista a maçã de ouro?" descreve uma competição constante. Começando pelos pais e parentes, estendendo-se aos professores e colegas de classe, amigos, maridos, e até mesmo crianças, o julgamento de Páris prossegue sem parar, cada um distribuindo ou negando "maçãs de ouro", premiando a mulher com aprovação por aquilo que os agrada. Por exemplo, a garotinha que tem um aspecto de sua personalidade calmo, solitário (graças a Héstia), sendo da mesma forma uma competitiva jogadora de tênis (que pode ser influência de Ártemis ou de Atenas), e cujas qualidades maternais (Deméter) surgem com seus priminhos, descobrirão que ela obtém aprovação mais pelas coisas do que pelos outros. Seu pai a premia por jogar uma boa partida de tênis ou por ser uma boa mãezinha? O que sua mãe valoriza? Trata-se de uma família introvertida, que espera que seus membros passem seu tempo cada um a seu modo? Ou é uma família extrovertida, que pensa que qualquer pessoa que queira estar sozinha seja estranha? É uma garota que se refreia e não mostra quão bom golpe como tenista ela tem, deixando um homem derrotá-la? Dadas as expectativas dos outros, o que ela irá fazer?

Se a mulher deixa os outros decidirem o que é importante para ela, então viverá as expectativas de seus pais e se ajustará às suposições de sua classe social naquilo que ela deveria fazer. Na sua vida serão os outros que determinarão qual deusa será honrada.

Se a mulher decidir por si mesma "qual deusa conquista a maçã de ouro", baseando a decisão na força da deusa em si, então o que quer que decida será significativo para ela. Pode ser ou não algo aprovado pela família e cultura, mas reconhecer-se-á autêntico.

Deusas em conflito: a metáfora da reunião

No interior da mulher as deusas podem rivalizar-se entre si, ou uma delas pode ser dominante. Cada vez que a mulher precisa tomar uma decisão importante, pode haver disputa entre as deusas pela maçã de ouro. Nesse caso, a mulher decidirá entre as prioridades, instintos e padrões concorrentes? Ou o rumo que toma é determinado por ela mesma pela deusa?

Joseph Wheelwright, analista junguiano e um de meus mentores, diz que o que se passa em nossas cabeças pode ser considerado como uma reunião, com vários aspectos de nossa personalidade sentados ao redor da mesa, tanto homem quanto mulher, jovem ou velho, alguns barulhentos e exigentes, outros calmos e desligados. Se somos afortunados, um *ego* saudável senta-se à cabeceira da mesa, presidindo a reunião e decidindo quando e quem deveria ter a vez ou tomar a palavra. Um presidente mantém a ordem como participante atento e executivo eficaz, qualidades de um *ego* em bom funcionamento. Quando o *ego* funciona bem, resulta um comportamento apropriado.

Presidir a reunião não é tarefa fácil, especialmente quando há várias deusas em cada mulher exigindo e reclamando poder, às vezes em conflito umas com as outras. Quando o *ego* da mulher não pode manter a ordem, um arquétipo de deusa pode intervir e assumir o controle da personalidade. Metaforicamente, então, essa deusa governa o ser humano. Ou um equivalente interior de uma guerra olímpica pode ocorrer quando elementos arquetípicos igualmente fortes estão em conflito.

Quando uma pessoa está em conflito interior, o resultado depende de como os "membros" dessa "reunião" determinada trabalham juntos. Como em todas as reuniões, o funcionamento do grupo depende da pessoa dirigente e dos membros — quem são eles, até que ponto seus pontos de vista são fortes, quão cooperativo ou quão controverso é o processo de grupo, e quanta ordem o presidente mantém.

Processo ordenado: as funções do ego como juiz, e todas as deusas têm oportunidade de serem ouvidas

A primeira possibilidade é a de que haja um processo ordenado, presidido por um *ego* observador que pode fazer escolhas claras, baseadas em informação adequada. O *ego* é consciente dos componentes e de suas diferentes necessidades e motivações. Todos os aspectos relevantes da personalidade são ouvidos, a realidade é considerada e a tensão é tolerada. Desde que cada uma das deusas fale por um instinto, valor ou aspecto da psique de uma mulher (a totalidade de sua personalidade), a quantidade de oportunidade de manifestar-se que qualquer deusa tem depende de: a) quão forte é aquele determinado arquétipo; b) quão envolvido ele pode estar naquele determinado item de agenda; c) quanto tempo para falar o *ego* (como presidente) permite à deusa ter.

Por exemplo, a decisão de uma determinada mulher pode ser o que fazer no domingo. Héstia é favorável ao isolamento e propõe um dia calmo em casa. Hera sente obrigação de visitar os parentes de seu marido. Atenas lhe recorda que tem algum trabalho inacabado para fazer quanto à arrecadação de fundos para um projeto. Ártemis sugere ir a uma conferência de mulheres.

Ou a decisão da mulher pode dizer respeito ao que fazer com a segunda metade de sua vida. Aqui, cada aspecto da personalidade, cada deusa, pode ter um interesse próprio na conseqüência. Por exemplo, é esta a época, "agora que as crianças estão crescidas", de acabar com um casamento insatisfatório? Aqui Deméter pode fazer pesar a balança. Ela havia se associado com Hera para permanecer numa situação infeliz "por causa das crianças". Agora ela unirá forças com Ártemis e favorecerá a independência?

Ou esta é a época para voltar à escola, ou fazer uma troca de carreira, considerando portanto Atenas ou Ártemis?

Ou, finalmente, é a vez de Deméter ou de Hera serem ouvidas? A mulher focalizou todas as suas energias no desenvolvimento de sua carreira ou em tornar-se profissionalmente eficiente, e agora, na meia-idade, tendo chegado ao seu destino ou a um platô, sente uma excitação pelo instinto maternal, graças a Deméter? Ou ela sabe que está sozinha, olha os casais com inveja, e quer estar casada, uma vez que até agora recusou-se a considerar Hera?

Ou é a deusa ausente e mais calma de todas, é a vez de Héstia vir à baila, quando a meia-idade traz consigo necessidade de reflexão e busca de valores espirituais?

A meia-idade pode trazer uma nova configuração das deusas, ou a nova proeminência de uma deusa. Essa mudança potencial acontece a cada novo estágio principal de vida — adolescência, idade adulta, aposentadoria, menopausa, assim como a meia-idade. Quando chega uma época de transição, se o *ego* está sob o controle de um processo consciente, ordenado, reflexivo, então a mulher considera as prioridades, fidelidades, valores e fatores da realidade. Ela não força a resolução de escolhas contraditórias. A resolução vem depois que as questões se tornaram claras. Esse processo pode levar cinco minutos, quando ela está decidindo o que fazer no domingo. Ou pode levar cinco anos, quando ela está considerando uma mudança principal de sua vida.

Por exemplo, tenho visto mulheres lutarem anos para resolverem a "questão do bebê". Tal mulher pergunta a si mesma o que fazer com o instinto maternal, o que fazer com a sua carreira. E o que faria ela se o seu marido e ela discordassem, se um quisesse um filho e o outro não? O que faria ela, agora que está lá pelos trinta anos e a maternidade é uma possibilidade limitada pelo tempo?

Todas essas perguntas atormentaram a artista Georgia O'Keeffe, que nunca teve filhos. Pela biografia de Laura Lisle, sabemos que desde a infância O'Keeffe tinha sentido um impulso interior de se tornar artista. Sabemos também que quando estava lá pelos seus vinte e cinco anos ela confidenciou a uma amiga: "Eu tenho que ter um bebê — se não o tiver, minha vida não será completa".[1] Quando "a questão do bebê" se tornou questão principal, estava também profundamente apaixonada por Alfred Stieglitz, com quem primeiro viveu e depois se casou. Ele era uma das forças mais influentes na arte moderna. Sua galeria e sua opinião quanto à arte e artistas foram responsáveis pela reputação dos artistas. Stieglitz estava convencido de que O'Keeffe não deveria tornar-se mãe porque isso a desviaria da pintura. Trinta anos mais velho do que O'Keeffe, e já pai com filhos crescidos, Stieglitz não queria tornar-se pai novamente.

O conflito consigo mesma e com ele quanto à questão

1. Laura Lisle, *Portrait of an Artist: A Biography of Georgia O'Keeffe.* Washington Square Press/Simon & Schuster, New York, em acordo com Seaview Books, 1981, p. 143.

do bebê, que começou em 1918, durou cinco anos, aparentemente resolvido depois que dois acontecimentos fizeram pesar a balança. Em 1923 houve a exibição de uma centena de seus quadros. Talvez pela primeira vez, teve a confirmação exterior de que realizar o sonho de ser uma artista bem sucedida era possível. Naquele mesmo ano, a filha de Stieglitz deu à luz um filho e depois entrou numa forte depressão pós-parto, da qual nunca ficou totalmente recuperada.

Ao interesse por Stieglitz, por seu relacionamento e por sua carreira como artista associaram-se muitos aspectos de O'Keeffe contra um forte instinto maternal. Hera, Afrodite, Ártemis e Atenas, todas se posicionaram contra Deméter.

Embora essa associação das deusas mais a circunstância pesasse na decisão contra ter um filho, O'Keeffe precisava renunciar à possibilidade de ser mãe sem se sentir magoada. Caso contrário, essa questão, ou qualquer outra, não ficaria completamente resolvida. Quando uma pessoa sente que não teve escolha e foi forçada a desistir de alguma coisa importante por circunstância exterior ou compulsão interior, ela se sente zangada, impotente e deprimida. O ressentimento enfraquece sua vitalidade e a impede de concentrar-se completamente no que quer que esteja fazendo, embora a tarefa possa ser significativa. Para O'Keeffe, ou qualquer outra mulher, ser capaz de experienciar a perda de alguma coisa importante e depois mergulhar em trabalho criativo, seu ego tem que ser mais do que um observador passivo que verifica o peso de cada arquétipo. Tem que aprovar ativamente a conseqüência. Para fazer isso a mulher deve ser capaz de dizer: "Compreendo quem sou e quais são as circunstâncias. Afirmo essas qualidades como o meu eu e aceito a realidade como ela é". Só então a energia dedicada a uma causa pode estar livre para outro uso.

A ambivalência do vaivém:
O ego é ineficaz e as deusas competem pela dominação

Embora um processo ordenado seja a melhor solução, lamentavelmente ele não é o único caminho pelo qual um conflito interno pode ser tratado. Se o *ego* concorda passivamente com qualquer que seja o lado que esteja temporariamente no poder, então surge um padrão de vaivém: primeiro "vence" um lado, conseguindo o que quer, e depois o outro.

Por exemplo, a mulher casada pode estar fortemente indecisa quanto a acabar com uma aventura amorosa, sabendo que se ela não acabar com a aventura, esta acabará com o seu casamento. O conflito em seu interior pode ser considerado tão sem resolução e sem fim quanto pareceu outrora a guerra de Tróia. A mulher com um *ego* ineficaz termina repetidamente a aventura, apenas para ser arrastada a ela repetidas vezes.

A guerra de Tróia é a metáfora adequada para essa situação. Helena, a razão de ser da guerra, era como um *ego* passivo no conflito entre o casamento e a aventura. O *ego* passivo é mantido refém, posse primeiro de um lado e depois do outro.

As forças gregas estavam decididas a devolver Helena a seu marido. Do seu lado estavam os defensores do casamento. A principal defensora era Hera, deusa do casamento, que insistia na continuidade da luta até que Tróia fosse destruída e Helena devolvida a seu marido Menelau. Ajudando também os gregos estava Hefesto, deus da forja, que fez a couraça para Aquiles. A simpatia de Hefesto pela posição dos gregos é compreensível, pois ele era o marido enganado de Afrodite. Outro grego aliado foi Posídon, o deus patriarcal que viveu debaixo do mar. E Atenas, defensora dos direitos do patriarcado, naturalmente do lado de seu marido legítimo.

Esses deuses olímpicos representam as atitudes no interior da mulher, que agiriam nela para preservar o casamento. Elas viram o casamento como voto sagrado e como instituição legítima, acreditaram que a esposa é posse do marido, e sentiram simpatia pelo marido.

Afrodite, deusa do amor e vencedora da maçã de ouro, estava naturalmente do lado de Tróia. Curiosamente, da mesma forma estavam Ártemis e Apolo, os gêmeos andróginos, que podem simbolizar os papéis estereotipados para os homens e as mulheres, permitidos somente quando o poder do patriarcado é desafiado. O quarto deus olímpico do lado de Tróia foi Ares, deus da guerra que, como Páris, fez amor com a esposa de outro homem. Ares foi amante de Afrodite.

Esses quatro deuses olímpicos representam elementos ou atitudes na psique de uma mulher que muitas vezes ficam unidos numa aventura. Eles representam paixão sexual e amor. Representam autonomia, uma insistência de que sua sexualidade pertence a ela e não é posse do casamento ou de seu marido. Esses quatro deuses rebelam-se contra os papéis tradicionais e são impulsivos. Juntam forças numa aventura que pode ser vista como declaração de guerra contra o marido.

Se o *ego* da mulher concorda passivamente com o vencedor do conflito interior e da competição exterior, ela irá oscilar entre os dois homens no triângulo. Esta ambivalência danifica ambos os relacionamentos, e tudo o que lhe diz respeito.

A reunião caótica: o ego fica sobrepujado pelas deusas em conflito

Quando surgem conflitos violentos na psique da mulher e o *ego* não consegue manter a ordem, então um processo ordenado não pode sequer começar. Muitas vozes se erguem e daí resulta uma cacofonia de tumulto interno, como se as deusas estivessem gritando seus interesses, cada uma tentando afugentar as outras. O *ego* da mulher não consegue separar o que as vozes estão dizendo dentro dela, enquanto uma grande pressão instala-se no seu interior. A mulher em que tal desordem se instala se sente confusa e pressionada a fazer alguma coisa, num momento em que não consegue manter seus pensamentos em ordem.

Certa vez tive uma paciente lá pelos seus quarenta e cinco anos em que esse caos de reunião foi precipitado enquanto ela estava para deixar o marido. Não havia nenhum outro homem e era um casamento de vinte anos, que outros idealizavam. Enquanto apenas considerava a separação, ela pôde ouvir pontos de vista muito competitivos, mais ou menos racionalmente. Mas quando contou a seu marido o que estava considerando, e saiu para pensar, a confusão interna irrompeu. Disse que se sentira como "se tivesse uma máquina de lavar bradando em minha cabeça" ou "como se estivesse dentro de uma máquina de lavar". Vários aspectos de si mesma estavam reagindo com medo e alarme àquilo que era uma decisão autêntica, embora cheia de riscos.

Por um momento ela ficou imobilizada: seu *ego* estava temporariamente derrotado. Mas, em vez de desistir e voltar atrás, ela persistiu em sua necessidade de separar as coisas e permaneceu com seus amigos até chegar a alguma clareza. Gradualmente seu *ego* recuperou a posição usual, e ela ouviu e considerou as vozes de alarme e medo. Por fim, deixou o marido. Um ano mais tarde estava finalmente segura de que tinha sido a decisão certa.

Em tal situação é útil falar com outra pessoa sobre os medos e impulsos conflituosos, ou escrevê-los por extenso para começar o processo de separar as questões competitivas. Quando uma grande quantidade de problemas é analisada separadamente, o *ego* não se sente desarmado.

A reunião caótica é muitas vezes temporária, um curto lapso seguindo uma reação inicial confusa a alguma coisa que é percebida como nova e ameaçadora. O *ego* em breve e posteriormente restaura a ordem. Contudo, se o *ego* não restaura a ordem, a confusão mental pode conduzir a um esgotamento. A mente permanece cheia de emoções competitivas, pensamentos e imagens. Pensar logicamente torna-se impossível, e a pessoa pára de atuar.

Membros da reunião favorecidos e censurados: o presidente preconceituoso favorece algumas deusas e recusa reconhecer outras

Como presidente, um *ego* preconceituoso reconhece apenas certos membros favorecidos da reunião. Ele silencia outros que expressam necessidades, sentimentos, ou pontos de vista que considera inaceitáveis por estarem fora de pauta. Censura o que quer que não queira olhar ou ouvir, de tal forma que superficialmente parece não existir conflito. "O status da deusa favorecida" é algumas vezes sustentado por umas poucas ou mesmo por uma deusa, cujos planos domina. Essas são as deusas com quem o *ego* se identifica. Entretanto, a perspectiva e prioridades das deusas que não têm aprovação ficam sufocadas e reprimidas. Elas podem ficar emudecidas ou sequer aparecer para estar presentes na reunião. Ao contrário, sua influência é sentida "fora da sala do comitê", ou fora da consciência. As ações, os sintomas psicossomáticos e as disposições de ânimo podem ser expressões dessas deusas censuradas.

O ato de dar vazão é comportamento motivado inconscientemente que reduz a tensão criada pelos sentimentos conflituosos. Por exemplo, certa mulher casada, Bárbara, sente-se ressentida pelo fato de que Susan, irmã de seu marido, sempre admite que ela, Susan, pode sempre conseguir carona com Bárbara. Bárbara não sabe dizer não sem sentir-se egoísta e culpada, e não sabe ficar zangada porque a raiva lhe é inaceitável. Portanto seu *ego* como presidente fica ao lado de Hera e Deméter, as deusas que insistem que ela seja a boa esposa que toma cuidado dos parentes de seu marido e seja uma pessoa zelosa. Seu *ego* reprime as deusas virgens que se ressentem de cuidar dos outros. A tensão interior se estabelece, e ela a descarrega ao "dar vazão". Bárbara "esquece" o compromisso de apanhar Susan. Deliberadamente agüentar Susan teria sido muito hostil, algo que Ártemis e Atenas poderiam mesmo pleitear fazer de propósito. Ao "esquecer", contudo, Bárbara "dá vazão" à hostilidade e desencoraja o hábito de Susan. Bárbara está ainda "inocente" de sua própria raiva e de sua declaração de independência.

Outro exemplo mais significativo de vazão foi proporcionado por uma de minhas pacientes. Ela era esperada numa entrevista para um papel num filme importante. O diretor a tinha visto e achou que ela poderia ser perfeita para o papel, e tinha pedido que a mesma concorresse a uma prova. Era a sua grande chance. A atriz de trinta anos era membro de uma pequena companhia teatral, e vivia com o diretor do teatro. Eles tinham tido um relacionamento muitas vezes interrompido durante três anos.

No seu íntimo ela sabia que ele não poderia tolerar o fato de ela ter mais sucesso do que ele. Mas ela tinha abafado esse conhecimento, junto com um número de outros *insights* que a protegeram de vê-lo como ele realmente era. Quando a oportunidade do filme surgiu, ela se preparou para a entrevista, ensaiou até o último minuto, e tornou-se tão absorvida que "perdeu a noção do tempo". E perdeu o encontro.

Portanto, ela "deu vazão" à sua ambivalência, embora quisesse o papel e conscientemente empregasse seus esforços nele. Ártemis lhe deu a ambição, e Afrodite a ajudou a expressar seu talento. Mas ela estava inconscientemente amedrontada para desempenhar o papel e testar o relacionamento: Hera punha o relacionamento na frente e Deméter protegia o homem de sentir-se ameaçado ou inadequado. Sua decisão de não concorrer ao papel foi feita fora da consciência.

Os sintomas psicossomáticos podem ser expressões de deusas censuradas. Por exemplo, a mulher independente com as qualidades de Atenas, que nunca pede ajuda e que parece nunca precisar de alguém, pode contrair ataques de asma, ou úlceras. Talvez este seja o único modo que seu *ego* possa permitir à dependente Perséfone obter algum sentimento maternal. Ou a nutridora, tipo mãe da terra, pode vir a ter hipertensão lábil. Sua pressão arterial pode subir muitas vezes, passando de normal para alta, quando ela parece especialmente desinteressada. Embora possa não ter bastante de Ártemis para permanecer enfocada em suas próprias prioridades, ela sente tensão e ressentimento quando tão prontamente põe as necessidades dos outros em primeiro lugar.

As disposições de ânimo também podem refletir as deusas censuradas. Aquele ar distante que uma feliz mulher casada assume quando ouve falar de amigas que tomaram rumos diferentes pode representar a agitação das deusas virgens. Aquele indefinido descontentamento sentido pela mulher de carreira quando fica menstruada poderia estar relacionado com uma Deméter insatisfeita.

Mudando mecanismos:
quando várias deusas se "revezam"

As mulheres muitas vezes se descrevem como sendo "mais que uma pessoa," quando diversas deusas se revezam como influência dominante. Por exemplo, Carolyn vende mais de um milhão de dólares de seguro num ano, permanece no comando de uma infinidade de detalhes e sai agressivamente em busca de clientes. No trabalho ela é uma mistura eficiente de Atenas e Ártemis. No lar, o tigre de negócios torna-se um solitário gatinho que anda compassadamente, sem barulho e contente, ao redor da casa e do jardim, como uma Héstia introvertida que encontra prazer na solidão.

Leslie é pessoa modelo em sua agência de publicidade. Suas apresentações brilham. Sua criatividade e habilidade de persuasão fazem dela alguém eficiente. É mistura dinâmica de Ártemis e de Afrodite, que facilmente se torna de mansinho uma Perséfone submissa ao marido.

Ambas as mulheres estão cientes de que se comportam como duas pessoas diferentes, conforme mudam de mecanismos e vão de uma faceta para outra de suas personalidades. As mudanças diárias são perfeitamente naturais para elas. Em cada situação elas sentem que estão sendo verdadeiras consigo mesmas, ou com as deusas que se "revezam" dentro delas.

Conhecendo as mudanças de suas personalidades, as escolhas ou-ou de testes de tipo psicológico confundem ou distraem muitas mulheres, que estão bem conscientizadas de que as respostas dependem de como elas se sentem. Quer descrevam as reações de seu si-mesmo trabalhador ou de seu si-mesmo particular, a mãe ou a artista dentro delas, o modo como reagem quando estão sozinhas ou quando num casal, tudo afetará suas respostas. As respostas e, portanto, o perfil da personalidade freqüentemente parecem depender de "qual deusa" numa mulher esteja fazendo o teste. Como certa psicóloga comentou: "Sou muito extrovertida numa festa, sou eu mesma me divertindo! De repente me observo fazendo uma pesquisa e sou outra pessoa muito diferente". Ela é uma Afrodite esfuziante em outro cenário; extrovertida, emocionalmente sensível e sensual. Em outro é uma Atenas cuidadosa, realizando meticulosamente um projeto que cogitou e para o qual agora deve reunir provas para comprovar.

Quando há um arquétipo principal de deusa que domina a personalidade da mulher, seus testes de tipo psicológico geralmente se conformam à teoria junguiana. Ela será consistentemente extrovertida, reagindo diretamente a acontecimentos exteriores e pessoas, ou introvertida, respondendo às impressões interiores que ela tem; usará ou pensamento (ponderação racional de considerações) ou sentimento (que pondera valores) para avaliar pessoas e situações; e, ou acredita em informações obtidas através dos cinco sentidos, ou através da intuição. Algumas vezes uma das quatro funções (pensamento, sentimento, sensação, intuição) é bem desenvolvida.

Quando há dois ou mais arquétipos dominantes de deusa, a mulher não se ajusta necessariamente a um tipo psicológico. Pode ser igualmente introvertida e extrovertida, dependendo das circunstâncias e da deusa dominante: uma Ártemis ou Deméter extrovertidas podem ficar com a "maçã de ouro" numa situação, mas passá-la às introvertidas Héstia ou Perséfone em outra.

De acordo com a teoria junguiana, o pensamento e o sentimento são funções assessoras; a sensação e a intuição, funções perceptivas. Quando uma dessas quatro deusas é mais desenvolvida, a sua oposta, a outra no par é teoricamente a menos consciente. A teoria se sustenta quando um padrão de deusa fundamenta a personalidade total: enquanto a mulher tipo Atenas pensa com grande clareza, sua habilidade para avaliar valores de sentimento é caracteristicamente quase inexistente. Mas tal pode não ser o caso quando há mais de uma deusa dominante. Por exemplo, se Ártemis junta-se a Atenas como arquétipo ativado, então tanto o pensamento quanto o sentimento podem ser igualmente ou quase igualmente desenvolvidos, proposição contrária à teoria.

Sob essas circunstâncias, quando as deusas cooperam e se revezam no interior da mulher, "qual deusa conquista a maçã de ouro" depende das circunstâncias e da tarefa à mão.

Consciência e escolha

Uma vez que a mulher, através de seu *ego* observador, torna-se consciente dos arquétipos de deusa e desenvolve uma apreciação da reunião como metáfora do processo interior, ela tem duas ferramentas de *insight* muito úteis. Pode ouvir com ouvido sensível as vozes dentro de si, reconhecer "quem" está falando e tornar-se consciente das deusas que a influenciam. Quando estas representam aspectos conflituosos de si mesma que ela deve solucionar, pode focalizar as necessidades e interesses de cada deusa, e depois decidir por si mesma o que é mais importante.

Se algumas deusas estão inarticuladas e difíceis de reconhecer — suas presenças apenas supostas através de um episódio que lhes dá vazão, de um sintoma psicossomático, ou de uma disposição de ânimo — ela pode precisar de tempo e atenção para perceber quem são elas. Ter uma idéia dos padrões arquetípicos e conhecer as capacidades das deusas pode ajudá-la a identificar aquelas que necessitam de reconhecimento.

Uma vez que todas as deusas são padrões inatos em cada mulher, a mulher particular pode compreender a necessidade de familiarizar-se melhor com uma deusa determinada. Nesse caso, os esforços para desenvolver ou reforçar a influência de uma deusa particular podem ser bem sucedidos. Por exemplo, quando Dana estava trabalhando em sua tese, muitas vezes era difícil para ela reunir esforços para fazer pesquisa na biblioteca. Mas imaginar-se como Ártemis numa caçada deu-lhe o estímulo de chegar à biblioteca e procurar os artigos de que necessitava. A imagem de si mesma como Ártemis ativou a energia de que ela necessitava para a tarefa.

Imaginar as deusas pode ativamente ajudar a mulher a conhecer os arquétipos ativos em sua psique. Ela deveria visualizar uma deusa, e depois, uma vez que tenha uma imagem vívida em sua mente, observar se pode ter uma conversa com a imagem visualizada. Ao usar a "imaginação ativa", como é chamado esse processo que foi descoberto por Jung, ela pode fazer perguntas e obter respostas. Se estiver receptivamente enfocada para ouvir uma resposta que não inventa conscientemente, a mulher que use a imaginação ativa muitas vezes se descobre como se estivesse numa conversa real, que aumenta seu conhecimento sobre uma imagem arquetípica que é um aspecto de si mesma.

Uma vez que a mulher pode focalizar os diferentes aspectos de si mesma e pode ouvir, observar, ou sentir suas prioridades divergentes e responsabilidades competidoras, pode depois escolhê-las e medir sua importância para ela. Pode então fazer escolhas conscientes: quando surgem conflitos, ela decide que prioridades colocar acima de outras, e que curso de ação tomará. Como resultado, suas decisões resolvem conflitos internos em vez de instigar guerras interiores. Passo a passo, ela se torna então uma selecionadora que continuamente decide por si mesma qual deusa conquista a maçã de ouro.

Bibliografia

JUNG, C. G., "Psychological Types". CW, vol. 6.

MAYERSON, Philip, "The Trojan War". In *Classical Mythology in Literature, Art, and Music.* Wiley, New York, 1971, pp. 375-422

14
A heroína em cada mulher

Em cada mulher há uma heroína em potencial. Ela é a heroína de sua própria vida, numa viagem que começa com seu nascimento e continua no decorrer de sua vida. Conforme viaja numa determinada trajetória deparará indubitavelmente com o sofrimento, sentirá solidão, vulnerabilidade, incerteza, e conhecerá limitações. Pode também encontrar significado, desenvolver o caráter, experienciar o amor e a graça, e aprender a sabedoria.

A mulher é moldada por suas escolhas, por sua capacidade de fé e amor, por sua habilidade de aprender da experiência e fazer compromissos. Quando surgem dificuldades, se ela avalia o que pode fazer, decide o que fará e se comporta de modo coerente com seus valores e sentimentos, está agindo como a heroína que protagoniza seu próprio mito.

Embora a vida seja repleta de circunstâncias não escolhidas, há sempre momentos de decisão, pontos nodais que decidem acontecimentos ou alteram o caráter. Para ser uma heroína em sua própria jornada heróica, a mulher deve começar com a atitude (ou ainda agir em primeiro plano "como se") que suas escolhas exigem. No processo de viver a partir dessa premissa alguma coisa acontece: a mulher se torna uma selecionadora, uma heroína que modela quem ela se tornará. Ou cresce ou é diminuída por aquilo que faz ou não faz, ou pelas atitudes que mantém.

Minhas pacientes me ensinaram que não foi exatamente o que lhes aconteceu que deu forma ao que elas são. O que aconteceu nelas fez a diferença. O que sentiram e como reagiram interiormente e exteriormente determinou quem se tornaram, muito mais do que o grau de adversidade que encontraram. Por exemplo, tenho encontrado pessoas que subsistiram a infâncias cheias de privações, crueldade, derrotas ou abuso sexual. Além do mais, elas não se tornaram, como se poderia esperar, como os adultos que abusaram delas. Apesar de todo o mal que experienciaram, elas sentiram compaixão pelos outros, tanto na época como agora. A experiência traumática deixou sua marca; elas não ficaram ilesas. No entanto, uma natureza intrínseca de confiança, capacidade de amar e de confiar e um sentimento de si mesmas sobreviveram. Enquanto eu conjeturava por que, comecei a compreender a diferença entre a heroína e a vítima.

Enquanto crianças, cada uma dessas pessoas viu-se de certa forma como protagonista de um drama terrível. Cada uma tinha um mito interior, uma vida fantasiosa ou companheiros imaginários. Uma filha que foi surrada e humilhada por seu pai abusivo, e não foi protegida por sua mãe deprimida, contou que dizia a si mesma, quando era criança, que não fazia parte dessa família inculta da roça; mas que era realmente uma princesa que estava sendo testada por essas provações. Outra criança surrada e sexualmente molestada, que como adulta não se encaixava no padrão (que crianças abusadas eventualmente abusariam de seus filhos), refugiou-se numa vida de fantasia vívida, onde a vida era decididamente diferente. Uma terceira pensou em si mesma como um guerreiro. Essas crianças pensaram com antecedência e planejaram como escapar de suas famílias quando tivessem idade suficiente. Escolheram como poderiam reagir nesse meio tempo. Uma disse: "Eu não permitiria que ninguém me visse chorar", ao contrário, caminharia pelas colinas e, longe dos olhares, choraria. Outra disse: "Penso que minha mente deixou meu corpo. Iria a qualquer outro lugar quando começassem a me tocar".

Essas crianças eram heroínas e selecionadoras. Mantinham um sentimento de si mesmas à parte de como eram ameaçadas. Avaliaram a situação, decidiram como reagiriam no presente e fizeram planos para o futuro.

Como heroínas, elas não eram semideuses fortes e poderosos como Aquiles e Héracles que, na mitologia grega, eram mais fortes e protegidos do que os simples mortais, como nos livros cômicos de super-heróis, ou nas personagens de John Wayne. Essas crianças, como heroínas humanas precoces, foram mais como Hansel e Gretel, que tiveram que usar suas faculdades mentais quando foram abandonadas na floresta, ou quando a bruxa engordava Hansel para o jantar. Essas crianças eram como coelhos que seguiam uma visão para um novo lar no romance de Richard Adams, *Watership Down:* eram pequenas e sem poder, amparadas por um mito interior que lhes dizia que se elas agüentassem e continuassem, chegariam a melhor lugar mais tarde.

Ayla, cuja heróica jornada a leva através dos romances de Jean M. Auel, *The Clan of the Cave Bear* e *The Valley of Horses,* é uma heroína mitológica da Europa na época glacial pré-histórica. O tempo e os detalhes são diferentes e dramáticos, mas os temas são notavelmente semelhantes aos enfrentados pelas heroínas humanas contemporâneas. Ayla deve repetidamente decidir o que fará diante da oposição ou do perigo. Ela é órfã neolítica criada numa cultura Cro-Magnon que a desvaloriza e limita o que ela sabe fazer porque é mulher. Sua aparência, capacidade de comunicar-se e chorar, sua coragem e habilidade de pensar, tudo fica contra ela na cultura. Mas sua coragem se levanta em resposta às circunstâncias que não são de sua própria escolha. O que evolui numa odisséia no *The Valley of Horses* não começou como questão heróica, como é típico nas jornadas empreendidas por heróis humanos, mas como jornada para encontrar outros iguais a ela mesma. Da mesma forma, nas histórias de vida real de mulheres humanas, como nos mitos de heroínas, elos emocionais ou afiliados aos outros são elementos-chave. A mulher heroína é aquela que ama ou aprende a amar. Ou ela viaja com outra ou outras, ou busca união ou reunião em sua busca.

O caminho

Há bifurcações cruciais em toda estrada, onde se deve tomar uma decisão. Que caminho tomar? Que direção seguir? Continuar num curso coerente com os princípios de alguém ou acompanhar outros? Ser honesto ou trapaceiro? Ir para a faculdade ou trabalhar? Ter o bebê ou fazer um aborto? Abandonar um relacionamento ou continuá-lo? Casar-se ou dizer não a determinado homem? Buscar imediatamente auxílio médico ao descobrir um caroço no seio ou protelar? Abandonar a escola ou o emprego, e ver alguma outra coisa? Ter um romance e arriscar o casamento? Desistir ou perseverar? Qual escolha? Qual caminho? Com qual custo?

Relembro uma vívida lição de um curso de economia da faculdade, que no decorrer dos anos achei aplicável na psiquiatria: o valor real de alguma coisa é representado por aquilo que na vida sacrificamos para tê-la. É o caminho não tomado. Assumir a responsabilidade de fazer a escolha é crucial e nem sempre fácil. O que define a heroína é que ela faz isso.

A não-heroína, ao contrário, concorda com a escolha do outro. Em vez de decidir se isso é o que quer fazer, ela consente friamente. O que muitas vezes resulta é uma vítima que se fez por si mesma, que diz, depois do fato: "Eu não queria fazer isso. Foi idéia sua. O erro por termos entrado nessa confusão e de eu me sentir infeliz é todo seu". Ou pode sentir-se vitimada e acusar: "Estamos sempre fazendo o que você quer fazer!", sem admitir que ela nunca tomou posição ou manteve sua posição. Da mais simples pergunta: o que você quer fazer hoje à noite, — à qual responde: "o que você quiser fazer" — seu hábito de acatamento pode arraigar-se até o ponto em que o que faz com sua vida esteja fora de seu controle.

Há outro padrão de não-heroína. É vivido pela mulher que permanece numa encruzilhada, incerta quanto ao que sente, ou desconfortável como alguém que toma decisão, ou de má vontade para fazer uma escolha porque não quer abandonar quaisquer opções. É muitas vezes mulher brilhante, talentosa, atraente, que não está levando a sério a vida, recuando dos relacionamentos que se tornam muito sérios para ela ou de carreiras que requeiram muito tempo ou esforço. Sua atitude não decidida é, na realidade, uma escolha de inatividade. Pode passar dez anos esperando numa encruzilhada, até que se torne consciente de que a vida está passando.

As mulheres precisam se tornar heroínas aptas a fazer escolhas em vez de serem passivas, ou vítimas-mártires, ou joguetes movidos por outras pessoas ou pelas circunstâncias. Tornar-se heroína é uma nova possibilidade iluminadora para as mulheres que foram governadas interiormente pelos arquétipos das deusas vulneráveis. Fazer valer seus direitos é tarefa heróica para as mulheres que foram tão submissas quanto Perséfone; ou que colocaram o marido em primeiro plano, como o faria Hera; ou que deram atenção às necessidades alheias, como Deméter. Agir assim também vai contra o modo como foram criadas.

Além disso, a necessidade de se tornar heroína apta a fazer escolhas é uma sacudida para muitas mulheres que enganosamente pensaram que já haviam conquistado isso. Como mulheres do tipo da deusa virgem, elas podem ter ficado psicologicamente "encouraçadas" como Atenas, independentes das opiniões dos homens como Ártemis, ou auto-suficientes e solitárias como Héstia. Suas tarefas heróicas são arriscar-se à intimidade no relacionamento ou tornar-se emocionalmente vulneráveis. Para elas, a escolha que requer coragem é confiar em alguém, necessitar de alguém ou se tornar responsável por alguém. Falar ou assumir riscos no mundo é coisa fácil para tais mulheres. Para elas é o matrimônio e a maternidade que requerem coragem.

A heroína apta a fazer escolhas deve repetir a primeira tarefa de Psiqué de "separar as sementes" toda vez que estiver numa encruzilhada, e decidir o que fazer no momento. Deve deter-se para selecionar suas prioridades e causas, e as potencialidades na situação. Precisa ver quais são as escolhas, qual poderia ser o custo emocional que as decisões acarretariam e o que importa mais intuitivamente a ela. Com base em quem ela é e no que sabe, deve tomar uma decisão sobre qual caminho seguir.

Aqui toco uma vez mais num tema que desenvolvi em meu primeiro livro *The Tao of Psychology:* a necessidade de escolher um "caminho com o coração". Sinto que devemos deliberar e depois agir, devemos examinar cada escolha na vida com pensamento racional, mas depois basear a decisão naquilo que o coração ditar. Ninguém poderá dizer mais nada se o coração estiver envolvido, e a lógica não pode proporcionar uma resposta.

Muitas vezes quando a mulher enfrenta aquelas escolhas do tipo ou/ou que afetarão grandemente sua vida, há mais alguém pressionando-a para decidir-se: "Case-se!" "Tenha um filho!" "Venda a casa!" "Mude de emprego!" "Abandone!" "Mude-se!" "Diga sim!" "Diga não!" Muitas vezes a mulher tem que decidir em sua mente e em seu coração sob a pressão criada pela impaciência de alguém. Para ser pessoa apta a decisões, precisa insistir em tomar decisões na hora certa, sabendo que a vida é sua, e é ela quem vai conviver com as conseqüências.

Para desenvolver a clareza, ela precisa também resistir à pressão interior de decidir precipitadamente. Inicialmente, Ártemis ou Afrodite, Hera ou Deméter podem dominar com sua intensidade característica ou resposta instintiva. Podem tentar afastar os sentimentos de Héstia, a introspecção de Perséfone, ou o pensamento ponderado de Atenas. Mas essas últimas deusas, quando atendidas, proporcionam um quadro mais completo e permitem que a mulher tome decisões em que todos os aspectos de si mesma sejam considerados.

A jornada

Enquanto a mulher prossegue na jornada da heroína, ela confronta tarefas, obstáculos e perigos. O modo como responde e o que faz a mudarão. Pelo caminho encontrará o que lhe importa, bem como a coragem de agir de acordo com o que sabe. Seu caráter e compaixão serão testados. Enfrentará os aspectos sombrios de sua personalidade, algumas vezes ao mesmo tempo que suas forças se tornam mais evidentes e sua autoconfiança cresce, ou quando o medo a surpreende. Provavelmente conhecerá a mágoa, experimentando a perda, as limitações ou a derrota. A viagem da heroína é uma jornada de descobrimento e desenvolvimento, de aspectos integrantes de si mesma numa personalidade total, embora complexa.

Recuperar o poder da serpente

Toda heroína deve recuperar o poder da serpente.

Para entender a natureza da tarefa, precisamos retornar às deusas e aos sonhos das mulheres.

Muitas estátuas de Hera mostram serpentes entrelaçadas em seus mantos, enquanto Atenas era retratada com serpentes entrelaçadas ao redor de seu escudo. As serpentes foram símbolos da grande deusa pré-grega da velha Europa, e serve como lembrança simbólica do poder outrora detido pela divindade feminina. Uma famosa representação primitiva de uma divindade (Creta 2000—1800 a.C.) era a de uma deusa com seios descobertos, braços estendidos e uma serpente em cada mão.

A serpente muitas vezes aparece no sonho das mulheres como símbolo desconhecido e impressionante, do qual a sonhadora desconfiadamente se aproxima quando começa a sentir que pode afirmar seu próprio poder sobre a sua vida. Por exemplo, o sonho de uma mulher casada de trinta e nove anos, prestes a se separar e viver por si mesma: "Estou numa pista, quando olho adiante e vejo que o caminho no qual estou passará embaixo de uma grande árvore. Uma enorme serpente fêmea está calmamente enrolada ao redor do galho mais baixo. Sei que não é venenosa, e não estou com repulsa. Ela, na verdade, é bonita, mas vacilo". Muitos sonhos como esse vêm à mente, onde a sonhadora está admirada ou consciente do poder da serpente em vez de ficar com medo de seu perigo: "há uma serpente enrolada embaixo de minha carteira...", "vejo uma serpente enrolada no pórtico...", "três cobras estão na sala..."

Sempre que as mulheres começam a reivindicar sua autoridade própria, ou tomar decisões, ou tornarem-se conscientes de terem um novo senso de seu próprio poder político, ou psíquico, ou pessoal, os sonhos com serpentes são comuns. A serpente parece representar essa nova força. Como símbolo, representa o poder outrora possuído pelas deusas, assim como o poder fálico ou masculino, representativo das qualidades do *animus*. Muitas vezes a sonhadora sente se é uma serpente macho ou fêmea, que ajuda a elucidar a espécie de poder que a serpente simboliza.

Coincidindo com esses sonhos, a sonhadora, quando desperta, pode estar enfrentando questões suscitadas depois que ela adotou um novo papel numa posição de autoridade ou de autonomia. Por exemplo: "Posso ser efetiva?" "De que forma o papel me modificará?" "Se eu for forte, as pessoas ainda gostarão de mim?" e "Esse papel ameaçará meus relacionamentos mais importantes?" Os sonhos das mulheres que nunca tiveram antes um senso de sua própria potência parecem dizer que tais mulheres deveriam aproximar-se cautelosamente do poder como fariam com uma serpente desconhecida.

Penso nas mulheres que obtêm um senso de seu próprio poder e autoridade como "recuperando o poder da serpente", que foi perdido pelas divindades femininas e mulheres humanas quando as religiões patriarcais privaram as deusas de seu poder e influência, quando consideraram a serpente como o elemento do mal no jardim do Éden e fizeram das mulheres o sexo inferior. Depois penso numa imagem que representa para mim a possibilidade de que as mulheres ressurjam com poder, beleza e habilidade nutridoras. A imagem é uma terracota de uma bonita mulher ou deusa (representando Deméter, no museu das Termas, em Roma) surgindo da terra, segurando um feixe de trigo, flores, e uma serpente em cada mão.

Resistir ao poder da ursa

A heroína apta a fazer escolhas, ao contrário de seu parceiro macho, pode ser ameaçada pela atração irresistível do instinto materno. A mulher pode tornar-se grávida numa época inoportuna ou em circunstâncias adversas, se não puder resistir a Afrodite e/ou a Deméter. Quando isso acontece, ela pode ser afastada de um caminho escolhido, pois a pessoa então se torna cativa de seu instinto.

Por exemplo, uma estudante graduada que conheci quase perdeu de vista seus objetivos próprios quando se sentiu atraída pelo impulso de se tornar grávida. Estava casada e trabalhando com vistas a um grau de doutoramento quando tornou-se obcecada pela idéia de ter um bebê. Durante essa época, teve um sonho. Nele, uma grande ursa segurava o braço da mulher entre seus dentes e não a deixava em liberdade. A mulher tentava sem êxito livrar-se. Então pediu ajuda a alguns homens, mas não adiantou nada. No sonho ela vagou até deparar com a estátua de uma mãe ursa com os filhotes, que relembra uma estátua de Bufano no Centro Médico de São Francisco. Bastou ela tocar a estátua e a ursa a deixou em liberdade.

Quando pensou no sonho, sentiu que a ursa simbolizava o instinto materno. As ursas verdadeiras são mais extraordinárias, nutridoras e impetuosamente protetoras de suas crias vulneráveis. Quando é hora de seus filhotes já crescidos se defenderem, a ursa-mãe insiste firmemente em que seus filhotes relutantes a deixem e saiam pelo mundo para se defenderem sozinhos. Esse símbolo de maternidade agarrou-se à sonhadora, e não a deixou em liberdade até que ela tocou a imagem de uma ursa maternal.

Para a sonhadora, a mensagem do sonho era clara. Se ela pudesse prometer que teria um filho só depois de terminar sua graduação (somente dois anos depois), talvez a sua obsessão de tornar-se grávida desaparecesse. E, suficientemente segura, depois que ela e seu marido decidiram ter uma criança e ela fez uma promessa interior de tornar-se grávida tão logo terminasse a graduação, a obsessão desapareceu. Mais uma vez pôde concentrar-se nos estudos, sem ser interrompida por pensamentos de gravidez. Uma vez que tocou a imagem, o instinto perdeu seu poder. Sabia que se tivesse que manter igualmente a carreira e a família, tinha que resistir ao poder da ursa tempo suficiente para obter seu grau de doutoramento.

Os arquétipos existem fora do tempo, indiferentes às realidades da vida da mulher ou às suas necessidades. Quando as deusas exercem influência, a mulher como heroína deve dizer sim ou não, ou "agora não" às exigências. Se ela não exercer uma escolha consciente, então um padrão instintivo ou arquétipo assumirá o controle. A mulher precisa "resistir ao poder da ursa" e ainda reverenciar sua importância para ela, se for pega no domínio do instinto materno.

Afastar a morte e a destruição

Nos mitos heróicos cada protagonista invariavelmente levanta-se em seu caminho contra algo destrutivo ou perigoso que poderia destruí-la. Esse tema é também muito comum nos sonhos das mulheres.

Por exemplo, uma advogada sonhou que, exatamente quando tinha pisado fora da igreja na época de sua infância, foi atacada por dois cães negros furiosos. Pularam nela, tentando morder seu pescoço — "ela sentiu como se estivessem procurando sua veia jugular". Quando levantou o braço para precaver-se do ataque, acordou do pesadelo.

A esse tempo, desde que tinha começado a trabalhar, tinha se tornado cada vez mais amarga pelo modo como era tratada. Os homens muitas vezes admitiam que ela era apenas secretária. Até mesmo quando sabiam quem ela era, muitas vezes sentia-se desconsiderada ou diminuída. Por sua vez, tornou-se crítica e hostil.

A princípio, o sonho pareceu-lhe uma afirmação exagerada de como se sentia: "sob ataque" o tempo todo. Depois considerou se havia alguma coisa em si que fosse como os cães furiosos. Pensou sobre o que estava lhe acontecendo nesse emprego, e ficou sobressaltada e angustiada com seu próprio *insight:* "Estou me transformando numa megera vulgar!" Lembrou-se da atitude caridosa e dos tempos mais felizes que ela associava com a igreja de sua infância, e sabia que havia "pisado fora" daquele lugar. O sonho provocou um impacto. A personalidade da sonhadora estava em perigo real de ser destruída pela hostilidade que sentia e dirigia a outros. Estava se tornando cínica e hostil. Na realidade, como no sonho, *ela* estava em perigo, não as pessoas para as quais dirigia sua amargura.

Da mesma forma, os aspectos negativos ou sombrios de uma deusa podem ser destrutivos. O aspecto ciumento, vingativo ou ressentido de Hera pode ser venenoso. A mulher que se torna possuída por esses sentimentos e sabe disso vacila entre ser vingativa e ser amedrontada pelo que sentiu e fez. Como a heroína em suas lutas com a deusa, pode ter sonhos nos quais está sendo atacada por serpentes (indicando que o poder que elas representam é perigoso para a sonhadora). Em certo sonho uma serpente venenosa atirou-se no coração da sonhadora; num outro, uma serpente enterrou suas presas na perna da sonhadora e não a deixava andar. Na vida real, ambas as mulheres estavam tentando vencer uma traição (comportamento "cobra no capim") e enfrentaram o perigo de ficarem dominadas por sentimentos venenosos. Como o sonho dos cães furiosos, esse sonho teve dois níveis de significado; era uma metáfora daquilo que estava acontecendo a ela e nela.

Quando o perigo para a sonhadora vem em forma humana, como homens ou mulheres atacantes ou ameaçadores, o perigo muitas vezes é da crítica ou de um papel destrutivo, enquanto os animais parecem muitas vezes representar sentimentos ou instintos. Por exemplo, certa mulher tinha voltado para a faculdade, quando seus filhos estavam na escola primária; sonhou que uma mulher "carcereira" barrava seu caminho. Esta imagem parecia personificar os julgamentos negativos de sua mãe sobre ela, tanto quanto o papel de mãe com o qual se identificava. O sonho comentava que essa identificação era enclausuradora.

Os julgamentos hostis de imagens interiores são muitas vezes destrutivos. Por exemplo: "você não pode fazer isso por que é (mau, sem graça, incompetente, mudo, sem talento)". Qualquer que seja a ladainha, elas dizem: "Você não tem o direito de aspirar por mais". São mensagens que podem derrotar a mulher e sufocar sua confiança ou boas intenções. Tais críticas são muitas vezes retratadas em sonhos como homens ameaçadores. O criticismo interior usualmente se compara com a oposição ou hostilidade que a mulher enfrentou em seu meio ambiente; os críticos estão imitando as mensagens de sua família ou sua cultura.

Visto psicologicamente, cada inimigo ou demônio enfrentado por uma heroína no sonho ou mito representa alguma coisa destrutiva, primitiva, não desenvolvida, distorcida, ou má na psique humana que busca dominá-la ou derrotá-la. As mulheres que sonharam com cães furiosos e serpentes perigosas viram que conforme estavam lutando com atos prejudiciais ou hostis feitos a elas pelos outros, eram também igualmente ameaçadas pelo que estava acontecendo no seu interior. O inimigo ou demônio pode ser uma parte negativa de sua própria psique, um elemento sombrio que ameaça derrotar o que é compassivo e competente nela; o inimigo ou demônio pode estar na psique de outros indivíduos que querem ferir, dominar, humilhar ou controlá-la; ou, como é muitas vezes o caso, ela pode ser posta em perigo por ambos.

Por exemplo, em *The Clan of the Cave Bear,* as capacidades de Ayla provocam a animosidade de Broud, líder brutal e orgulhoso do grupo, que a humilha e estupra. Em *Watership Down,* os coelhos pioneiros tiveram que enfrentar o General, coelho de um só olho, fascista, louco pelo poder. No *The Fellowship of the Ring,* as corajosas lebres do tamanho de uma criança, providas de patas cobertas de pelo, tinham de enfrentar o poder do mal de Sauron de Mordor e seus horrorosos fantasmas.

Sobreviver à perda e ao pesar

Perda e pesar é outro tema na vida das mulheres e nos mitos da heroína. Em algum lugar, em um momento da caminhada, alguém morre ou deve ser deixado para trás. A perda de um relacionamento tem papel significativo na vida das mulheres porque muitas delas se definem por seus relacionamentos e não por suas realizações. Quando alguém morre, ou as deixa, ou se muda, ou se afasta, isso é conseqüentemente dupla perda: a perda do relacionamento em si, e a perda do relacionamento como fonte de identidade.

Muita mulher que foi parceira dependente num relacionamento descobre-se no caminho da heroína só depois de ter sofrido uma perda. A Psiqué grávida, por exemplo, foi desamparada por seu marido Eros. Em sua procura de conciliação, incumbiu-se de tarefas com as quais evoluiu. As mulheres divorciadas e enviuvadas de qualquer idade devem fazer escolhas e viverem por si mesmas pela primeira vez na vida. Por exemplo, a morte do amado impeliu Atalanta a retornar ao reino de seu pai, onde era realizada a famosa corrida a pé. Isso se compara ao rumo das mulheres que começam uma carreira depois da perda de um relacionamento. E Ayla foi forçada a deixar "The Clan of the Cave Bear" sem seu filho Durc, levando apenas suas memórias e seu pesar.

Metaforicamente, a morte psicológica ocorre toda vez que somos forçados a pôr em liberdade alguma coisa ou alguém e sofrer pela perda. A morte pode ser um aspecto de nós mesmos, um velho papel, uma posição anterior, ou a beleza ou outras qualidades juvenis que já passaram e devem ser choradas; ou um sonho que não existe mais. Ou pode ser um relacionamento, terminado pela morte ou distância, que nos deixa pesar.

A heroína na mulher emergirá ou sobreviverá à perda? Ela pode entristecer-se e prosseguir? Ou desistirá, tornar-se-á amarga, ou dominada pela depressão, e finalizará sua jornada nesse ponto? Se continuar, estará escolhendo o caminho da heroína.

Atravessar a passagem escura e estreita

Muitas jornadas heróicas envolvem a passagem por lugar escuro — através de cavernas nas montanhas do mundo das trevas ou passagens labirínticas para, finalmente, emergir na luz. Ou podem envolver viagem através de desolado terreno baldio ou deserto para terra fértil. Essa viagem é análoga a passar por uma depressão. Tanto nos mitos como na vida, a viajante precisa permanecer em movimento, manter-se em atividade, fazer o que tem que ser feito, manter contato com suas companheiras ou conduzir-se sozinha, para não parar e desistir, até mesmo quando se sente perdida, para ter esperança na escuridão.

A escuridão pode representar sentimentos melancólicos reprimidos (de raiva, desespero, ressentimento, reprovação, vingança, traição, medo e culpa), pelos quais as pessoas devem passar se quiserem sair de uma depressão. É uma noite escura da alma, quando na ausência da luz ou do amor a vida parece sem sentido, uma piada cósmica. Lamentar e perdoar é usualmente o modo de libertar-se. Daí em diante a vitalidade e a luz podem retornar.

Ajuda muito compreender que a morte e o renascimento, no mito e nos sonhos, são metáforas para perda, depressão e reconquista. Em retrospecto, muitos de tais períodos melancólicos tornam-se ritos de passagem, uma época de sofrimento através da qual a mulher aprende alguma coisa de valor, e cresce. Ou pode ser, durante algum tempo, como Perséfone no mundo das trevas, uma cativa provisória que mais tarde se torna guia para os outros.

Evocar a função transcendente

Nos mitos heróicos padrão, depois de começar a busca, enfrentar e dominar perigos, dragões e escuridão, a protagonista invariavelmente fica impedida de prosseguir, incapacitada de avançar ou voltar. Pode haver impossíveis barreiras em toda direção. Ou ela pode precisar resolver um enigma antes que se abra um caminho. O que deveria fazer agora, quando o que sabe conscientemente não é suficiente? Ou quando sua ambivalência na situação é tão forte que uma decisão parece impossível? Ou quando ela está prensada entre a cruz e a espada?

Quando a heroína que faz escolhas se encontra numa situação obscura, em que cada rota ou escolha parece potencialmente desastrosa ou, na melhor das hipóteses, sem saída, a primeira prova que enfrenta é permanecer ela mesma. Em toda crise a mulher é tentada a tornar-se vítima em vez de permanecer heroína. Se permanecer fiel à heroína em si, sabe que está num beco sem saída e pode ser derrotada, mas agarra-se à possibilidade de que alguma coisa possa mudar. Se se transforma em vítima acusará outros, ou amaldiçoará o destino, beberá ou tomará drogas, atacar-se-á com criticismo humilhante, ou desistirá completamente, ou ainda pensará em suicídio. Ou pode abdicar como heroína, tornando-se imobilizada, ou tornando-se histérica, agindo impulsivamente ou irracionalmente até que outra pessoa assuma o controle.

Tanto no mito como na vida, quando a heroína está num dilema, tudo o que pode fazer é ser ela mesma, fiel a seus princípios e lealdades, até que alguma coisa inesperada venha em sua ajuda. Para acompanhar a situação, com a esperança de que uma resposta virá, ela estabelecerá o estágio interior ao qual Jung chamou "a função transcendente". Com isso ele quer falar de alguma coisa que surge do inconsciente para resolver o problema ou mostrar o caminho a um *ego,* ou heroína, que precise de ajuda de alguma coisa além de si (ou em si).

Por exemplo, no mito de Eros e Psiqué, Afrodite deu a Psiqué quatro tarefas que requeriam mais do que ela sabia como fazer. A cada vez ela ficou inicialmente desarmada e depois veio o auxílio ou conselho — através de formigas, um caniço verde, uma águia e uma torre. Da mesma forma, Hipômenes sabia que devia competir numa corrida para ganhar a mão de Atalanta, porque a amava. Mas ele sabia que não podia correr suficientemente rápido para vencer e, portanto, perderia sua vida tentando. Na véspera da corrida, orou pedindo ajuda a Afrodite, que o ajudou a ganhar a corrida e Atalanta. E quando os coelhos valentes em *Watership Down* estavam numa enrascada, Kehaar, a gaivota barulhenta, chegou na hora H, como fez Gandalf, o Mágico, para as lebres. Todas essas estórias são variantes do mesmo enredo como no clássico faroeste, quando o valente grupo menor que o dos atacantes repetidamente ouve a corneta e sabe que a cavalaria vem vindo para salvá-los. Esses enredos do algo-virá-para-o-salvamento são situações arquetípicas. O tema do salvamento fala de uma verdade humana, que a mulher como heroína deve considerar. Quando ela está numa crise interior e não sabe o que fazer, não deve desistir ou agir por medo. Manter o dilema na consciência, esperar por novo *insight* ou circunstância alterada, e meditar ou orar pedindo clareza, tudo convida à solução vinda do inconsciente que pode transcender o impasse.

Por exemplo, a mulher que teve o sonho com a ursa estava numa crise pessoal, e no meio de seu trabalho de doutoramento, quando surgiu o impulso de ter um bebê. O instinto maternal a pegou com a intensidade compelativa de alguma coisa previamente reprimida e agora exigindo seu tributo. Antes do sonho ela foi pega numa situação ou/ou, e que nem era satisfatória. A solução precisava ser sentida e não logicamente alcançada para se mudar a situação. Somente quando o sonho causou nela uma impressão num nível arquetípico, e ela sabia absolutamente que se manteria em seu intento de ter um bebê, pôde confortavelmente adiar a gravidez. O sonho era uma resposta a seu dilema vinda do inconsciente, que ocorreu ao salvamento. O conflito desapareceu quando essa experiência simbólica aprofundou sua compreensão e lhe proporcionou um *insight* sentido intuitivamente.

A função transcendente também pode ser expressa através de acontecimentos sincrônicos, aquelas coincidências significativas entre uma situação psicológica interior e um acontecimento exterior. Quando o sincronismo acontece, pode-se sentir algo como um milagre, causando um arrepio. Por exemplo, há diversos anos uma de minhas pacientes iniciou um programa de auto-ajuda para mulheres. Se ela levantasse uma quantia específica de dinheiro até certo prazo, obteria fundos iguais de uma fundação, que portanto garantiria a existência do programa. Conforme o prazo se aproximava, ela ainda não tinha a quantia necessária. Sabia, contudo, que seu projeto era necessário, e não desistiu. Depois, pelo correio, veio um cheque com a quantia exata que ela precisava. Era o pagamento inesperado, com juros, de um empréstimo há muito esquecido, que ela tinha anulado como um mau débito dois anos antes!

Muitos acontecimentos sincrônicos não proporcionam respostas tão tangíveis a um dilema. Ao contrário, usualmente ajudam a resolver proporcionando clareza emocional ou *insight* simbólico. Por exemplo, fui pressionada por um editor a ter este livro reescrito por uma pessoa específica, cuja tarefa seria a de encurtar consideravelmente o livro e expressar as idéias em estilo mais popular. A mensagem "não é bastante bom" que eu recebera por dois anos deixou-me psicologicamente surrada, e eu estava cansada. Parte de mim, que era como a submissa Perséfone, estava pronta para deixar outra pessoa fazê-lo. E eu estava sendo influenciada por um pensamento ansioso de que isso seria bom. Durante uma semana crítica, após a qual o livro teria sido entregue ao escritor, um acontecimento sincrônico veio em minha ajuda. Um autor visitante vindo da Inglaterra, cujo livro tinha sido reescrito pelo mesmo escritor, em circunstâncias semelhantes, veio a falar com uma de minhas amigas sobre a experiência naquela mesma semana. Ele foi o porta-voz daquilo que eu nunca tinha expresso em palavras, e contudo sabia intuitivamente o que aconteceria: "A alma foi tirada do meu livro". Quando ouvi essas palavras, senti que um *insight* me fora dado. Ele simbolizou o que aconteceria a meu livro, e isso penetrou em minha ambivalência e me livrou para agir decisivamente. Contratei meu próprio editor de texto e pus-me a terminar o livro por mim mesma.

Ouvi a mensagem daquele acontecimento sincrônico forte e claramente. Agradecida pela lição que me fora proporcionada, lembrei-me do antigo ditado chinês que expressa fé e sincronismo e função transcendente desta forma: "Quando o discípulo estiver preparado, o mestre virá".

A função do *insight* criativo é também semelhante à função transcendente. No processo criativo, quando não há por ora nenhuma solução conhecida para um problema, o artista-inventor solucionador do problema tem fé em que exista uma resposta, e permanece com a situação até que a resposta venha. O criador está muitas vezes num estado de tensão elevada. Tudo o que pode ser feito ou pensado, já foi feito. A pessoa então confia num processo de incubação, do qual alguma coisa nova pode emergir. O exemplo clássico é o do químico Kekulé, que descobriu a estrutura da molécula do benzeno. Ele lutou com o problema, mas não pôde resolvê-lo até que sonhou com uma serpente prendendo a cauda com a boca. Intuitivamente sabia que isso proporcionava a resposta: os átomos carbôneos assumiram a forma de círculo. Depois ele testou e provou que a hipótese era verdadeira.

De vítima a heroína

Ao pensar sobre a jornada da heroína, fiquei impressionada ao ver como a organização dos Alcoólatras Anônimos (*AA)* transforma um alcoólatra de vítima em heroína ou herói. Os *AA* evocam a função transcendente e, na prática, proporcionam lições de como tornar-se alguém apto a fazer escolhas.

A alcoólatra começa por aceitar que está num dilema desesperado: não pode continuar a beber, e não pode parar. Nesse ponto, em desespero, junta-se a uma associação na qual as pessoas da mesma jornada ajudam-se umas às outras. Dizem-lhe que ela deve invocar um poder maior do que ela mesma para tirá-la dessa crise.

Os *AA* enfatizam a necessidades de aceitar o que não pode ser mudado, mudar o que puder ser mudado, e saber a diferença. Ao ensinar a pessoa a viver um dia por vez, os princípios dos *AA* mostram o que é necessário quando uma pessoa está num estado emocional instável e não pode ver o rumo claramente. Gradualmente a alcoólatra torna-se uma pessoa apta a fazer escolhas. Descobre que a ajuda, vinda de um poder maior que o *ego*, é acessível. Descobre que as pessoas podem se ajudar mutuamente e perdoar uma às outras. E ela descobre que pode ser competente e ter compaixão pelos outros.

Da mesma forma, a jornada da heroína é uma busca de individuação. Por esse caminho, a heroína pode encontrar, perder e redescobrir o que tem sentido para ela, até que se prenda a esses valores em todas as espécies de circunstâncias que a testam. Ela pode encontrar repetidamente o que quer que ameaça vencê-la, até que finalmente termine o perigo de perder a sua individualidade.

Em meu escritório, tenho um quadro do interior de um náutilo com câmaras, que pintei há muitos anos. Ele enfatiza o padrão em espiral da concha, e é útil como lembrança de que o caminho que tomamos tem muitas vezes a forma de espiral. Nós giramos através de padrões que nos trazem repetidamente de volta aos arredores de qualquer que seja a nossa problemática, e que devemos enfrentar e dominar. Muitas vezes é o aspecto negativo de uma deusa que pode nos ajudar: uma suscetibilidade para entrar em depressões características de Deméter ou de Perséfone; um problema com o modo ciumento e a desconfiança de Hera; a tentação de ser uma Afrodite promíscua, ou uma inescrupulosa Atenas, ou uma desumana Ártemis. A vida nos presenteia com repetidas oportunidades de enfrentarmos o que tememos, aquilo de que necessitamos tornar-nos conscientes, ou o que necessitamos dominar. Cada vez que giramos ao redor do caminho em espiral para o lugar que nos apresenta dificuldade, esperançosamente, ganhamos mais consciência e podemos responder mais sabiamente na próxima vez; até que possamos finalmente passar através daquele lugar problemático em paz e em harmonia com nossos valores mais profundos, e não sermos de modo algum afetados negativamente.

O fim da jornada

O que acontece no fim do mito? Eros e Psiqué estão reunidos, seu casamento é respeitado no monte Olimpo, e Psiqué gera uma filha chamada Alegria. Atalanta escolhe as maçãs, perde a corrida, e casa-se com Hipômenes; Ayla viaja pelas estepes da Europa para encontrar outras como ela mesma; termina essa parte de sua narrativa no Vale dos Cavalos, com Jondalar como seu companheiro e com a promessa favorável de aceitação pelos outros. Observe que depois de provar sua coragem e competência, a heroína não vai cavalgar sozinha ao pôr-do-sol, como o arquetípico herói *cowboy*. É na união, na reunião e no lar que a sua jornada termina.

A jornada da individuação — a busca psicológica da integridade,— termina na união dos opostos; no acasalamento interior dos aspectos "masculino" e "feminino" da personalidade que podem ser simbolizados pela imagem oriental do "yin" e "yang" contidas dentro de um círculo. Dito mais abstratamente e sem designar gênero, a jornada em direção à integridade resulta em ter-se a habilidade de ser ao mesmo tempo ativo e receptivo, autônomo e íntimo, trabalhar e amar. Esses são aspectos de nós mesmos que podemos vir a conhecer através das experiências de vida, aspectos que são inerentes a todos nós. Esse é o potencial humano com o qual começamos.

Nos capítulos finais de *The Fellowship of the Ring,* as últimas tentações de usar o anel foram superadas e o anel do poder foi destruído para sempre. Ganho esse "round" sobre o mal, completada a tarefa heróica, as lebres voltaram para casa no Shire. Os coelhos de *Watership Down* também sobreviveram na sua heróica jornada de vir para o lar, para sua nova comunidade tranqüila. T. S. Eliot, em *The Four Quartets,* escreve:

> Nunca cessaremos de explorar.
> E o fim de toda nossa exploração
> Será chegar aonde começamos
> E termos de conhecer o lugar pela primeira vez.[1]

Todos os fins parecem pouco espetaculares — comparando-se com a vida real. O alcoólatra recuperado pode ter ido ao inferno e voltado agora para reaparecer como pessoa sóbria normal. A heroína que repeliu ataques hostis, reclamou seu poder e lutou com as deusas pode parecer da mesma forma normal — em paz consigo mesma. Como a lebre em sua casa no Shire, contudo, ela não sabe se ou quando uma nova aventura que uma vez mais testará seu ser se anunciará.

Quando chega a hora de dar alta aos pacientes, quando o trabalho que juntos fizemos termina, penso em mim mesma como alguém que os acompanhou num difícil e significativo aspecto de suas jornadas. Chegou a hora de continuarem por si mesmos. Talvez eu me uni a eles quando estavam entre a cruz e a espada. Talvez eu os ajudei a encontrar o caminho que tinham perdido. Talvez permaneci com eles por algum tempo numa passagem sombria. Principalmente, eu os ajudei a ver com mais clareza e os ajudei a fazerem suas próprias escolhas.

No momento em que termino de escrever e chego ao final deste livro, espero que possa ter sido sua companheira por algum tempo, compartilhando o que tenho aprendido com você, ajudando-a a ser uma pessoa apta a fazer escolhas no decorrer de sua própria jornada pessoal.

1. T. S. Eliot, *Four Quartets.* Harcourt Brace Jovanovich, New York, (sem data), p. 59.

Bibliografia

ADAMS, Richard, *Watership Down.* Avon Books, New York, publicado em acordo com Macmillan, 1975.

AUEL, Jean M., *The Clan of the Cave Bear.* Bantam Books, New York, em acordo com Crow Publishers, 1981.

AUEL, Jean M., *The Valley of Horses.* Crow Publishers, 1982.

TOLKIEN, L. R. R., *The Fellowship of t he Ring Trilogy.* Ballantine Books, New York, em acordo com Houghton Mifflin, 1965.

APÊNDICE
Quem é quem na mitologia grega

Afrodite: Deusa do amor e da beleza, conhecida pelos romanos como Vênus. Infiel esposa de Hefesto, o aleijado deus da forja, ela teve muitos romances e muitos filhos devido às suas numerosas relações amorosas: Ares, o deus da guerra; Hermes, o deus mensageiro, e Anquises, pai de Enéias (de quem os romanos dizem que são descendentes). Eles foram alguns de seus mais notáveis amantes. É a deusa alquímica.

Apolo: Também conhecido como Apolo pelos romanos, o elegante deus do sol e das belas artes, medicina e música. Era um dos doze deuses olímpicos, filho de Zeus e Leto, e irmão gêmeo de Ártemis. Algumas vezes também referido como Hélio.

Aquiles: Herói grego da guerra de Tróia, que foi protegido por Atenas.

Ares: Ou Marte, como era chamado pelos romanos, era o belicoso deus da guerra. Um dos doze deuses olímpicos, Ares era filho de Zeus e Hera. De acordo com Homero, ele foi menosprezado por seu pai por parecer-se com a mãe. Ares foi amante de Afrodite, com quem teve três filhos.

Ártemis: A quem os romanos chamavam Diana, era a deusa da caça e da lua. Era uma das três deusas virgens, filha de Zeus e Leto, e irmã gêmea de Apolo, deus do sol.

Atalanta: Mulher mortal que se destacou como caçadora e corredora. Com a ajuda das três maçãs de ouro de Afrodite, foi derrotada numa corrida a pé por Hipômenes, que a ganhou como esposa.

Atenas: Conhecida como Minerva pelos romanos. Era a deusa da sabedoria e das artes, patrona de sua cidade homônima Atenas, e protetora de numerosos heróis. Usualmente retratada usando couraça e conhecida como a melhor estrategista na batalha. Reconheceu um só genitor, Zeus, mas foi considerada também a filha da sábia Métis, a primeira esposa de Zeus. Era uma deusa virgem.

Crono: Ou Saturno (romano). Um titã e o filho mais jovem de Géia e Urano, que castrou seu pai e se tornou o deus líder. Marido de Réia e pai de seis dos deuses olímpicos (Héstia, Deméter, Hera, Hades, Posídon, Zeus), que engoliu quando nasceram. Foi sucessivamente dominado por seu filho mais jovem, Zeus.

Deméter: Conhecida pelos romanos como Ceres. Deméter é a deusa do cereal ou da agricultura. Em seu mito mais importante, a ênfase está em seu papel como mãe de Perséfone. Era uma deusa vulnerável.

Dioniso: Conhecido como Baco entre os romanos, o deus do vinho e do êxtase, com quem mulheres adoradoras anualmente procuravam obter comunhão nas montanhas, através de diversões ou orgias.

Eros: Deus do amor, também conhecido entre os romanos como Amor. Marido de Psiqué.

Géia: Deusa da terra. Mãe e esposa de Urano, pais dos Titãs.

Hades: Ou Plutão, governador do Inferno, filho de Réia e Crono, marido-raptor de Perséfone, e um dos doze deuses olímpicos.

Hécate: Deusa das encruzilhadas, que olhava em três direções. Era associada com o estranho e o misterioso, e foi uma personificação da bruxa sábia. Hécate era associada com Perséfone, a quem acompanhou quando a jovem retornou do Inferno, e com a deusa da lua Ártemis.

Hefesto: Conhecido pelos romanos como Vulcano, é o deus da forja e patrono dos artesãos. Foi o marido enganado de Afrodite, e o filho aleijado ou de pé torto rejeitado por Hera.

Hera: Também conhecida como Juno pelos romanos. Era a deusa do casamento. Como esposa oficial de Zeus, era a deusa de mais alta posição social no monte Olimpo. Filha de Crono e Réia, era também a irmã de Zeus, e dos outros deuses olímpicos da primeira geração; retratada por Homero como megera ciumenta, e reverenciada em sua adoração como deusa do casamento. Uma das três deusas vulneráveis, ela personifica o arquétipo da esposa.

Hermes: Mais conhecido pelo seu nome romano Mercúrio. Era o mensageiro dos deuses, o deus patrono do comércio, comunicação, viajantes e ladrões. Ele conduzia as almas ao Hades; foi enviado por Zeus para trazer Perséfone de volta a Deméter. Teve um romance com Afrodite e foi ligado a Héstia no lar e nos rituais do templo religioso.

Héstia: Também conhecida como a deusa romana Vesta, a deusa virgem da lareira e a menos conhecida dos deuses olímpicos. Seu fogo tornava sagrado o lar e o templo. Personifica o arquétipo do si-mesmo.

Páris: Príncipe de Tróia, concedeu a maçã de ouro inscrita "para a mais bela" a Afrodite, que a ofereceu a Helena, a mulher mais bela do mundo, como suborno. Páris levou Helena consigo para Tróia, instigando dessa maneira a guerra de Tróia, porque ela já estava casada com Menelau, rei grego.

Perséfone: Também aludida pelos gregos como Coré ou a jovem, e chamada pelo nome de Prosérpina pelos romanos. Foi a filha raptada de Deméter que se tornou rainha do Inferno.

Posídon: Deus do mar, um deus olímpico mais comumente conhecido pelo nome romano de Netuno. Estuprou Deméter enquanto esta procurava sua filha raptada Perséfone.

Psiqué: Uma heroína mortal que concluiu as quatro tarefas de Afrodite e ficou reunida com seu marido *Eros*.

Réia: Filha de Géia e Urano, irmã e esposa de Crono. Mãe de Héstia, Deméter, Hera, Hades, Posídon e Zeus.

Urano: Também conhecido como o céu, pai céu, ou os céus. Gerou os titãs com Géia, e foi castrado por seu filho Crono, que atirou seus órgãos genitais no mar, de onde nasceu Afrodite (de acordo com uma versão).

Zeus: Chamado Júpiter ou Jove pelos romanos. Governador dos céus e da terra, e deus-chefe dos olímpicos. Filho mais jovem de Réia e Crono, que derrotou os titãs e estabeleceu a supremacia dos deuses dos olímpicos como governadores do universo. Embora marido de Hera, teve muitas esposas, muitos romances e numerosos filhos dessas ligações, muitos dos quais formaram a segunda geração de deuses olímpicos, os heróis da mitologia grega.

Bibliografia

ZIMMERMAN, J. E., *Dictionary of Classical Mythology*. Bantam Books, New York, em acordo com Hasper & Row, 1964.

QUADRO DAS DEUSAS OLIMPICAS

Deusa	Categoria	Função arquetípica	Outros dados dignos de nota
Ártemis (Diana) Deusa da caça e da lua	Deusa virgem	Irmã Competidora Feminista	Companheiras (Ninfas) Mãe (Leto) Irmão (Apolo)
Atenas (Minerva) Deusa da inteligência e das artes	Deusa virgem	"Filha do Pai" Estrategista	Pai (Zeus) Heróis escolhidos
Héstia (Vesta) Deusa da lareira e do templo	Deusa virgem	Solteirona Mulher sábia	Nenhum
Hera (Juno) Deusa do casamento	Deusa vulnerável	Esposa Fiel aos compromissos	Marido (Zeus)
Deméter (Ceres) Deusa do cereal	Deusa vulnerável	Mãe Nutridora	Filha (Perséfone) ou filhos
Perséfone (Prosérpina) Jovem e rainha do Inferno	Deusa vulnerável	"Filha da mãe" Mulher receptiva	Mãe (Deméter) Marido (Hades/Dioniso)
Afrodite (Vênus) Deusa do amor e da beleza	Deusa vulnerável	Amante (Mulher sensual) Mulher criativa	Amantes (Ares, Hermes) Marido (Hefesto)

QUADRO DAS DEUSAS OLÍMPICAS (continuação)

Deusa	Tipos psicológicos junguianos	Dificuldades psicológicas	Forças
Ártemis	Normalmente extrovertida Normalmente intuitiva Normalmente carinhosa	Dificuldades psicológicas Distância emocional, crueldade, rancor.	Habilidade no estabelecimento e realização dos objetivos, independência, autonomia; amizade com as mulheres.
Atenas	Normalmente extrovertida Definitivamente reflexiva Normalmente sensível	Distância emocional, astúcia, carente de empatia.	Habilidade de pensar corretamente, de resolver problemas práticos e estrategizar; forma alianças sólidas com os homens.
Héstia	Definitivamente introvertida Normalmente sensível Normalmente intuitiva	Distância emocional, carência social.	Habilidade de apreciar a solidão; de ser espiritualmente criativa.
Hera	Normalmente extrovertida Normalmente carinhosa Normalmente sensível	Ciumenta, vingativa, rancorosa, inabilidade de abandonar um relacionamento destrutivo.	Habilidade de manter os compromissos assumidos durante toda a vida; fidelidade.
Deméter	Normalmente extrovertida Normalmente carinhosa	Depressiva, desgastada, dependente como agente de nutrição, gravidez não planejada.	Habilidade de ser maternal e nutridora de outros; generosidade.
Perséfone	Normalmente introvertida Normalmente sensível	Depressiva, manipuladora, voltada para o fantasioso.	Habilidade de ser receptiva; de apreciar imaginação e sonho; potencial para habilidades psíquicas.
Afrodite	Definitivamente extrovertida Definitivamente sensível	Relacionamentos sucessivos, promiscuidade, dificuldade em considerar as conseqüências.	Habilidade de apreciar o prazer e a beleza; de ser sensual e criativa.

Bibliografia

Esta bibliografia está dividida em quatro partes: 1. Mitologia; 2. Psicologia arquetípica (psicologia analítica junguiana); 3. Psicologia da mulher (além da junguiana); 4. Psicologia geral (importante para este livro).

1. Mitologia

Bullfinch's Mythology. Hamlyn, Middlesex, England, 1964.

Bullfinch's Mythology: The Greek and Roman Fables Illustrated. Compilado por Bryan Holme, com introdução de Joseph Campbell. Viking Press, New York, 1979.

CALLIMACHUS, "To Artemis". In *Hymns and Epigrams,* Harvard University Press, Cambridge, Massachussets, 1969.

CAMPBELL, Joseph, *The Hero with a Thousand Faces.* Bollingen Series, Princeton University Press, Princeton, N. J., 1968.

CAMPBELL, Joseph, "Joseph Campbell on the Great Goddess". *Parabola* 5, nº 4, 1980.

EVSLIN, Bernard, "Atalanta". In *Heroes, Gods and Monsters of the Greek Myths,* Bantam Pathfinder, New York, publicado em acordo com *Scholastic* Magazine, 1975. (Originalmente publicado em 1966).

FRIEDRICH, Paul, *The Meaning of Aphrodite.* University of Chicago Press, Chicago, 1978.

GARNELL, L. R. (Lewis Richard), *The Cults of the Greek States.* Caratzas Brothers, New Rochelle, N. Y., 1977, vol. 1, caps. 7, 8, 9 (Hera); vol. 1, caps. 10, 11, 12 (Atenas); vol. 2, caps. 13, 17, 18 (Ártemis); vol. 2, caps. 21, 22, 23 (Afrodite); vol. 3, caps. 2, 3, 4 (Deméter-Coré); vol. 5, cap. 8 (Héstia). Originalmente escrito entre 1895 e 1909.

GIMBUTAS, Marija, *The Goddesses and Gods of Old Europe: 6500-3500, Myths and Cult Images.* University of California Press, Berkeley e Los Angeles, 1982.

GRAVES, Robert, *The Greek Myths.* Penguin, New York, 1979-1982. (Originalmente publicado em 1955).

GRAVES, Robert, *The White Goddess.* Farrar, Straus & Giroux, New York, 1980. (Originalmente publicado em 1948).

GUTHRIE, W. K. C., *The Greeks and Their Gods.* Beacon Press, Boston, 1950.

HADAS, Moses, org., *Greek Drama.* Bantam, New York, 1982. (Originalmente publicado em 1965).

HAMILTON, Edith, *Mythology.* Little, Brown, Boston, 1942.

HARRISON, Jane Ellen, *Mythology.* Harcourt Brace Jovanovich, New York, 1963. (Originalmente publicado em 1924).

HESIOD, *Theogony.* In *Hesiod,* The University of Michigan Press, Ann Arbor, Michigan, 1959.

HOMER, *The Iliad.* University of Chicago Press, Chicago, 1951. *The Homeric Hymns.* Spring, Irving, Texas, 1979.

JAMES, E. O. (Edwin Oliver), *The Cult of the Mother Goddess.* Thames & Hudson, London, England, 1959.

KERÈNYI, C., *The Heroes of the Greeks.* Thames & Hudson, London, 1959.

KERÈNYI, C., *The Gods of the Greeks.* Thames & Hudson, New York, 1979. (Originalmente publicado em 1951).

KERÈNYI, Karl, *Athene: Virgin and Mother.* Spring, Zurich, Switzerland, 1978.

KERÈNYI, Karl, *Goddesses of the Sun and Moon.* Spring, Irving, Texas, 1979.

MAYERSON, Philip, *Classical Mythology in Literature, Art, and Music.* Wiley, New York, 1979.

MONAGHAN, Patrícia, *The Book of Goddesses and Heroines.* Dutton, New York, 1981.

OTTO, Walter F., *The Homeric Gods.* Thames & Hudson, NewYork, 1979. (Originalmente publicado em 1954).

SPRETNAK, Charlene, *Lost Goddesses of Early Greece: A Collection of Pre-Hellenic Mythology.* Beacon Press, Boston, 1981. (Originalmente publicado em 1978).

WALKER, Barbara G., *The Woman's Encyclopedia of Myths and Secrets.* Harper & Row, San Francisco, 1983.

ZIMMERMAN, J. E., *Dictionary of Classical Mythology.* Bantam Books, New York, 1978. (Originalmente publicado em 1964).

2. Psicologia arquetípica (psicologia analítica junguiana)

BERRY, Patrícia, "The Rape of Demeter/Persephone and Neurosis". *Spring,* 1975.

BRADWAY, Katherine, "Hestia and Athena in the Analysis of Women". *Inward Light* 41, nº 91, 1978.

CLAREMONT DE CASTILLEJO, Irene, *Knowing Woman.* Putnam's Sons, New York, 1973. Publicado para a C. G. Jung Foundation For Analytic Psychology.

DEMETRAKOPOULOS, Stephanie A., "Hestia, Goddess of the Heart: Notes on an Oppressed Archetype", *Spring,* 1979.

DEMETRAKOPOULOS, Stephanie A., "Life Stage Theory, Gerontological Research, and the Mythology of the Older Woman: Independence, Autonomy, and Strength". *Anima* 8, nº 2, 1982.

DOWNING, Christine, "Persephone in Hades". *Anima* 4, nº 1, 1977.

DOWNING, Christine, "Coming to Terms with Hera". *Quadrant* 12, nº 2, 1979.

DOWNING, Christine, *Goddess: Mythological Images of the Feminine.* Crossroad, New York, 1981.

DOWNING, Christine, "Goddess Sent Madness". *Psychological Perspectives,* 12, nº 2, 1981.

DOWNING, Christine, "Come Celebrate with Me". *Anima* 9, nº 1, 1982.

ELIAS-BUTTON, Karen, "Athena and Medusa: A Woman's Myth". *Anima* 5, nº 2, 1979.

GOLDENBERG, Naomi R., "Archetypal Theory after Jung". *Spring,* 1975.

HALL, Nor, *The Moon and the Virgin: Reflections on the Archetypal Feminine.* Harper & Row, New York, 1980.

HARDING, M. Esther, *The Way of All Women.* Putnam's, New York, 1973.

HARDING, M. Esther, *Woman's Mysteries: Ancient and Modern.* Bantam, New York, 1973. Edição brasileira *Os mistérios da mulher,* Edições Paulinas, São Paulo, 1985.

HARDING, M. Esther, "The Value and Meaning of Depression". *Psychological Perspectives* 12, nº 2, 1981.

HEISLER, Verda, "Individuation through Marriage". *Psychological Perspectives* 1, nº 2, 1970.

HILLMAN, James, "Anima". *Spring,* 1973.

HILLMAN, James, "Anima II". *Spring,* 1974.

HILLMAN, James, *The Dream and the Underworld.* Harper & Row, New York, 1979.

HILLMAN, James, "Ananke and Athene". In *Facing the Gods,* Spring, Irving, Texas, 1980.

HILLMAN, James, org., *Facing the Gods*. Spring, Irving, Texas, 1980.
JOHNSON, Robert, *She: Understanding Feminine Psychology*. Harper & Row, New York, 1977. (Originalmente publicado em 1976).
JUNG, Emma, *Animus and Anima*. Spring, New York, 1969. (Originalmente publicado em 1957).
JUNG, C. G. Todas as referências às obras de Jung foram tomadas da Collected Works of C. G. Jung, editada por Sir Herbert Read, Michael Fordham, and Gerald Adler, Bollingen Series 20, Princeton University Press, Princeton, N. J.
JUNG, C. G., *The Practice of Psychotherapy*. CW, vol. 16, 1966.
JUNG, C.G., *Two Essays on Analytic Psychology*. CW, vol. 7, 1966.
JUNG, C. G., *Alchemical Studies*. CW, vol 13, 1967.
JUNG, C. G., *Archetypes of the Collective Unconscious*. CW, vol. 9, Part 1, 1968.
JUNG, C. G., *Psychological Types*. CW. vol. 6, 1971.
JUNG, C. G., e KERÈNYI, C., *Essays on a Science of Mythology: The Myths of the Divine Child and the Divine Maiden,* Bollingen Series 22. Harper & Row, New York, 1963. (Originalmente publicado em 1949).
KERÈNYI, C., *Zeus and Hera: Archetypal Image of Father, Husband and Wife,* Bollingen Series 65. Princeton University Press, Princeton, N. J., 1975.
KERÈNYI, C., *Eleusis: Archetypal Image of Mother and Daughter*. Schocken, New York, 1977. (Originalmente publicado em 1967).
KERÈNYI, Karl, "A Mythological Image of Childhood: Artemis". In *Facing the Gods,* org. por James Hillman. Spring, Irving, Texas, 1980.
KIRKSEY, Barbara, "Hestia: A Background of Psychological Focusing". In *Facing the Gods,* org. por James Hillman. Spring, Irving, Texas, 1980.
KOLTUV, Barbara Black, "Hestia/Vesta". *Quadrant* 10, nº 2, 1977.
KOTSCHNIG, Elined Prys, "Womanhood in Myth and Life". *Inward Light* 32, nº 75, 1969.
LAUB-NOVAK, Karen, "Reflections on Art and Mysticism". *Anima* 2, 1976.
LEONARD, Linda Schierse, *The Wounded Woman: Healing the Father-Daughter Relationship*. Shambhala Publications, Colo, 1983. (Originalmente publicado em 1981).
LOCKHART, Russell A., "Eros in Language, Myth, and Dream". *Quadrant* 11, nº 1, 1978.
LOOMIS, Mary, "A New Perspective for Jung's Typology: The Singer-Loomis Inventory of Personality". *Journal of Analytical Psychology* 27, nº 1, 1982.

LOOMIS, Mary, e SINGER, June, "Testing the Bipolarity Assumption in Jung's Tipology". *Journal of Analytical Psychology* 25, nº 4, 1980.
LUKE, Helen, M., "The Perennial Feminine". *Parabola* 5, nº 4, 1978.
MALAMUD, René, "The Amazon Problem". *Spring,* 1971.
MATTOON, Mary Ann, *Jungian Psychology in Perspective.* Free Press/ Macmillan, New York, 1981.
MOORE, Tom, "Artemis and the Puer". In *Puer Papers.* Spring, Irving, Texas, 1979.
NEUMANN, Erich, *The Great Mother: An Analysis of the Archetype.* Routledge & Kegan Paul, London, 1955.
NEUMANN, Erich, *Amor and Psyche. The Psychic Develop-ment of the Feminine,* Bollingen Series 54. Pantheon Books, New York, 1956.
NEUMANN, Erich, "The Psychological Stages of Feminine Development". *Spring,* 1959.
PERERA, Sylvia Brinton, *Descent to the Goddess. A Way of Initiation for Women.* Inner City Books, Toronto, 1981. Tradução brasileira *Caminho para a iniciação feminina,* Edições Paulinas, São Paulo, 1985.
RUPPRECHT, Carol, "The Martial Maid and the Challenge of Androgyny (Notes on an Unbefriended Archetype)". *Spring,* 1974.
SCHMIDT, Lynda, "The Brother-Sister Relationship in Marriage". *Journal of Analytical Psychology* 25, nº 1, 1980.
SINGER, June, *Androgyny.* Doubleday, New York, 1976.
SINGER, June, "Rise of the Androgyny Phenomena". *Anima* 3, nº 2, 1977.
SPRETNAK, Charlene, "Problems with Jungian Uses of Greek Goddess Mythology". *Anima* 6, nº 1, 1979.
STEIN, Murray, "Hera: Bound and Unbound". *Spring,* 1977.
STEIN, Murray, "Translator's Afterthoughts". In Karl Kerènyi, *Athene: Virgin and Mother.* Spring, Zurich, 1978.
STEVENS, Anthony, *Archetypes: A Natural History of the Self.* Morrow, New York, 1982.
ULANOV, Ann Belford, "Archetypes of the Feminine". In *The Feminine in Jungian Psychology and Christian Theolgy.* Northwestern University Press, Evanston, Illinois, 1971.
WHEELERIGHT, Jane, *Women and Men.* C. G. Jung Institute of San Francisco, 1978.
WOLF, Toni, "A Few Thoughts on Individuation in Women". *Spring,* 1941.
ZABRISKIE, Philip, "Goddesses in Our Midst". *Quadrant* 17, 1974.

3. Psicologia da mulher (além da junguiana)

APPLEGARTH, Adrienne, "Some Observations on Work Inhibitions in Women". *Journal of the Americam Psychoanalytic Association* 24, nº 5, 1976.

BART, Pauline B., "Portnoy's Mother's Complaint". *TransAction,* novembro-dezembro de 1970.

BART, Pauline B., "Depression in Middle-Aged Women". *In Women in Sexist Society,* org. por Vivian Gornick e Barbara K. Moran. Basic Books, New York, 1971.

BENEDEK, Therese, e RUBINSTEIN, Boris B., "The Sexual Cycle in Women: The relationship Between Ovarian function and Psichodynamic Processes". *Psychosomatic Medicine Monographs* 3, nºs 1, 2, 1942. Editado para inclusão em Therese Benedek, *Psychoanalytic Investigations: Selected Papers,* "The Correlation Between Ovarian Activity and Psychodynamic Process". Quadrangle, New York, 1973.

BERNARDEZ-BONESATTI, Teresa, "Women And Anger: Conflicts with Aggression in Contemporary Women". *Journal of the American Medical Women's Association* 33, nº 5, 1978.

BESDINE, Matthew, "Mrs. Oedipus". *Psychology Today,* março, 1971.

CARMEN, Elaine; RUSSO, Nancy F., e MILLER, Jean B., "Inequality and Women's Mental Health: An Overview". *American Journal of Psychiatry,* 138, nº 11, 1981.

CHERNIN, Kim, *The Obsession: Reflections on the Tyranny of Slenderness.* Harper & Row, New York, 1981.

CHESLER, Phyllis, *Women & Madness.* Doubleday, New York, 1972.

CHICAGO, Judy, *Through the Flower,* Doubleday, New York, 1977.

DOWLING, Colette, *The Cinderella Complex: Women's Hidden Fear of Independence.* Summit Books, New York, 1981.

ERICKSON, Erick, "Inner and Outer Space: Reflections on Wonanhood". *Daedalus,* 1964.,

FREEMAN, Jo., ed., *Women: A Feminist Perspective,* 2ª. ed. Basic Books, New York, 1979.

The Female Experience. Dos editores de *Psychology Today.* CRM, Del Mar, California, 1973.

FIELD, Joanna, *A Life of One's Own.* Teacher, Los Angeles, 1981.

FRIEDAN, Betty, *The Feminine Mystique.* Dell, New York, 1964.

GALLAND, China, *Women in the Wilderness.* Harper & Row, New York, 1980.

GILLIGAN, Carol, *In a Different Voice: Psychological Theory and Women's Development.* Harvard University Press, Cambridge, Massachussets, 1982.

GORNICK, Vivian, e MORAN, Barbara K., orgs., *Women in Sexist Society.* Basic Books, New York, 1971.
GRAY, Elizabeth Dodson, *Why the Green Nigger: Re-mything Genesis.* Roundtable Press, Wellesley, Massachussets, 1979.
GREER, Germaine, *The Female Eunuch,* McGraw-Hill, New York, 1971.
GRIFFIN, Susan, *Rape: The Power of Consciousness.* Harper & Row, New York, 1979.
HEILBRUN, Carolyn G., *Toward a Recognition of Androgyny,* Harper & Row, New York, 1974.
HEILBRUN, Carolyn G., *Reinventing Womanhood.* Norton, New York, 1979.
HENNIG, Margaret, e JARDIM, Anne, *The Managerial Woman.* Simon & Schuster, New York, 1978.
HORNER, Matina, "Why Bright Women Fear Success". In *The Female Experience,* dos editores de *Psychology Today.* CRM, Del Mar, California, 1973.
HOWELL, Elizabeth, e BAYES, Marjorie, org., *Women and Mental Health,* Basic Books, New York, 1981.
KOEDT, Ann; LEVINE, Ellen e RAPONE, Anita, org., *Radical Feminism.* Quadrangle, New York, 1973.
KOLBENSCHLAG, Madonna, *Kiss Sleeping Beauty Good-Bye: Breaking the Spell of Feminine Myths and Models.* Doubleday, New York, 1979.
LAKOFF, Robin, *Language and Woman's Place.* Harper & Row, New York, 1975.
LEDERER, Wolfgang, *The Fear of Women.* Harcourt Brace Jovanovich, New York, 1968.
LERNER, Harriet E., "Early Origins of Envy and Devaluation of Women: Implications for Sex Role Stereotypes". *Bulletin of the Menninger Clinic* 38, nº 6, 1974.
MARTIN, Del, *Battered Wives.* Simon & Schuster, New York, 1977.
MILLER, Jean Baker, *Psychoanalysis and Women.* Brunner/Mazel, New York, 1973. (Também pela Penguin, Baltimore, 1979).
MILLER, Jean Baker, *Toward a New Psychology of Women.* Beacon Press, Boston, 1976.
NADELSON, Carol C. e NOTMAN, Malkah T., *The Woman Patient. Vol. 2: Concepts of Feminity and the Life Cycle.* Plenum Press, New York, 1982.
NOTMAN, Malkah T. e NADELSON, Carol C., "The Rape Victim: Psychodynamic Considerations". *American Journal of Psychiatry* 133, nº 4, 1976.
OCHS, Carol, *Behind the Sex of God: Toward a New Consciousness-*

Transcending Matriarchy and Patriarchy. Beacon Press, Boston, 1977.

PERSON, Ethel Spector, "Women Working: Fears of Failure, Deviance and Success". *Journal of the Americam Academy of Psychoanalysis* 10, nº 1, 1982.

ROHRBAUGH, Joanna Bunker, org., *Women: Psychology's Puzzle.* Basic Books, New York, 1979.

ROSSI, Alice S., "Life-Span Theories and Women's Lives". *Signs* 6, nº 1, 1980.

RUBIN, Lillian B., *Women of a Certain Age: The Midlife Search for Self.* Harper & Row, New York, 1979.

SCARF, Maggie, *Unfinished Business: Pressure Points in the Lives of Women.* Ballantine Books, New York, 1981.

SEIDEN, Anne M., "Overview: Research on the Psychology of Women. Part 2. Women and Families, Work, and Psychotherapy". *American Journal of Psychiatryt* 133, nº 10, 1976.

SEIDENBERG, Robert, "The Trauma of Eventlessness", in *Psychoanalysis and Women,* org. por Jean Baker Miller, Penguin, Baltimore, 1973.

SPRETNAK, Charlene, org., *The Politics of Women's Spirituality: Essays on the Rise of Spiritual Power Within the Feminist Movement.* Doubleday, New York, 1982.

STAINES, Graham; Tarvis, Carol e Jayaratne, T. E., "The Queen Bee Syndrome", in *The Female Experience,* dos editores de *Psychology Today.* CRM, Del Mar, California, 1973.

STEINEM, Gloria, *Outrageous Acts and Everyday Rebellions.* Holt, Rinehart & Winston, New York, 1983.

STONE, Merlin, *When God Was a Woman.* Harcourt Brace Jovanovich, New York, 1976.

SYMONDS, Alexandria, "Violence Against Women: The Myth of Masochism". *American Journal of Psychotherapy* 33, nº 2, 1979.

THOMAS, Lynn, *The Backpacking Woman.* Doubleday, New York, 1980.

WEISSMAN, Myrna M. e KAPLAN, Gerald L., "Sex Differences and the Epidemiology of Depression", in *Gender and Disordered Behavior,* org. por E. S. Gomberg e V. Franks. Brunner/Mazel, New York, 1979.

WEISSTEIN, Naomi, "Psychology Constructs the Female", in *Radical Feminism,* org. por Anne Koedt, Ellen Levine e Anita Rapone. Quadrangle, New York, 1973. (Também publicado em *Woman in Sexist Society,* org. por Vivian Gornick e Barbara K. Moran. Basic Books, New York, 1971).

4. Psicologia geral (importante para este livro)

ERIKSON, Erik, *Childhood and Society,* 2ª ed. Norton, New York, 1963.

FEINSTEIN, A. David, "Personal Mythology as a Paradigm For a Holistic Public Psychology". *American Journal of Orthopsychiatry* 49, nº 2, 1979.

FREUD, Sigmund, *The Standard Edition of the Psychilogical Works of Sigmund Freud,* org. por J. Strachey. Hogarth Press, London.

GARDNER, Earl R. e Hall, Richard C. W., "The Professional Stress Syndrome". *Psychosomatics* 22, nº 8, 1981.

GENDLIN, Eugene T., *Focusing.* Bantan Books, New York, 1981. *(Originalmente publicado em 1978).

HARRIS, Mark, "Teaching is a Form of Loving". *Psychology Today,* setembro de 1973.

JAYNES, Julian, *The Origin of Consciousness in the Breakdown of the Bicameral Mind.* Houghton Mifflin, Boston, 1976.

LEVINSON, Daniel, *The Seasons of a Man's Life.* Ballantine, New York, 1979.

NEUGARTEN, Bernice L., org., *Middle Age and Aging: A Reader in Social Psychology.* University of Chicago Press, Chicago, 1968.

METZNER, Ralph, *Know Your Type.* Doubleday, New York, 1979.

ROSENTHAL, Robert, "The Pygmalion Effect Lives". *Psychology Today,* setembro de 1973.

ROSENTHAL, Robert e Jacobson, Lenore, *Pygmalion in the Classroom: Teacher Expectation and Pupil's Intellectual Development.* Holt, Rinehart & Winston, New York, 1968.

RICHARDS, M. C. (Mary Caroline), *Centering in Pottery, Poetry, and the Person.* Wesleyan University Press, Middleton, Connecticut, 1975. (Originalmente impresso em 1961).

SAFAN-GERARD, Desy, "How to Unblock". *Psychology Today,* janeiro de 1978.

SHEEHY, Gail, *Passages: Predictable Crises of Adult Life.* Dutton, New York, 1977.

TENNOV, Dorothy, *Love and Limerence: The Experience of Being in Love.* Stein & Day, Briarcliff, Manor New York, 1979.

ÍNDICE

9 Prólogo à edição brasileira
12 Prefácio
17 Agradecimentos
20 Introdução: Há deusas em cada mulher
35 1. As deusas como imagens interiores
50 2. Ativando as deusas
63 3. As deusas virgens: Ártemis, Atenas e Héstia
78 4. Ártemis: deusa da caça e da lua, competidora e irmã
116 5. Atenas: deusa da sabedoria e das artes, estrategista e "filha do pai"
158 6. Héstia: deusa da lareira e do templo, mulher sábia e solteirona
191 7. As deusas vulneráveis: Hera, Deméter e Perséfone
199 8. Hera: deusa do casamento, do compromisso e esposa
237 9. Deméter: deusa do cereal, nutridora e mãe
275 10. Perséfone: a jovem e rainha do Inferno, mulher receptiva e "filha da mãe"
310 11. A deusa alquímica
321 12. Afrodite: deusa do amor e da beleza, mulher criativa e amante
360 13. Qual deusa conquista a maçã de ouro?
379 14. A heroína em cada mulher

403 Apêndice: Quem é quem na mitologia grega
407 Quadro das deusas olímpicas
409 Bibliografia

PAULUS Gráfica, 1996
Rua Padre Tiago Alberione, 290 (São Ciro)
95057-530 Caxias do Sul, RS